Paul SURER

LE THÉATRE FRANÇAIS CONTEMPORAIN

SOCIÉTÉ D'ÉDITION ET D'ENSEIGNEMENT SUPÉRIEUR
5, Place de la Sorbonne
PARIS 5e

DU MEME AUTEUR

Manuel des Etudes littéraires françaises, six volumes
   (Moyen Age, XVIe, XVIIe, XVIIIe, XIXe, XXe siècles),
   en collaboration avec Pierre - Georges CASTEX,
   professeur de littérature française à la Sorbonne
   (Hachette, 1946-1953).

PREMIÈRE PARTIE

(1918-1939)

PREFACE

> "Monsieur, combien avez-vous de
> pièces de théâtre en France ?",
> dit Candide à l'abbé, lequel répon-
> dit : "Cinq ou six mille. — C'est
> beaucoup, dit Candide ; combien y
> en a-t-il de bonnes ? — Quinze ou
> seize, répliqua l'autre. — C'est
> beaucoup, dit Martin".
>
> (Voltaire, *Candide*, Chapitre XXII).

*La littérature et les arts subissent toujours le
contre-coup des événements capitaux — guerres,
révolutions ou cataclysmes — qui mettent en jeu
l'avenir d'une civilisation. Le théâtre français en
particulier a été trop profondément marqué par les
deux guerres mondiales de notre siècle pour que les
dates de 1914-1918 et 1939-1945 représentent seulement des divisions commodes à l'usage des historiens
de la littérature. Des bouleversements aussi considé-
rables ont d'abord neutralisé l'essor de la production
dramatique, qui a besoin pour se développer d'un
climat de quiétude et de loisirs. En 1914, les salles
de spectacles cessèrent de donner des représentations;
de 1940 à 1944, sous l'occupation allemande,
l'activité dramatique fut, en grande partie, paralysée
par la censure. Mais, aussitôt après la tourmente, la*

*vie reprit sur les scènes : un public nouveau, né d'un
état de choses nouveau, apparut et un impérieux
besoin de renouvellement se fit sentir.*

*La période qui s'étend de 1918 à nos jours est
d'une fécondité et d'une qualité dramatiques
exceptionnelles. Sans doute n'avons-nous pas vu
de génie comparable à Racine ou à Molière —
encore que certains n'hésitent pas à accorder du
génie à Paul Claudel — mais pourrait-on citer une
autre époque de l'histoire de notre théâtre, qui
réunisse une telle floraison de noms diversement
prestigieux : Paul Claudel, Jean Giraudoux, Jean
Anouilh, Jean Cocteau, Jules Romains, Sacha Guitry,
Charles Vildrac, Henri-René Lenormand, Edouard
Bourdet, Marcel Pagnol, Armand Salacrou, François
Mauriac, Henry de Montherland, Jean-Paul Sartre,
Albert Camus, Samuel Beckett, Jean Genet, Eugène
Ionesco, sans compter nombre de talents de moindre
envergure ? Mais c'est ici que commencent les
difficultés pour l'histoire de notre théâtre.*

*La première difficulté réside dans le nombre des
auteurs à retenir. C'est un leurre que de prétendre
anticiper sur le choix de la postérité, ne serait-ce que
parce qu'il est impossible de deviner ce qui sera
l'objet des préoccupations des générations à venir.
Comment faire, alors ? Citera-t-on tous les dramaturges de quelque renom ? Ce serait, étant donné le
foisonnement de la production contemporaine, se
condamner à une extrême confusion. Ne retiendra-t-on
que les tout premiers plans ? Ce serait faire injustice
à certains auteurs évincés, qui risquent de retenir
l'attention de la postérité. La solution la moins
mauvaise consiste peut-être à procéder comme pour*

les grands concours, Polytechnique par exemple : on
fixe à l'avance d'une part un nombre limite de
candidats reçus, d'autre part une « barre », c'est-à-
dire un certain nombre de points en deçà duquel on
ne descendra pas, afin de garder au concours le
prestige dont il jouit. Cependant, si soucieux que l'on
soit d'être impartial, il subsistera toujours, comme
dans n'importe quel concours, une certaine marge
d'aléa. Notre choix est critiquable et ne manquera pas
d'ailleurs d'être critiqué.

La deuxième difficulté consiste dans le classement
— non par ordre de mérite, mais par catégories —
des auteurs retenus. On a, depuis longtemps, pris
l'habitude de ranger les dramaturges sous certaines
rubriques. Le classement était aisé au XVIIᵉ siècle,
alors qu'il n'y avait que deux genres en présence, la
tragédie et la comédie, rigoureusement cloisonnées.
Il commença à se compliquer au siècle suivant avec
l'apparition de la comédie sérieuse, de la comédie
larmoyante et surtout du drame, qui se définit
d'abord comme un genre en marge de la tragédie et
de la comédie, mais qui fut ensuite promu par
Beaumarchais au rang de création originale. Au
XIXᵉ siècle, l'éventail s'ouvre encore plus largement :
on distingue le drame romantique, le mélodrame, la
comédie bourgeoise de mœurs, la pièce à thèse, la
comédie gaie, le théâtre réaliste, le théâtre naturaliste, le théâtre symboliste ; les auteurs toutefois se
rangent assez aisément sous ces diverses étiquettes.
Mais, à partir de 1918, le foisonnement insolite de
la production dramatique fait éclater la distinction
des genres et le cloisonnement des écoles. Chaque
auteur pousse dans le sens de sa propre originalité et

*construit sa technique personnelle ; d'où un grand
nombre d'œuvres isolées, divergentes. Nous avons
tenté, malgré tout, de dégager quelques lignes de
force, car il reste certaines tendances fondamentales,
mais il est évident que beaucoup de dramaturges
débordent hors des catégories où l'on prétend les
enfermer : Jacques Deval, rangé sous l'étiquette de
la comédie légère, est aussi un auteur satirique ;
Marcel Pagnol, classé parmi les satiriques, cultive
en même temps une veine romantique ; Henri-René
Lenormand pratique une dramaturgie violente, mais
il est surtout préoccupé par les mystères du subconscient ; enfin, deux auteurs, Jean Cocteau et
Armand Salacrou, sont pratiquement inclassables,
tant leur œuvre, diverse et protéiforme, ressemble à
un manteau d'Arlequin.*

*Une troisième difficulté réside dans le jugement
porté sur les dramaturges contemporains. Quel que
soit l'angle d'observation que l'on choisisse, il est
pratiquement impossible d'étudier une œuvre en
s'abstenant totalement de la juger. Or, n'oublions
pas qu'André Gide a écrit, dans son Journal, en
1931 : « C'est à propos de l'art dramatique que la
critique, de tout temps, a commis les pires erreurs ».
Il n'est pas de domaine, en effet, où les jugements
humains soient davantage sujets à révision. Sans
doute commence-t-on à voir un peu clair dans la
production dramatique de l'entre-deux guerres : un
recul, à la rigueur suffisant, nous permet d'apprécier
avec une certaine sérénité des pièces auxquelles des
critiques notoires prodiguèrent à la légère, dans
l'enthousiasme des générales, des louanges dithyrambiques ; mais comment pourrions-nous, à notre tour,*

*juger équitablement ce qui constitue la matière
vivante du théâtre actuel ? Tout jugement porté sur
une œuvre qui se fait est fatalement conjectural ;
autant prétendre écrire sur du sable. Mais ne peut-on
soutenir, sans trop verser dans le paradoxe, que c'est
précisément l'aspect hasardeux d'une pareille entreprise qui en constitue l'attrait majeur ?*

Paul Surer

Loguivy-de-la-Mer

Septembre 1963.

Le mouvement de rénovation dramatique, amorcé quelques années avant 1914, se déclenche à la fin de la première guerre mondiale. La violence de l'ébranlement provoque une cassure nette et profonde : le théâtre de la belle époque, parfois brillant, mais superficiel et sans poésie, fait date tout d'un coup ; ses artifices, dont un public essentiellement mondain avait fait ses délices, paraissent désormais ridicules et insupportables ; les fervents du théâtre, avides de satisfactions d'art, appellent de leurs vœux des œuvres nouvelles, qui renversent les routines du vieil art dramatique.

⋆⋆

L'essor de la production dramatique en France, de 1918 à 1939, est dû, dans une large mesure, au rôle prépondérant des metteurs en scène ou « animateurs ». Sous l'impulsion de Jacques Copeau, fondateur du Vieux-Colombier, quatre animateurs, possédés par une même ardeur novatrice, se fédèrent en un « Cartel » pour défendre les intérêts majeurs du théâtre : Georges Pitoëff, Charles Dullin, Louis Jouvet et Gaston Baty réagissent contre les formules d'un réalisme étroit, donnent au métier théâtral une dignité nouvelle et stimulent par leurs initiatives le zèle des auteurs dramatiques dont ils orientent la production.

Le théâtre comique garde la faveur des spectateurs, avides de détente joyeuse après des années d'angoisse et de deuil. Si la comédie légère tend à perdre l'audience du public cultivé, elle conserve une grande vogue dans les théâtres des boulevards, grâce surtout à Sacha Guitry, idole du public parisien, et Jacques Deval. La farce est, elle aussi, très prisée : d'une truculence flamande chez Fernand Crommelynck, elle s'inspire, chez Roger Vitrac, de Jarry et des surréalistes. La satire des institutions et des mœurs, brillamment représentée par Jules Romains, Edouard Bourdet, Marcel Pagnol et Armand Salacrou, trouve une riche matière dans le désordre et la corruption de l'après-guerre. D'autres auteurs cultivent une sorte de néo-romantisme : ainsi Jean Sarment et Marcel Achard, mêlant l'émotion au sourire, peignent des héros lunaires assez pitoyables, qui tentent d'échapper par le rêve à une réalité prosaïque et décevante.

Un certain nombre d'écrivains étudient de préférence des caractères ou des conflits dramatiques : parmi eux, les uns, comme Paul Géraldy. Charles Vildrac, Jean-Jacques Bernard et Denys Amiel, hostiles à l'artifice et au verbalisme, suggèrent par des nuances la vérité inexprimée des cœurs, s'efforçant ainsi d'illustrer une esthétique « intimiste » ; d'autres, comme Henri-René Lenormand, Paul Raynal et Steve Passeur, préfèrent aux demi-teintes une expression violente et présentent des personnages qui mettent à nu leurs sentiments les plus intimes.

Enfin, cette période de l'entre-deux guerres est dominée par l'œuvre de quatre maîtres de la scène : d'une part, Paul Claudel, dont les drames puissants, étalés sur plus de quarante ans, éclairent le mystère de l'univers et le destin de l'homme à la lumière de la foi chrétienne ; d'autre part, les trois Jean : Jean Giraudoux, qui a restauré l'essence et le climat de la tragédie, dans un type original de transposition poétique ; Jean Cocteau, virtuose au talent constamment renouvelé, et Jean Anouilh, homme de théâtre par excellence, également à l'aise dans la fantaisie bouffonne, le rire grinçant ou l'intensité tragique.

Photo Lipnitzki

Christian BÉRARD et Louis JOUVET
(La Folle de Chaillot).

Chapitre premier

LES ANIMATEURS DE LA SCÈNE

On ne saurait imaginer une création théâtrale sans metteur en scène. Dès le Moyen Age, des spécialistes guident les mouvements scéniques, dont ils sont « responsables ». Au xviie siècle, Molière, directeur de troupe, est un, metteur en scène très exigeant. Cependant le rôle de ce personnage reste assez limité jusqu'à la fin du xixe siècle : à cette époque, deux hommes de théâtre, Antoine et Lugné-Poe, en secouant les routines et en favorisant l'éclosion de jeunes talents, confèrent au metteur en scène une importance inconnue jusqu'alors. Cette importance s'accroît considérablement au xxe siècle : tandis qu'en Allemagne le seul nom des régisseurs Max Reinhardt ou Piscator attire davantage le public que celui des auteurs dont ils montent les pièces, en France le metteur en scène est promu à une véritable royauté grâce à Jacques Copeau et à ses successeurs, Georges Pitoëff, Charles Dullin, Louis Jouvet et Gaston Baty. Il relègue à l'arrière-plan les comédiens, dépossède les auteurs de leur primauté et se présente au public comme un « animateur », sorte d'homme d'Etat à pleins pouvoirs dans l'univers spécial du théâtre, maître de goût non

seulement pour la mise en scène proprement dite.
c'est-à-dire les décors, les costumes, les éclairages et
le jeu des acteurs, mais pour le choix des pièces et
leur interprétation. L'animateur s'arroge le droit de
présenter les œuvres selon son optique personnelle :
la pièce devient l'étoffe avec laquelle le couturier
bâtit ses robes.

Malgré la diversité de leurs tendances et de leurs
goûts, les grands animateurs de la première moitié
du xxᵉ siècle ont travaillé dans le même sens à la
rénovation de l'art dramatique français : ils ont
soumis tous les membres de leurs troupes à une
discipline commune ; ils se sont montrés hostiles
aux combinaisons commerciales et aux recettes
d'école ; ils ont favorisé d'une part l'éclosion de
pièces originales, d'autre part la résurrection des
chefs-d'œuvre des maîtres, aussi bien étrangers que
français ; enfin et surtout, ils ont restauré le prestige
de notre théâtre en l'élevant au rang d'un art
probe qui, loin d'être la copie servile de la réalité,
recherche une vérité profonde à travers d'inévitables
conventions.

I. JACQUES COPEAU
(1879-1949)

Photo Lipnitzki

Etude biographique. — Tandis que le vieux Lugné-Poe poursuivait avec ardeur au théâtre de l'OEuvre sa quête de talents nouveaux, Jacques Copeau préludait à la rénovation de l'art dramatique français. On ne saurait surestimer l'influence qu'il a exercée. Comme le remarque Jean Schlumberger, « si l'on cherche l'origine de tout ce qui s'est fait chez nous de neuf, de sain, de pur, on découvre toujours une première étincelle partie du foyer que fut l'humble et fameuse école de Copeau ».

Jacques Copeau, fils d'un ferronnier d'art, est né à Paris, dans le faubourg Saint-Martin en février 1879. Il fait ses études au lycée Condorcet. Déjà attiré par le théâtre, il écrit une pièce, *Brouillard du matin*, et la joue avec ses condisciples. Après avoir beaucoup voyagé dans sa jeunesse et tâté de plusieurs métiers — conseiller dans une galerie de tableaux en particulier — il fait ses débuts dans la critique littéraire, puis fonde en 1909, avec André Gide et Jean Schlumberger, la *Nouvelle Revue Française* : l'entreprise, hardie et féconde, se proposait de réagir contre le conformisme des écrivains mondains et de mettre

2

en valeur les talents authentiques. Copeau assume
la direction de la *N.R.F.* jusqu'en 1913. Cependant,
il songe à entreprendre une vaste réforme du théâtre,
« abandonné aux spéculations des exploiteurs ».
Il écrit pour Jacques Rouché, directeur du Théâtre
des Arts, une adaptation des *Frères Karamazov*. En
1913, il découvre sur la rive gauche, dans le quartier
boutiquier de Saint-Sulpice, une petite salle poussié-
reuse, dénommée l'Athénée Saint-Germain, qui était
louée à la soirée par des sociétés de bienfaisance,
pour y faire représenter des spectacles édifiants.
Copeau, dont les moyens financiers sont dérisoires,
jette son dévolu sur cette salle de patronage, dont
il fait le Théâtre du Vieux-Colombier. Il y forme
une troupe homogène et enthousiaste et il se met
à l'œuvre : « Nous travaillions jour et nuit sans
relâche, écrit-il, regardant devant nous notre idéal
grandir ». Il veut en effet « élever un théâtre nouveau
sur des fondations intactes et débarrasser la scène
de ce qui l'opprime et la souille ». En moins d'un
an se succèdent, grâce à la foi de l'animateur et au
zèle de sa troupe d'une part, des pièces du répertoire
(*L'Avare* et *Les Fourberies de Scapin* de Molière ;
Barberine de Musset ; *La Navette* de Becque ; *La Nuit
des Rois* de Shakespeare, qui fut une révélation et
fit entrer le Vieux-Colombier dans la notoriété) ;
d'autre part, des créations (*L'Echange* de Claudel ;
L'Eau de vie de Ghéon ; *Le Testament du père Leleu*
de Martin du Gard ; *Les Fils Louverné* de Schlumberger). Mais la guerre éclate et force le théâtre à
se mettre en veilleuse. Pourtant l'ardeur spirituelle
des fondateurs du Vieux-Colombier ne se ralentit pas :
c'est à eux que le gouvernement confie la mission,

pendant près de deux ans — d'octobre 1917 à avril
1919 — d'aller porter aux Etats-Unis « le salut et
le sourire de la France ». La compagnie comptait
alors parmi ses acteurs Lucienne Bogaert, Valentine
Tessier, Jean Sarment, Marcel Vallée, Charles Dullin
et Louis Jouvet, ce dernier exerçant en même temps
les fonctions de régisseur général. Après avoir
prononcé une série de conférences, Copeau installa
une scène française à New York : le théâtre Garrick.
La paix revenue, Copeau et sa troupe, mûris par
l'expérience, reprennent, avec une ardeur accrue, leur
commun effort au Vieux-Colombier. Le public cultivé
— bientôt, hélas, aussi les snobs — ne tarde pas à
fréquenter ce théâtre ou plutôt ce temple austère,
propice aux joies pures de l'intelligence. Un long
couloir conduit à la scène, étroite et nue, à laquelle
on accède par un escalier faisant office de rampe ;
pas de balcon ; un seul luxe : l'éclairage, assuré par
des projecteurs situés derrière les spectateurs et dont
la lumière, variable à l'infini, n'isole pas la scène de
la salle. Très éclectique, Copeau offre à son public
les spectacles les plus variés : outre quelques pièces
étrangères, le répertoire classique, en particulier
Molière, l'initiateur par excellence, selon lui, de
tout auteur dramatique : des pièces inédites, qui
avaient souvent pour auteurs les écrivains fondateurs,
avec lui, de la *N.R.F.* : *Saül* d'André Gide, *La Mort
de Sparte* de Jean Schlumberger ; *Le Paquebot
Tenacity* de Charles Vildrac ; des pièces méconnues,
comme *Le Carrosse du Saint-Sacrement* de Mérimée ;
enfin une tragédie moderne dont il était l'auteur,
La Maison natale, pièce classique par sa structure,
mais dont les intentions ne parurent pas très claires.

Ajoutons qu'en dehors des représentations proprement dites, Copeau organisait des lectures pour les étudiants et confiait à ses acteurs la direction d'ateliers de costumes, de menuiserie et d'équipement électrique.

Jacques Copeau abandonna la direction du Vieux-Colombier en 1924 et se retira en Bourgogne. Cette retraite prématurée s'expliquerait, selon certains par des difficultés matérielles, selon d'autres par une crise de confiance en soi. En fait, il semble que Copeau eut le sentiment qu'il ne pouvait pas mener à bien dans la capitale la rénovation qui lui tenait à cœur. « Il lui fallait, écrit Jean Schlumberger, un milieu parfaitement vierge et des comédiens novices, qui n'eussent encore subi aucune contamination par l'habituel climat des théâtres ». En effet, Copeau ne resta pas inactif en province : « c'est du village de Bourgogne, où il avait établi son école, continue Schlumberger, c'est de cette ruche vivante qu'a essaimé presque tout le personnel animant les jeunes « Compagnies ». Les disciples de Copeau, « les Copiaux », se groupèrent, sans Copeau, sous le nom de « Compagnie des Quinze ». Ils jouèrent au Vieux-Colombier de 1931 à 1933 et voyagèrent pendant plusieurs années à travers la France avec des succès divers. Quelques-uns d'entre eux devinrent des metteurs en scène ou des acteurs de talent. Quant à Copeau, il refusait toujours de prendre une activité à Paris ; toutefois, à partir de 1936, il fut associé aux destinées de la Comédie-Française, qu'il dirigea même entre 1939 et 1940. Mais Copeau fut jugé indésirable par les Allemands et par Vichy : il regagna alors définitivement sa retraite de Bourgogne et mourut en 1949.

**

Esprit à la fois subtil et profond, traditionaliste et novateur, homme de passion et de raison, Jacques Copeau apporta dans toutes ses entreprises le goût le plus sûr et le plus fin : acteur à l'occasion, mais surtout lecteur et commentateur incomparable, il sut imposer ses réformes grâce au rayonnement de son autorité personnelle.

La période 1880-1914 avait été marquée au théâtre par un certain nombre de grands acteurs idolâtrés du public et pour qui les auteurs en vogue écrivaient des rôles sur mesure. Copeau estimait que le prestige de ces monstres sacrés nuisait à l'homogénéité d'une représentation : aussi exigea-t-il que tous les membres de sa troupe, au lieu de rechercher un succès personnel, conjuguent leurs efforts sous la conduite d'un chef éclairé et soucieux d'assurer la qualité de l'ensemble. « Plus de vedettes ! La reine d'hier aujourd'hui servante ; tous entraînés, éduqués et disciplinés dans un sens unique, sous l'unité absolue de la direction ».

A cette troupe, Copeau proposa un idéal, dont il définit les traits essentiels dans une conférence prononcée à la salle des Sociétés Savantes, sous le titre *La Sincérité dans la mise en scène*. Il commença par indiquer ce que ne serait pas le Vieux-Colombier. Ce ne serait pas un théâtre d'intellectuels, car Copeau voulait présenter « des choses simples qui puissent être comprises simplement ». Ce ne serait pas non plus un théâtre d'avant-garde, car il avait une sainte horreur pour ce mot : « trop de gens qui ont débuté sur les barricades finissent dans le gouvernement ». Enfin, ce ne serait pas un théâtre révolutionnaire, mais plutôt un théâtre réaction- naire, en ce sens que Copeau entendait mettre sa troupe à l'école des grands maîtres du passé. Il préconisait « un théâtre de sincérité », précisant d'ailleurs qu'il ne fallait pas confondre sincérité avec impétuosité ou spontanéité ; il voulait une sincérité d'âge mûr, dépouillée des illusions, se refusant à la mode et au désir de se singulariser. Bref, il était partisan d'un théâtre « non théâtral », c'est-à-dire qui écarte ce que le mot théâtre comporte souvent « d'artifice inutile, de gauchisse- ment, de compromis, de malhonnêteté ».

Au comédien, Copeau demandait avant tout une subordination absolue à l'œuvre qu'il devait inter- préter, un respect total du texte ; l'acteur devait « non recréer la pièce à sa guise, mais se confondre avec celui qui l'avait créée ». Placé sous le contrôle permanent du metteur en scène, il devenait le serviteur de l'œuvre, qu'il devait présenter dans un jeu sobre et stylisé.

Au public, Copeau, aristocrate épris de beauté et hostile à toute complaisance, essaya d'inculquer le goût d'un art austère, un peu janséniste, fait non de faux éclat, mais de densité et de vigueur. Sans doute reconnaissait-il qu'il n'y a pas de théâtre sans convention ; encore fallait-il que la convention recherchée fût la juste et vraie convention. Obtenir la vérité — une vérité qui suggère et stylise — contre la réalité, « contre le vrai vital qui est le contraire du vrai théâtral », telle était, selon Copeau, la mission essentielle du théâtre.

Au nom de ces principes, Copeau recommandait

une mise en scène dépouillée. Il condamnait
certains abus des « cabotins metteurs en scène » :
les mutilations tantôt académiques, tantôt romantiques de Shakespeare ; les mises en scène spectaculaires de Racine ou de Molière : « pour fournir à
Scapin son sac, on plante à grands frais sur la scène
le port de Naples tout entier ». Or, pensait Copeau,
« la mise en scène n'est pas le décor : c'est la
parole, le geste, le mouvement, le silence ; c'est
autant la qualité de l'attitude et de l'intonation que
l'utilisation de l'espace ». Sans doute, à ses débuts,
en particulier dans *La Nuit des Rois*, les spectacles
de Copeau laissaient-ils une place à l'enchantement
visuel. Mais bientôt s'affirma chez lui le goût des
mises en scène suggestives : sur un plateau de ciment
encadré de quelques draperies (1), une architecture
fixe était formée de plans géométriques étagés ; un
décor synthétique incitait au rêve et à la poésie : un
pot de fleurs évoquait un paysage de banlieue, un
arbuste évoquait une forêt. Comme le remarquait
Paul Léautaud en 1920, « jamais on n'a mieux
montré qu'une œuvre dramatique peut se suffire à
elle-même, tirer toute sa valeur d'elle seule, sans
rien de toutes les recherches de la mise en scène et
des décors qui, le plus souvent, ne font que lui
nuire en détournant l'attention du public ». En
somme, le premier des grands animateurs de notre
théâtre contemporain, tout en demeurant accessible

---

(1) Notons sur ce point l'influence des théories de l'anglais
Gordon Craig, qui recommandait l'emploi de rideaux et de
draperies pour créer, dans la mise en scène, une vérité
poétique. *L'Art du Théâtre*, de Gordon Graig, a été pour
Copeau, Jouvet et J.-L. Barrault, un livre essentiel.

aux manifestations du génie moderne, revenait à l'esthétique classique, éprise de sobriété et de vérité.

II. *LE CARTEL DES QUATRE*

Le mouvement de réforme était déclenché. Lorsque Jacques Copeau abandonna le Vieux-Colombier en 1924, son œuvre fut reprise par quatre Compagnies théâtrales. Tout en conservant chacune son originalité, elles furent animées d'une même ardeur novatrice et s'organisèrent en une véritable fédération, d'où le nom qui leur fut donné par René Bruyez : « Le Cartel des Quatre ». Les tentatives poursuivies par ce Cartel se situent surtout entre 1925 et 1939.

Georges, Ludmilla Pitoeff et Henri-René Lenormand.

Photo Lipnitzki

A. *GEORGES PITOEFF*
(1884-1939)

Etude biographique. — Né à Tiflis, en Géorgie,
aux confins de l'Asie, Georges Pitoëff était le fils
d'un directeur de théâtre. Tout jeune, il se passionne
pour les jeux de la scène : « à l'âge de six ans, écrit
sa femme Ludmilla, il montait des fables, des contes
de fées, des pièces plus ou moins inventées par lui,
dans le petit théâtre que ses parents avaient fait
construire chez eux pour lui ». Il vient à Paris, où
il fait des études d'architecture, de mathématiques et
de droit. Mais la passion de la scène ne l'a pas quitté.
Il fonde un théâtre à Saint-Pétersbourg, s'imprègne
des leçons de Stanislawski, ami de la famille. Durant
la première guerre, Georges Pitoëff revient en France
et rencontre Ludmilla. Originaire comme lui de
Tiflis, Ludmilla avait suivi à Paris les cours du
Conservatoire ; elle avait été remarquée par Berthe
Bovy ; pourtant, elle échoua au concours. Georges
épouse Ludmilla ; le couple part pour la Suisse et
fonde la première Compagie Pitoëff en 1918. La
Compagnie est invitée, au cours de plusieurs saisons,
à donner des représentations à Paris : elle joue
notamment deux pièces de Lenormand, *Le Temps*

est un songe (1919), puis *Les Ratés* (1920), qui obtiennent un grand succès auprès des jeunes universitaires. En 1921, Jacques Copeau invite les Pitoëff à jouer *Oncle Vania* de Tchékhov au Vieux-Colombier. Cependant, Georges était aux prises, en Suisse, avec de lourdes difficultés : aussi accepte-t-il une offre de Jacques Hébertot, directeur du Théâtre des Champs-Elysées, qui engage les meilleurs éléments de sa troupe. Pitoëff reste au Théâtre des Champs-Elysées jusqu'en 1925 ; il y joue des pièces étrangères, russes en particulier. En 1925, une seconde Compagnie Pitoëff est créée. Elle accueille des acteurs de qualité : Roger Gaillard, Louis Salou, Jean Marchat, Marcel Herrand, Louis Jouvet, Michel Simon, ce dernier découvert par les Pitoëff en Suisse, où il était photographe. La Compagnie fait, à plusieurs reprises, le tour de l'Europe : elle joue notamment la *Médée* de Sénèque, l'*Œdipe* d'André Gide, *Les Criminels* de l'Allemand Bruckner, *Sainte-Jeanne* de Bernard Shaw, *Maison de Poupée* d'Ibsen. Mais la Compagnie se disperse en 1929 et, dès lors, Pitoëff erre de théâtre en théâtre, successivement directeur du Théâtre des Arts, de l'Avenue et des Mathurins. La troupe fait des tournées en Suisse et en Italie. Cependant Ludmilla, peut-être sous l'influence du rôle de Jeanne d'Arc qu'elle interpréta longtemps, subit une crise mystique. En 1939, Georges tombe malade ; il s'épuise en efforts stoïques et son dernier rôle — celui du docteur Stockmann, dans *L'Ennemi du Peuple* d'Ibsen — hâte sa fin. Il meurt près de Genève, chez l'actrice Nova Sylvère, en septembre 1939. Sa veuve quitte l'Europe pour l'Amérique en 1941 : elle joue à New

York, puis à Montréal et à Hollywood. De retour en
France en 1946, elle interprète *L'Echange, Maison
de Poupée, le Procès de Jeanne d'Arc.* Ludmilla
Pitoëff mourut en septembre 1951, à Ville-d'Avray.

★★
★

Georges Pitoëff fut un animateur étonnant.
Idéaliste et visionnaire, ennemi de toute routine, il
s'appliqua toujours aux problèmes les plus ardus.
Son activité inlassable n'avait d'égale que son
désintéressement.

Pitoëff possédait une connaissance extraordinaire
du théâtre étranger. Sans doute fut-il accueillant aux
dramaturges français : Péguy, Claudel, Gide, Saint-
Georges de Bouhélier, Lenormand, Vildrac, Jean-
Jacques Bernard, Achard, Passeur, Anouilh ; mais
l'essentiel de son répertoire fut composé d'auteurs
étrangers, au point que Georges Duhamel lui aurait
dit un jour : « Votre théâtre est la vraie Société des
Nations ». Cet apport de Pitoëff à la diffusion du
théâtre étranger, dont il s'appliquait à restituer les
œuvres dans leur tonalité propre, est son meilleur
titre à notre reconnaissance, car, dans ce domaine,
la France restait d'une ignorance qui confinait au
ridicule. Le répertoire de Georges Pitoëff était d'une
très vaste étendue. Le théâtre russe, interprété.
selon lui, jusque-là à contre-sens, figurait au premier
plan, représenté par Andréiev, Gogol, **Gorki**,
Pouchkine, Tolstoï, Tourgueniev et Tchékhov. L'Angleterre était représentée par Shakespeare, Oscar
Wilde, Priestley, Bernard Shaw, Synge ; les pays

nordiques par Ibsen et Strindberg ; l'Allemagne par Hauptmann et Bruckner ; l'Italie par Goldoni, d'Annunzio et Pirandello (1) ; l'Espagne par Calderon ; l'Amérique par O'Neill ; l'Inde par Rabindranath Tagore. Ajoutons, chez les anciens, Sophocle et Sénèque.

Pitoëff n'a jamais, à proprement parler, formulé de théories dramatiques. Il a pourtant préconisé des réformes relatives à la mise en scène et au jeu de l'acteur ; plus encore peut-être que celles de Copeau, ces réformes marquent un retour vers la sobriété et la stylisation. Comme Copeau, Pitoëff

---

(1) De tous les dramaturges étrangers, Pirandello est peut-être celui qui a exercé la plus forte influence sur notre théâtre contemporain. Né à Agrigente, Luigi Pirandello (1867-1936), après des études à Rome et à Bonn, fut professeur de stylistique à l'École Normale de jeunes filles de Rome, de 1897 à 1921. Il a publié plusieurs romans : *Feu Mathias Pascal, Son Mari, On tourne, Un, personne, cent mille,* mais c'est grâce à son théâtre, très intellectuel et pétri d'humour, qu'il a connu une renommée mondiale : *La Volupté de l'Honneur, Six Personnages en quête d'Auteur, Chacun sa Vérité, Henri IV, Vêtir ceux qui sont nus, Ce Soir on improvise.* Pirandello fut révélé au public parisien en 1922 et 1923 par Dullin et Pitoëff. Le grand dramaturge sicilien cherche la vérité humaine au delà des caractères et de la conscience claire, dans les' zones mystérieuses de l'âme. Il détruit le mythe de la personnalité, car il n'y a aucune concordance, selon lui, entre l'image que nous nous faisons de' nous-mêmes, les images que notre entourage se fait de nous et ce que nous sommes réellement. La vérité de notre être, toute relative d'ailleurs, se trouve dans une synthèse, difficile à doser, de ces divers éléments. Le public français se plut aux pièges ambigus de Pirandello, à ses subtils chassés-croisés entre les visages et les masques, la vérité et l'erreur, la réalité et le rêve, la raison et la folie. Son influence s'est exercée en particulier sur Crommelynck, Sarment, Lenormand et Anouilh. Le *Théâtre complet* de Pirandello a été édité chez Gallimard.

accorde la première place au texte : la mise en
scène doit sortir, avec une logique parfaite, de ce
texte, qui est comme le cœur même de la pièce.
Aussi Pitoëff était-il hostile à ces pionniers de
théâtre qui, pour adapter les œuvres au goût du
jour, n'hésitaient pas à les transformer, à les
mutiler. Le rôle du metteur en scène était, selon lui,
de « remonter jusqu'à l'inspiration première de
l'auteur, de pénétrer son dessein, ses intentions ».
Pour Pitoëff, la simplicité et la mesure étaient
l'essence même de l'art : plus une œuvre lui parais-
sait forte, plus il estimait que la mise en scène devait
être dépouillée. Le but de la mise en scène est de
traduire plastiquement la poésie secrète de l'œuvre,
le rêve de l'auteur par les moyens les plus simples :
des tentures de velours noir, gris ou bleu ; des jeux
de lumière appropriés ; un décor aux lignes géométriques, recherchant la synthèse et l'unité (quelques
objets précis, quelques meubles indispensables
étaient chargés d'une signification symbolique) ;
enfin des groupements et déplacements étudiés de
personnages dans l'espace.

Le jeu de l'acteur doit éviter, selon Pitoëff,
l'artifice, le procédé, tout ce qui ressemble au
cabotinage. Un long travail d'analyse permet à
l'interprète de s'imprégner de son rôle : grâce à ce
travail préalable, il peut se laisser aller, le jour de la
représentation, au lieu de recourir aux ficelles du
métier. Georges Pitoëff fut un acteur fascinant, au
jeu pathétique et brûlant de fièvre. On n'a pas
oublié sa sveltesse ascétique, son visage tourmenté
au large front illuminé par un regard profond et
douloureux, sa voix éraillée, comme fêlée et pourtant

chantante, la nonchalance de ses gestes. Il excellait
particulièrement à traduire le scepticisme amer ou
ironique, le rêve des âmes éprises d'absolu, la
désespérance et les tourments des hallucinés.
Comme le remarquait André Lang, « Georges
Pitoëff, qui faisait trembler les mots et ne pouvait
pas dire oui sans souffrir, créait du mystère par sa
démarche, du doute par ses regards, du trouble par
ses gestes ». Sa femme, Ludmilla, lui était peut-
être supérieure comme interprète, tant sa voix,
musicale, était riche en inflexions précises. Elle avait
tour à tour l'espièglerie d'une petite fille et la vie
intérieure profonde d'une femme. Elle restera une
inoubliable Sainte Jeanne, dont elle faisait ressortir
à la fois la pureté et l'intransigeance.

B. CHARLES DULLIN
(1885-1949)

Etude biographique. — Né à Yenne en Savoie, Charles Dullin était le cadet d'un très nombreuse famille, « dix-huit ou vingt et un enfants, je ne me rappelle pas », écrit-il. Sa mère avait épousé à seize ans Jacques Dullin, notaire, puis juge de paix. Le jeune Charles vit, comme un sauvageon, « dans un merveilleux permanent » ; il est choyé par son oncle Joseph, un aristocrate lettré, qui l'initia aux choses du théâtre. A neuf ans, il entre comme interne au lycée de Lyon, d'où il s'échappa deux fois, en sorte que la vie se chargea « de lui apprendre ce qu'il ne savait pas ». Il fait ensuite l'apprentissage de toutes sortes de métiers ; ainsi, il est commis saute-ruisseau à Lyon. Ayant un jour à instrumenter contre une ballerine d'opéra, il omet d'inscrire sur le procès-verbal les objets auxquels elle tenait : on le chasse de l'étude. Il est ensuite commis drapier dans une maison de blanc, mais il débite plus de vers que de pièces de drap ; on le chasse encore.

Entre temps, il suivait les cours du Conservatoire et, le soir, il récitait des poèmes dans les cafés. Il « monte » à Paris en 1903, décidé à conquérir la

capitale : il a dix-sept francs en poche. Il mène la
vie de bohême, joue de petits rôles au Lapin Agile et
dans les cabarets, interprète des mélodrames dans les
théâtres de la périphérie, à Belleville en particulier :
on le voit en vieux brahmane dans *Les Aventures du
Capitaine Corcoran*. La maladie l'oblige à quitter
Paris plusieurs fois, mais il y revient toujours,
passant des tréteaux de la foire de Neuilly, où il fait
la parade, à une ménagerie ambulante, où il déclame
des vers de Villon, encagé à côté des lions.

Un jour cependant, il est convoqué par Jacques
Rouché au Théâtre des Arts : il joue dans *Le
Carnaval des Enfants* de Saint-Georges de Bouhélier,
monté par Copeau. Celui-ci le remarque et lui confie
ensuite le rôle de Smerdiakov, dans *Les Frères
Karamazov ;* Dullin remporte un grand succès
personnel. Il suit alors Copeau au Vieux-Colombier,
où il joue aux côtés de Jouvet. Pendant la guerre, il
monte un spectacle aux armées ; en 1917, il rejoint
Copeau en Amérique. A son retour, on le trouve au
Cirque d'Hiver et à la Comédie-Montaigne, avec
Gémier, puis au Vieux-Colombier, où il joue dans
La Vie est un songe de Calderon. Mais il désire
fonder une école à lui : il réunit une troupe qui fait
ses débuts à Moret-sur-Loing en 1921-1922. En
octobre 1922, Dullin découvre à Paris, place Dancourt, le vieux Théâtre Montmartre, à l'aspect
provincial, où avait vécu le mélodrame. Dullin
baptise ce théâtre : l'Atelier, mot évocateur. Alors
commence, au milieu de constantes difficultés
financières, la période glorieuse de sa carrière. Il
crée, en même temps qu'un théâtre d'essai, une
école professionnelle d'art dramatique. Professeur

d'une ardeur et d'une foi d'apôtre, il est aussi un metteur en scène épris de réformes hardies. Pirandello l'attire avec ses acrobaties, son ironie amère, sa psychologie aiguë et énigmatique : du grand Sicilien, Dullin joue *Chacun sa vérité* et *La Volupté de l'Honneur*. Puis deux pièces de Ben Jonson, *La Femme silencieuse* et surtout *Volpone*, dans une adaptation de Jules Romains et Stefan Zweig, lui valent des succès retentissants. Très éclectique, Dullin passe de la farce à la tragédie, marquant cependant une prédilection pour les grandes œuvres classiques. Il joue de l'Aristophane (*Les Oiseaux*, *La Paix*, *Plutus*) ; du Shakespeare (*Jules César*, *Le Roi Lear*, *Richard III*) ; du Corneille et du Molière, à ses matinées du jeudi. Il monte aussi des pièces de Jules Romains, Marcel Achard, Steve Passeur, Alexandre Arnoux, Jean Cocteau et contribue à imposer Armand Salacrou (*Patchouli*, *Atlas-Hôtel*, *La Terre est ronde*). Le public se rend avec un plaisir particulier dans ce vieux théâtre poussiéreux, à l'étroit plateau rond et aux petites loges sur les côtés : « il faisait bon et chaud tout en haut de chez Dullin, les fesses à la dure et le cœur battant », écrivait Jean Anouilh il y a quelques années.

Cependant Dullin se sentait trop à l'étroit à l'Atelier. Dans l'espoir de toucher un plus vaste public, il émigre au Théâtre Sarah-Bernhardt, qui devient le Théâtre de la Cité. Il fait preuve de la même activité, mais ses audaces ne sont pas toujours heureuses. Il monte la première pièce de Sartre, *Les Mouches*, en 1943, puis *Crainquebille*. Après la Libération, il fait jouer *Le Soldat et la Sorcière* de Salacrou, puis *L'An Mil* de Jules Romains. Le trop

vaste cadre de sa nouvelle salle limite ses choix : il
ne peut plus accepter des pièces en demi-teintes,
qu'il eût présentées avec amour dans l'ambiance
intime de l'Atelier. De plus, les charges d'exploita-
tion sont si lourdes que la gestion financière du
théâtre se traduit, en 1947, par un déficit de quatre
millions, dont le Conseil Municipal refuse d'assumer
la charge. Traité comme un adolescent trop
prodigue, le vieux lutteur reprend alors son existence errante : il crée au Théâtre Montparnasse
L'Archipel Lenoir de Salacrou, qu'il joue ensuite en
tournées en France et à l'étranger. Puis il accepte
de diriger la section théâtrale de la Maison des Arts,
à Genève. Mais depuis longtemps, la maladie minait
ce petit homme malingre et voûté : il meurt en
1949, quelques semaines après Copeau, à l'hôpital
Saint-Antoine.

Jean-Louis Barrault, qui fut l'élève de Charles
Dullin, a insisté sur les aspects contradictoires de
son maître, « faible et héroïque, injuste et généreux,
roué et bohème, cruel et ami, naïf et vieux renard ».
En dépit de ses défauts, l'homme était d'une race
exceptionnelle : « jamais victime de son personnage,
il restait toujours lui-même et jamais nous ne
pûmes le prendre en faute d'indélicatesse ou de
vulgarité. Aristocrate authentique de l'âme et du
cœur ». Aucun animateur, pas même Pitoëff ne s'est
identifié comme lui avec son art : il était le théâtre.
On imaginerait assez bien Copeau cardinal, Jouvet
architecte, Baty peintre ; Dullin, lui, ne pouvait

être qu'un homme de théâtre. Cependant, plus il avançait dans son art, plus il semblait l'ignorer et le découvrir, tant il savait rester intact jusqu'à la candeur. Il était d'autre part extrêmement scrupuleux et honnête à l'égard du public ; aussi était-il très exigeant et même dur pour ceux qu'il formait. Jean Vilar, son élève lui aussi, le représente comme le contraire de l'affection : « il ne vous aidait pas, ne vous encourageait pas, ne se souciait pas de vous, vous ignorait même, mais il existait ». Il inoculait à tous ceux qui l'entouraient l'amour du théâtre ; il les « rongeait » par un climat de bouleversante passion. Acteur de grande classe, doué d'une voix âcre et sifflante, mais d'une parfaite netteté, Dullin jouait de préférence les inquiets, les cyniques ou les grands ambitieux (Smerdiakov, Volpone, Richard III). Son visage était un admirable miroir où se reflétaient l'angoisse, le mépris, l'avidité, la ruse ou la lubricité.

Charles Dullin fut un réformateur intelligent, ardent, audacieux, poursuivant obstinément la nouveauté et la qualité. Ennemi acharné des commerçants de théâtre, qu'il comparait à des « épiciers », il préconisait un art simple, sobre, naturel, mais sans rapport avec « l'horrible naturel », artificiel et vulgaire des naturalistes. Son naturel à lui était fait de réalisme, certes, mais aussi de psychologie, de poésie et de rêve : « Je voudrais, disait-il avant son départ pour Genève, provoquer une réaction contre la mise en scène extérieure. On sait le goût que j'ai toujours eu pour le spectacle. Mais il ne faut pas s'éloigner du théâtre pour tomber dans la revue des Folies-Bergère. Il faut partir de l'intérieur et obtenir des comédiens qu'ils restent des êtres humains, pour mieux servir et mettre en valeur les éléments dramatiques du spectacle ».

Pour Charles Dullin, le théâtre était un art complet, qui doit s'adresser à un public aussi vaste que possible (avant Jean Vilar, Dullin avait pensé à organiser des tournées théâtrales en banlieue). Une représentation dramatique est un ensemble homogène et harmonieux, à la réalisation duquel concourent un certain nombre d'éléments, non seulement des décors et des costumes stylisés, mais des mouvements d'ensemble, des groupements plastiques, des ballets, des intermèdes, des spectacles mimés : ainsi le ballet des apothicaires dans *Georges Dandin ;* le ballet des créanciers dans *Le Faiseur ;* la danse au son des tambourins dans *Richard III.* Enfin, une des originalités de Dullin a consisté à donner aux motifs musicaux un rôle important dans les spectacles, d'abord parce que la musique contribue à souligner et à renforcer les effets scéniques, ensuite et surtout parce qu'elle est, par excellence, une source de cette émotion poétique qui reste, beaucoup plus que la stricte expression de la réalité, la raison d'être et le but essentiel de l'art dramatique.

Photo Lipnitzki

C. LOUIS JOUVET
(1887-1951)

Etude biographique. — Né à Crozon dans le Finistère, Louis Jouvet appartient à une famille de médecins et de pharmaciens. Il a fait lui-même des études de pharmacie ; mais, de bonne heure, il est possédé par le démon du théâtre. Il débute comme artiste-amateur au faubourg Saint-Antoine, puis il joue le mélodrame avec Léon Noël, qui l'enrégimente dans des tournées de cape et d'épée. Trois fois refusé au Conservatoire, il n'a d'autre ressource que de doubler de petits rôles à l'Odéon ou de faire de la figuration au Châtelet. Un jour, au Théâtre des Arts, il est présenté à Jacques Copeau, qui lui apparaît d'emblée comme « le Messie ». L'animateur du Vieux-Colombier l'engage dans sa troupe, où il restera dix ans. Louis Jouvet fait d'humbles débuts chez Copeau comme machiniste-tapissier, puis il se cantonne dans l'emploi de régisseur général, ce métier de « valet de chambre de théâtre », selon son expression, mais où il se sent en contact avec les ouvriers, dans la chaude camaraderie des coulisses. Accessoirement, il est acteur : deux créations bouffonnes dans des rôles de composition, Macroton

de *L'Amour médecin* et Messire André de *La Nuit
des Rois* le signalent à l'attention du public. Louis
Jouvet suit Jacques Copeau en Amérique de 1917 à
1919 ; il revient ensuite avec la troupe au Vieux-
Colombier, qu'il quittera trois ans plus tard. En
1923, Jacques Hébertot le charge de la mise en scène
des spectacles à la Comédie des Champs-Elysées,
dont il devient bientôt le directeur. Jouvet introduit
au répertoire les principales pièces jouées au
Vieux-Colombier ; il monte aussi des œuvres de
Romains , Sarment, Achard, Passeur, Zimmer,
Crommelynck. *Siegfried*, la première pièce de
Giraudoux — bientôt suivie d'*Amphitryon 38*,
Judith, Intermezzo — est représentée par Jouvet en
1928 et remporte un triomphe : l'alliance du
comédien et du nouveau dramaturge avait été
immédiatement conclue ; elle devait être indestruc-
tible. Cependant, Jouvet est accablé par les frais :
« il y avait, déclare-t-il, plus d'huissiers que de
spectateurs dans les couloirs du théâtre ».

A l'automne 1934, Louis Jouvet émigre dans un
autre quartier, l'Opéra, et s'installe à l'Athénée,
qui devient le Théâtre Louis Jouvet. Il y joue encore
du Giraudoux — *Tessa, La Guerre de Troie n'aura
pas lieu, Electre, Ondine* — ainsi que ses auteurs
favoris, à peu près uniquement des français, car il
n'a que peu de goût pour le symbolisme intempestif
d'un Ibsen ou les jongleries compliquées d'un
Pirandello. Sa troupe, très homogène, est maintenant
constituée : elle comprend la mystérieuse Lucienne
Bogaert, la savoureuse Valentine Tessier, la tendre
Madeleine Ozeray, le jovial Romain Bouquet, le
puissant Pierre Renoir, le juvénile Jean-Pierre

Aumont, le génial Michel Simon. Nommé professeur au Conservatoire, Jouvet y forme de nombreux disciples, grâce à son étonnante puissance de persuasion. En 1941, il quitte Paris, les autorités occupantes lui interdisant de jouer Romains et Giraudoux, considérés comme « anticulturels ». Il entreprend alors une tournée de près de quatre ans en Amérique du Sud, où sa troupe reçoit un accueil amical, quasi fraternel : il parcourt quinze pays, donne trois cent soixante seize représentations ; grâce à lui, Molière — dont il était pénétré — Musset, Claudel, Romains, Giraudoux sont fêtés par un public de haute culture et d'esprit latin. De ce long périple, Jouvet garda un sentiment d'enrichissement et de renouvellement. En 1945, il est de retour en France et il reprend son activité à l'Athénée, où il monte notamment *La Folle de Chaillot* de Giraudoux, *Les Bonnes* de Jean Genet, *Don Juan* et *Tartuffe*, faisant alterner ses représentations parisiennes avec des tournées dans le Proche-Orient et dans les principales capitales européennes. Il meurt en 1951 ; ses dernières paroles auraient été : « Est-ce que je pourrai encore travailler ? ».

Comme Dullin, Louis Jouvet unissait en lui des aspects contradictoires : capricieux, mais tenace ; faible, mais autoritaire ; naïf, mais rusé ; timide, mais hardi ; flegmatique, mais anxieux. Ce dernier aspect est peu connu : Jouvet était un inquiet, un tourmenté, qui craignait toujours d'être inférieur à sa tâche. Scrupuleux à l'extrême, il avait la passion du travail bien fait, fignolé (1) : « il constitua, remarque Julien Cain, de véritables archives avec les manuscrits, lettres, notes techniques, photographies, programmes, affiches, maquettes de décors et de costumes, qu'il ne cessait de rassembler et qui formaient des dossiers bien classés » (ces archives ont été déposées par la famille de Jouvet à la Bibliothèque de l'Arsenal, où elles figurent sous le nom de *Collection Louis Jouvet*).

Jouvet est un technicien du théâtre, qui connaît à fond les ressources de son métier. Il a des idées précises sur le jeu des acteurs, sur la mise en scène, sur l'art dramatique en général.

Acteur et professeur de diction, Louis Jouvet réalise l'idéal conçu par Diderot dans son *Paradoxe sur le Comédien* : toute création se fait non dans l'enthousiasme, mais dans la lucidité ; aussi les grands acteurs sont-ils les êtres les moins sensibles. Le comédien, selon Jouvet, ne doit pas vivre son rôle ; il doit l'étudier dans le plus grand détail, jusqu'à ce que chaque geste, chaque intonation, chaque nuance du texte soient fixés une fois pour toutes. D'autre part, l'acteur doit rendre le texte dans sa plénitude et de façon si parfaite qu'il donne l'impression de le créer lui-même : durant les répétitions, « la pièce est comme une mosaïque éparse », mais l'audition doit recomposer, ressusciter les moments de l'inspiration de l'auteur. En bref, « un texte est d'abord une respiration. L'art

---

(1) Ce goût du travail fignolé a été parfois critiqué : « La sage perfection des spectacles de Jouvet nous ennuyait un peu », écrit Simone de Beauvoir dans *La Force de l'âge*.

du comédien est de vouloir s'égaler au poète par un simulacre respiratoire qui, par instants, s'identifie au souffle créateur » : aussi Jouvet exigeait-il de tous les acteurs qui jouaient sous sa direction un effort très dur, sans contraindre toutefois la libre expression du tempérament individuel. Chaque acteur, en effet, pensait-il, a sa manière de comprendre et d'interpréter un texte : s'il appartient au professeur de corriger les imperfections évidentes, il ne doit en aucun cas imposer son jeu à l'élève ; Jouvet n'a jamais prétendu faire une règle, pour sa troupe, de ce débit saccadé, un peu sec et mécanique, à dessein monotone, de cet humour glacé et comme lointain, qui caractérisaient si fortement sa manière personnelle.

Louis Jouvet est, d'autre part, très soucieux de perfection scénique. Notons pourtant que, de tous les animateurs, il est celui qui a le moins cherché à innover en matière de mise en scène. Epris de sobriété et d'équilibre, il allie, en de justes proportions, les exigences du goût moderne avec le respect de la tradition. Il conçoit lui-même ses décors, d'un dessin précis, géométrique, stylisé, mais aux couleurs vives et chaudes, couleurs de rêve souvent, car Jouvet estime qu'il y a dans le théâtre un élément indispensable de féerie. A l'occasion, il n'exclut pas la fantaisie ou la trouvaille ingénieuse : ainsi, au premier acte de *Knock*, il mettait en mouvement un rideau de collines, pour donner l'illusion d'une auto qui avance. Il attache enfin une importance toute spéciale à la lumière, qu'il répand largement sur la scène et dont il étudie minutieusement les effets.

Malgré tout, la mise en scène ne doit pas faire oublier le texte. En désaccord sur ce point avec Gaston Baty, contempteur de « Sire le Mot », Louis Jouvet manifesta toujours un respect scrupuleux et plein de ferveur à l'égard du Verbe. Dans une conférence prononcée au retour de sa tournée en Amérique latine, il rappela la primauté du « beau langage », qui assure la pérennité des ouvrages dramatiques : « C'est par les prestiges du langage seul, par l'écriture d'une œuvre, que le théâtre atteint sa plus haute efficacité... Le grand théâtre, c'est d'abord un beau langage... Les ouvrages dramatiques ne se qualifient pas par l'invention, ils se qualifient par le style... L'Europe et le monde seront ce que sera la langue de demain » (1).

---

(1) On est frappé par l'analogie de ces formules avec celles dont a usé maintes fois Giraudoux pour exprimer sa conception dramatique. Le Français, écrit Giraudoux, « croit à la parole et il ne croit pas au décor. Ou plutôt, il croit que les grands débats du cœur ne se règlent pas à coups de lumière et d'ombre, d'effondrements et de catastrophes, mais par la conversation ». Il y a évidemment, dans ces analogies, plus qu'une coïncidence.

D. *GASTON BATY*
    (1882-1952)

Etude biographique. — Né à Pélussin, dans la
Loire, au commencement des Cévennes, Gaston Baty
descend d'une vieille famille de bourgeoisie lyonnaise
très catholique. Il semble destiné à être un homme
d'église plutôt qu'un homme de théâtre. Il est en
effet l'élève des Dominicains, chez qui il fait de solides
études classiques : mais à Lyon, il assiste aux spectacles
du Guignol et la vocation du théâtre s'éveille en lui.
En 1905, il écrit un drame en cinq actes, *La Passion*.
Il découvre ensuite l'Allemagne et les romantiques
allemands, écrit une seconde pièce, *Blanche Neige*,
où apparaît déjà son désir d'exprimer quelque chose
au-delà des mots. Il publie avant la première guerre
mondiale des articles sur le théâtre, qui, réunis en
1924, formeront *Le Masque et l'Encensoir*. Puis
Baty fait la connaissance de Firmin Gémier, qui
avait cherché dans les effets de masse, dans de vastes
décors et dans l'intensification des jeux de lumière,
un élargissement des cadres de la scène. Gémier
prend Baty comme collaborateur et lui signe un
contrat de cinq ans en qualité de metteur en scène
dans tous les théâtres qu'il serait appelé à diriger.

En 1919, Baty participe à la création, au Cirque d'Hiver, de l'*OEdipe, Roi de Thèbes*, de Saint-Georges de Bouhélier, puis, à la Comédie-Montaigne, dont Firmin Gémier a pris la direction en 1920, il monte des pièces de Lenormand, Claudel, Bernard Shaw, Crommelynck.

Gaston Baty décide d'avoir un théâtre à lui : en 1923, il crée *Les Compagnons de la Chimère*, un théâtre d'essai d'une pauvreté monacale, où il joue des pièces de Denys Amiel et de Jean-Jacques Bernard. En 1924, il est appelé à la direction du Studio des Champs-Elysées : *Maya* de Gantillon, *Têtes de Rechange* de Pellerin et *Le Simoun* de Lenormand y sont représentés avec succès. Après un court séjour au Théâtre de l'Avenue, puis au Théâtre Pigalle, Gaston Baty devient, en 1930, directeur du Théâtre Montparnasse, qu'il commence par rajeunir. Il y crée ou reprend les pièces de ses auteurs favoris, en même temps qu'il se fait une spécialité du découpage en tableaux de romans célèbres : *Madame Bovary, Crime et Châtiment*, adaptés par lui-même, *Manon Lescaut*, adapté par Mme Maurette. Cependant c'est à Musset qu'il doit ses succès les moins discutés (*Les Caprices de Marianne, Lorenzaccio*), car la poésie visuelle du metteur en scène s'accordait merveilleusement à la fantaisie du poète.

Gaston Baty délaissa le Théâtre Montparnasse pour se consacrer aux marionnettes, forme suprême du théâtre, selon lui, domaine du rêve et de l'évasion : il monta des légendes du Nord, des drôleries flamandes. Il devait pourtant revenir au théâtre : il prit en effet la direction de la Comédie de Provence ou Centre dramatique du Sud-Est, auquel il se

dévoua corps et âme. Mais la fatigue avait altéré sa
santé : il eut encore la force de se rendre dans son
pays natal, à Pelussin, et, à sa mort en 1952, son
cercueil fut porté par les hommes du village.

**

Animateur sans être acteur, Gaston Baty est un
artiste cultivé, ardent au travail et d'une volonté
tenace, qui a voué toute son existence à une passion
unique, avec un désintéressement total.

Disciple de l'allemand Max Reinhardt, Baty
professe un véritable culte pour la mise en scène.
Selon lui, l'animateur est souverain ; l'auteur
dramatique est à son service, au même titre que
l'acteur ou le décorateur. Le rôle essentiel du metteur
en scène est de suggérer, au-delà de l'univers
visible, un univers invisible, poétique et mystérieux :
« Un texte ne peut pas tout dire, écrit Baty. Il va
jusqu'à un certain point, où va toute parole. Au-delà
commence une autre zone, une zone de mystère, de
silence, ce qu'on appelle l'atmosphère, l'ambiance,
le climat, comme vous voudrez. Cela, c'est le travail
du metteur en scène de l'exprimer. Nous jouons tout
le texte, tout ce que peut exprimer le texte, mais
nous voulons aussi le prolonger dans cette marge
que les mots seuls ne peuvent pas rendre ». Partant
de ce principe, Gaston Baty a voulu, surtout à ses
débuts, opérer une révolution dans la mise en scène
et retrouver l'inspiration des Mystères ou des Soties
du Moyen Age, qui faisaient une large place au
spectacle. Pour lui, la magnificence des costumes,
les décors, les accessoires, la musique et, plus que

tout, les éclairages constituent les éléments essentiels
d'une représentation et doivent, par leur ensemble
harmonieux, enchanter les yeux et les oreilles du
spectateur. Des réalisations féeriques, comme celles
du *Simoun*, de *Madame Bovary* ou des *Caprices de
Marianne* justifient l'épithète, souvent accolée au
nom de Baty, de « magicien de la mise en scène ».
Son découpage de pièces en tableaux donnait
l'impression de feuilleter un album d'images tour
à tour fraîches, hautes en couleur ou d'un sombre
réalisme : ici Emma Bovary, toute pimpante dans sa
robe neuve et prenant des poses devant son miroir,
avant de se rendre au bal : là Raskolnikov dans sa
misérable chambre d'étudiant, aux murs délavés,
guettant, torturé par l'angoisse, un implacable coup
de sonnette ; là, le bellâtre Clavaroche se dissimulant
dans le placard de Jacqueline ; là encore, Coelio
pressant le pas, la nuit, à travers des feuillages,
avant de tomber dans un guet-apens.

Est-ce à dire que Baty ait eu l'intention de
reléguer le texte à l'arrière-plan ? Il s'est maintes fois
défendu — alors même qu'il attaquait le plus
âprement « Sire le Mot » — d'avoir « déformé un
texte pour le plaisir d'une belle mise en scène ».
« Le texte reste toujours la partie essentielle du
drame », écrivait-il sur les programmes du Théâtre
Montparnasse. Mais ces protestations n'ont pas
convaincu ceux qui lui reprochent d'avoir donné le
premier rôle au machiniste et à l'électricien, d'avoir
déployé un luxe qui convient mieux au music-hall
qu'au théâtre, bref d'avoir fait du texte un simple
prétexte à la mise en scène.

CHAPITRE II

LE THÉATRE COMIQUE

Le théâtre, tel qu'on le concevait en France dans les premières années du siècle, était, semble-t-il, appelé à disparaître avec la tourmente de la première guerre mondiale. De fait, dès le début des hostilités, les salles de spectacles cessèrent de jouer et, pendant un an environ, Paris vécut dans l'ennui. Puis, peu à peu, la vie reprit ses droits et, avec l'instauration des premières permissions, les scènes parisiennes rouvrirent : il convenait de distraire le poilu et, par la même occasion, les gens de l'arrière. Trois ans plus tard, c'était l'armistice, le retour à la sécurité après des années d'angoisse et de deuil. Par réaction, une vague de plaisir déferlait sur le pays entier ; le Tout-Paris des « années folles » de l'entre-deux guerres redécouvrait les joies de la scène et recherchait particulièrement les spectacles gais, qui connaissaient alors un nouvel essor.

I. *LA COMÉDIE LÉGÈRE*

La comédie légère ou comédie « boulevardière », spécialité bien parisienne, avait connu une vogue exceptionnelle avant la première guerre mondiale.

Flers et Caillavet, Alfred Capus, Maurice Donnay, Henri Lavedan régnèrent sur les boulevards jusqu'en 1914, en offrant d'aimables divertissements à un public de grands bourgeois et d'aristocrates, membres du Jockey-Club : ingéniosité, élégance, scepticisme indulgent, habile dosage du rire, de l'émotion et de la sensualité, caractérisent ce théâtre volontairement superficiel, voire artificiel, en parfaite harmonie avec une époque pleine d'insouciance et d'euphorie. Après 1914, la comédie légère tend à perdre l'audience du public cultivé, car de nouvelles couches sociales, formées en particulier d'anciens artisans devenus industriels, assistent aux spectacles du Gymnase, des Variétés ou du Vaudeville. Tandis que des trafiquants de théâtre, comme Félix Gandéra, Maurice Hennequin, Clément Vautel, René Fauchois et, à un niveau un peu supérieur, Yves Mirande font les délices de ce nouveau public en flattant ses goûts un peu vulgaires, quelques maîtres incontestés de la scène comique avant guerre tentent de se maintenir en rajeunissant légèrement leurs anciennes formules : Alfred Capus fait jouer en 1920 sa dernière pièce, *La Traversée ;* Tristan Bernard écrit *Un Perdreau de l'année* (1926), puis *Jules, Juliette et Julien* (1929) ; Robert de Flers, associé à Francis de Croisset après la mort de Gaston de Caillavet, fait applaudir *Les Vignes du Seigneur* (1923), *Les Nouveaux Messieurs* (1925) et *Le Docteur Miracle* (1926). Cependant, deux auteurs devaient donner un nouvel essor à la comédie légère pendant l'entre-deux guerres : Sacha Guitry, qui avait débuté avant 1914, et Jacques Deval.

A. *SACHA GUITRY*
   (1885-1957)

Notice biographique. — Né à Saint-Pétersbourg en
1885, Sacha Guitry débuta très jeune comme auteur
dramatique, mais ses premières pièces, écrites de
1902 à 1907, *Le Page, Nono, Le Kurtz, Yves le Fou,
Chez les Zoaques, Les Nuées, La Crise, La Clef*, ne
sont guère prises au sérieux par la critique. Peu à
peu, Sacha Guitry triomphe des résistances : *Le
Veilleur de nuit* (1911), *Un beau Mariage* (1911), *La
Prise de Berg-op-Zoom* (1912), *La Pèlerine écossaise*
(1913) séduisent les critiques les plus réfractaires ;
en 1914, la Comédie-Française joue *Les deux
Couverts*. *La Jalousie*, acclamée en 1915 aux Bouffes-
Parisiens, inaugure la période glorieuse de la
carrière de Guitry, marquée par une production
surabondante (*Faisons un rêve*, 1916; *L'Illusionniste*,
1917 ; *Mon Père avait raison*, 1919 ; *Le Comédien*,
1920 ; *Je t'aime*, 1920 ; *Le Grand-Duc*, 1921 ;
Jacqueline, 1921 ; *L'Amour masqué, Un sujet de
Roman*, 1923 ; *On ne joue pas pour s'amuser*, 1925 ;
Un Miracle, 1927 ; *Désiré*, 1927 ; *Marielle*, 1928).
Durant cette période, Sacha Guitry écrit aussi toute
une série de comédies historiques, où il évoque les

4

épisodes marquants de la vie de quelques personnages célèbres : *Jean de la Fontaine* (1917), *Deburau* (1918), *Pasteur* (1919), *Béranger* (1920), *Mozart* (1925), *Franz Hals ou l'Admiration* (1931). A partir de 1930, la vogue de Sacha Guitry commence à baisser (*Françoise*, 1932 ; *Châteaux en Espagne*, 1933 ; *Un Tour de Paradis*, 1933 ; *Le Renard et la Grenouille*, 1933 ; *Le Nouveau Testament*, 1934 ; *Quand jouons-nous la comédie ?* 1935 ; *Geneviève*, 1936 ; *Le Mot de Cambronne*, 1936 ; *Quadrille*, 1957 ; *Un Monde fou*, 1938). Pendant la guerre 1939-1940 et les quatre ans d'occupation, Sacha Guitry écrivit plusieurs pièces qui furent, sauf une, (*N'écoutez pas, Mesdames*, 1943) interdites par la censure. Arrêté à la Libération et incarcéré à Drancy, il fut mis en liberté provisoire en octobre 1944 et l'examen de son dossier aboutit à une ordonnance de non-lieu définitive en 1947. Guitry fit sa rentrée au théâtre en 1948 avec *Le Diable boîteux*, suivi par *Aux deux Colombes*, *Tu m'as sauvé la vie* et *Toâ*. Sacha Guitry est aussi l'auteur de nombreux films (*Le Roman d'un Tricheur*, *Les Perles de la Couronne*, *Remontons les Champs-Elysées*, etc.) et de mémoires (*Si j'ai bonne mémoire*, *Quatre ans d'occupations*). Il est mort, après une longue maladie, en 1957.

L'essentiel de la production étonnamment féconde de Sacha Guitry est constitué par ses comédies légères, le plus souvent en trois actes assez courts (*La Jalousie, Faisons un rêve, Mon Père avait raison*,

Désiré). Ces œuvres portent toutes le sceau de leur auteur, qui a une façon bien à lui de concevoir l'esprit boulevardier. Estimant sans doute que le sujet d'une pièce est indifférent, Guitry choisit un thème extrêmement mince : « Ce que j'appelle un point de départ, affirme-t-il, est souvent une très petite idée... Il m'est arrivé de composer tout un scénario pour avoir entendu une simple réflexion qu'une personne avait laissé échapper devant moi ». Parfois, en effet, c'est une observation narquoise ou une sorte de « moralité » qui donne le branle à son imagination ; ainsi, son premier grand succès, *La Jalousie*, semble avoir été construit sur le vieux dicton populaire : « c'est le mari jaloux qui fait la femme infidèle ». Ailleurs, Sacha Guitry exploite un incident plaisant ; une jeune femme, Odette, demande un valet de chambre à un bureau de placement ; un homme se présente, Désiré, qui donne comme référence le nom d'une princesse russe. Odette lui téléphone, mais la princesse est réticente. Désiré tient à se justifier ; il n'est pas un voleur ; il a eu seulement le tort de se laisser aller avec sa patronne à un geste un peu trop familier, mais la leçon lui a servi et « d'ailleurs, Madame n'a rien à craindre, elle n'est pas mon type » : amusée et un tantinet piquée au vif, Odette engage ce curieux domestique ; tel est le thème du premier acte de *Désiré*.

Sacha Guitry prend aussi volontiers comme « point de départ » une petite aventure vaudevillesque à la Feydeau : par exemple, au cours d'un dîner chez des amis, un avocat remarque une jolie femme et apprend que son mari ne sera pas libre le

lendemain à partir de quatre heures ; alors il se
dit : « Si je leur demande de venir tous les deux
demain chez moi, à quatre heures moins un quart,
et si je ne suis pas là, je suis sûr qu'à quatre heures
moins cinq cet homme s'en ira... et je suis presque
sûr que elle, elle restera ». Il « risque le coup » et le
coup réussit : c'est sur ce mince canevas que Guitry
brode *Faisons un rêve*. La donnée de *Je t'aime* est
peu différente : Georges a été séduit par le charme
de Denise au cours d'un concert, où elle jouait —
d'ailleurs mal — de la harpe, chez des amis, les
Berny. Payant d'audace, il lui téléphone pour
l'inviter à dîner, en affirmant qu'il s'agit d'une
bonne œuvre et que les Berny seront là. Il prendra
soin, en temps voulu, d'écrire lui-même une lettre
signée de ses amis qui, bien entendu, ne pourront
pas venir dîner. Dans certains cas, Sacha Guitry
pousse la désinvolture jusqu'à se dispenser d'imaginer une intrigue ; comme il le fait dire à un
personnage à la fin d'une de ses comédies : « Il faut
que la critique puisse dire : ce n'est pas une pièce...
il ne se passe rien ». Aussi, pouvait-on lire, dès
1913, dans *le Mercure*, cette curieuse analyse, signée
par Paul Léautaud, de *La Pèlerine écossaise* de
Guitry : « On se lève le matin, on prend son café au
lait en lisant les journaux, le mari faisant part à sa
femme des nouvelles à peu près sensationnelles. On
a des chiens qui donnent de petits soucis... Des
voisins arrivent, puis un voisin ou un autre. On a
des paroles, des gestes, quelques pensées. Puis c'est
le déjeuner, puis la journée qu'on passe à ceci ou
à cela. Le soir arrive, on dîne, encore un peu de
conversation, et on va se coucher. Si vous cherchez

ce qui s'est passé dans toute cette journée, vous ne trouverez rien » (1).

Quant aux protagonistes de ces comédies légères, ils sont pour la plupart bâtis sur le même patron : ce sont, d'une part des célibataires, vivant un peu en marge de la société, dépensiers, amoraux, veules et paresseux — si par hasard ils exercent un métier, ce sont de préférence des architectes, des avocats ou des peintres, ce qui n'est pas très flatteur pour ces professions — d'autre part, des jeunes femmes jolies et frivoles, élégantes et fines, sans être obligatoirement spirituelles ; un trait commun rapproche ces représentants des deux sexes : ils sont à peu près uniquement préoccupés des plaisirs de l'amour.

Souvent, d'ailleurs, Sacha Guitry se contente de mettre en scène — en dehors de quelques comparses et de quelques domestiques fidèles et jamais sots — « Lui » (ou « L'Amant ») et « Elle ». Si « Elle » changeait, au moins d'apparence physique, selon les vicissitudes des destinées matrimoniales de l'auteur, « Lui » restait à peu près identique à lui-même : « Quelqu'un paraît, lit-on dans *Faisons un rêve*. C'est Lui, heureux de vivre, content des autres, enchanté de soi ». Il « paraît », en effet, dans son salon-bureau, dont les murs sont ornés de Cézanne,

---

(1) On n'est pas étonné d'apprendre que Guitry a acheté la lettre où Alfred de Musset s'écrie : « A quoi bon autre chose que rien ? Est-ce que vous l'avez oublié ? Rien. Vive rien. Il n'y a que cela au monde ». Cette même absence d'intrigue apparaît encore dans *Mon père avait raison*, qui est surtout une conversation d'un ton confidentiel, entre un vieux père et son fils, sur l'art d'être heureux à la Sacha Guitry, art fait d'inébranlable égoïsme, épanoui dans le bien-être et réfractaire à toute contrainte.

SACHA
GUITRY et
Jacqueline
DELUBAC
dans
Le Comédien.

SACHA
GUITRY
Serge
dans
Mon P
avait r

Photos Li

de Renoir, de Manet, de Monet, ou de Degas ; des
objets d'art sont exposés dans une vitrine ; il y a des
fleurs dans tous les vases, des vases dans tous les
coins. « Lui » porte un veston d'intérieur de velours
— noir, vert, prune ou gris pintade — et un
pantalon rayé, une ample régate de satin noir qui
tranche sur la pochette éblouissante et sur les vastes
manchettes à la Balzac ; il a le nez chaussé de grosses
lunettes d'écaille sombres, de grosses bagues aux
doigts. Les mains vigoureusement enfoncées dans ses
poches, il marche, le front pensif, fait entendre un
murmure profond, lance un clin d'œil vers la salle,
cherche ses cigarettes, les trouve sur une petite
table, en allume une, jette négligemment l'allumette
par-dessus ses épaules, vaporise du parfum sur le
divan — qui deviendra bientôt un lit — puis,
passant près d'un vase fleuri, il y cueille une rose
qu'il met à sa boutonnière ; il cherche alors un
numéro de téléphone, décroche ou plutôt arrache le
récepteur, dont il tire interminablement le fil en
arpentant la pièce de long en large, ou encore il
prend fiévreusement son stylo et inscrit une somme,
avec beaucoup de zéros, sur son carnet de chèques
(tant pis s'il n'y a pas de provision !). Mais voici
qu' « Elle » paraît à son tour : il la regarde : elle
lui plaît et il trouve sa robe ravissante. « Sa main
gantée est posée sur le bras du fauteuil qu'elle
occupe. Il se met à genoux près d'elle, sans faire
de bruit, et il pose un baiser sur cette main ». Alors,
il commence à lui parler de sa belle voix de bronze,
« avec une extrême volubilité », tour à tour prime-
sautier, désinvolte, ingénu, impertinent, persifleur,
fantasque, extravagant, mais sans jamais se départir

« d'une bonne humeur inaltérable », car « ce n'est pas un homme d'esprit qui parle, c'est un homme gai qui improvise pour son plaisir une déclaration d'amour ».

Sur le canevas choisi, Sacha Guitry bâtit trois, quatre ou cinq petits actes, aussi rapides que des tours de marionnettes ; il combine — quand il veut bien s'en donner la peine — quelques péripéties habilement agencées et, tout en musant, il fait admirer au spectateur la souplesse de ses jongleries. Les scènes, filées avec une allégresse nonchalante, sont fertiles en rebondissements cocasses ou en aimables vagabondages en marge du thème initial. Les boutades, les paradoxes, les répliques prestes et étincelantes arrivent en rangs pressés, ainsi que les mots d'esprit, bulles de savon qui s'irisent aux feux de la rampe ; et le spectateur a droit aussi au numéro de l'auteur, à son morceau de bravoure, ample tirade débitée avec une faconde de bonimenteur, dans un caquetage étourdissant, et tout au long de laquelle Sacha Guitry s'attaque aux grands problèmes de l'humaine condition, bousculant avec une triomphale impertinence préjugés, convenances ou principes sacro-saints de la morale traditionnelle.

Une fois qu'il a réussi à développer son mince sujet jusqu'à la limite des trois actes, Guitry termine sa pièce avec la même désinvolture qui a présidé à sa mise en train. « Lui » et « Elle » se marient parfois et si « Lui » est architecte, il bâtira lui-même la maison de leurs rêves, qui aura des chances d'être plus solide que leur amour (Je t'aime); mais si « Elle » est mariée, il oubliera bien vite qu'il lui avait suggéré, dans la chaleur du désir, de

demander le divorce pour l'épouser et il se conten-
tera de goûter en sa compagnie deux jours
d'étreintes voluptueuses, après avoir éloigné
l'importun mari grâce à quelque subterfuge un peu
gros (*Faisons un rêve*). Souvent aussi, Guitry termine
sa pièce par une pirouette qui fait apparaître l'ironie
du destin ou qui tourne en dérision la misère des
sentiments humains : ainsi Désiré, domestique racé
et d'une grande noblesse d'âme, après avoir
troublé sa patronne et lui avoir déclaré son amour,
lance cette phrase en guise d'adieu : « Ah ! c'est
pas possible, le bon Dieu a dû me f... le cœur d'un
autre ! » (*Désiré*). Au dernier acte de *La Jalousie*,
Albert, qui était convaincu de l'infidélité de sa
femme, lorsqu'elle l'assurait de sa fidélité, est
persuadé qu'elle lui est fidèle, quand elle lui a fait
l'aveu de son infidélité.

*_**

A considérer l'ensemble de la carrière de Sacha
Guitry, il faut bien convenir qu'aucun auteur
dramatique n'a été, entre les deux guerres, plus
adulé que lui non seulement du public parisien, mais
des provinciaux de passage à Paris et des touristes
étrangers ; aucun n'a suscité pendant une vingtaine
d'années plus de louanges dithyrambiques de la
part de ses thuriféraires : enchanteur, prodigieux
magicien, merveilleux illusionniste, prince de
l'esprit français. Robert de Flers écrivait : « Je ne
pense pas qu'on ait jamais uni plus de fantaisie à
plus de vérité ». Quant à Lugné-Poe, il n'hésitait pas
à sacrer les Guitry, père et fils, « une fortune

nationale ». Pour situer le talent de Sacha ou plutôt
son génie, les critiques n'évoquaient pas seulement
Regnard, Pailleron, Banville, Labiche, Sardou, mais
Marivaux, Beaumarchais, Musset et... Molière. A
l'opposé, du fait que son attitude durant l'occupation
allemande avait pu être discutée, du fait aussi que
son inspiration s'était vers la même époque sensiblement appauvrie, certains de ses détracteurs en
arrivaient à dénier toute valeur à son œuvre et à
tourner en ridicule l'inanité de son infatigable
production. Au vrai, Sacha Guitry ne méritait ni cet
excès d'honneur, ni cette indignité... nationale ou
autre.

Pour l'apprécier avec impartialité, il ne faut
jamais perdre de vue que Guitry est moins un
auteur qui joue ses pièces qu'un acteur qui écrit ses
rôles. Fils d'un comédien illustre, qui régna
longtemps sur les boulevards, il a sucé le théâtre
avec le lait. Il n'a vécu, respiré qu'au théâtre et
par le théâtre ; acteur permanent à la ville comme à
la scène, il a toujours tout ramené à l'optique des
planches. Alors que le commun des mortels cherche
au théâtre une image de la vie, Sacha Guitry,
d'instinct, a cherché dans la vie une image du
théâtre : il a vu dans sa famille et dans son entourage
des personnages de comédie. dans ses aventures
sentimentales des sujets de comédie. Comme le
remarquait le Commissaire du gouvernement qui
rédigea en sa faveur une ordonnance de non-lieu en
1947 : « Il n'est chez lui que dans un décor et il
n'est naturel qu'en jouant... Un roi de l'attitude, un
prince du geste... D'où son besoin, comme
d'oxygène, de public ; et, hors de scène, de

l'adulation et des faveurs du monde et de ses puissants. Il n'a eu de vie qu'exhibée ».

Si ce privilège d'être une sorte d'incarnation du théâtre explique bien des défauts de l'homme, en particulier son hypertrophie du moi et son impudeur dans l'étalage des sentiments, il nous livre aussi le secret de la réussite de l'auteur : un sens inné de la scène et du mouvement scénique. Son aisance incomparable, sa fraîcheur de touche, ses saillies cocasses ou même ébouriffantes, emportées dans un rythme étonnant de naturel, composent un spectacle plein d'attrait. Si quatre ou cinq des comédies légères de Sacha Guitry restent le meilleur de son œuvre, quelques-unes de ses comédies biographiques, *Mozart* en particulier, sont de brillantes fantaisies, d'un art agile et sûr dans sa facilité. Ajoutons que Guitry a su, à l'occasion, faire preuve d'une certaine vigueur psychologique dans les rares drames qu'il a écrits : *Françoise, Geneviève* et surtout *Jacqueline*. Le personnage de Berton, dans *Jacqueline*, un financier profondément amoureux, mais qui ne peut faire naître chez celles qu'il aime que la peur et même l'épouvante, est peint avec perspicacité, en traits forts et ramassés.

Comment se fait-il pourtant que l'œuvre de Sacha Guitry n'ait exercé aucune action sensible sur le théâtre contemporain et que ses chances de survie paraissent assez minces ? D'abord, Guitry n'a pas eu la volonté de discipliner son indiscutable facilité. Il y a, dès à présent, un déchet considérable dans cette production surabondante : trop d'œuvrettes, dont le texte s'amincit et s'amenuise au fil des actes et, à côté de réparties étincelantes, trop de mots d'esprit faciles ou même de gros calembours, dignes des almanachs spécialisés. Guitry aurait eu intérêt à méditer le sage conseil de Voltaire : « Il ne faut pas qu'un personnage de comédie songe à être spirituel; il faut qu'il soit plaisant malgré lui, et sans croire l'être ».

De plus, Sacha Guitry s'est révélé incapable de mettre en scène le monde de sa génération. Nul théâtre n'est plus inactuel que le sien, non seulement hors de son temps, mais souvent même hors du temps. « Tout ce qui s'est passé au théâtre, remarquait Robert Kemp, Sacha Guitry l'a ignoré... Il a continué de se peindre, de jouer les Tabarins de salon, toujours en scène, à l'écart de nos inquiétudes et des efforts des autres... Cette œuvre ne s'unit à rien. On n'y respire pas l'air dont nous vivons ; elle dort dans le vase clos où Sacha Guitry la caresse, devant son miroir, le téléphone à portée de la main, ficelée en spirales par la fumées des cigarettes ». Et pourtant, c'est peut-être l'inactualité même de ce théâtre qui contribua le plus à son étonnant succès ; Guitry offrait une agréable diversion à des spectateurs encore secoués par la première guerre mondiale ou angoissés par les problèmes qui se posaient dans les années qui précédèrent la seconde guerre mondiale: son impertinence d'enfant gâté, le feu roulant de son insouciante gaîté leur procuraient quelques heures d'oubli. Mais aujourd'hui le décalage entre l'univers de Sacha Guitry et celui dans lequel nous vivons est vraiment trop marqué : son théâtre, peuplé d'oisifs et de noceurs du type 1900, nous paraît aussi lointain que celui d'un Alfred Capus ou d'un Henri Lavedan.

B. *JACQUES DEVAL*
   né en 1894

Photo Lipnitzki

Notice biographique. — Fils d'un acteur et
directeur de théâtre, Jacques Deval est né à Paris en
1894. Il débute en littérature par des poèmes qui
révèlent une sensibilité pitoyable aux faiblesses du
cœur (*Le Livre sans amour*). Sa première comédie,
Une faible Femme, jouée avec éclat au Théâtre
Fémina, en 1920, consacre d'emblée son nom. Dès
lors, Deval produit sur les scènes les plus variées des
pièces qui montrent la souplesse de son talent et lui
valent de lucratifs succès : *Beauté* (1923) ; *Le Bien-
Aimé* (1924) ; *La Rose de Septembre ; Dans sa
Candeur naïve* (1926) ; *Ventôse* (1927) ; *Une tant
belle Fille* (1928) ; *Barricou, Etienne* (1930) ;
Mademoiselle (1932) ; *Prière pour les Vivants* (1933) ;
La Beauté du Diable, Tovaritch, L'Age de Juliette
(1934). Sa réputation pâlit ensuite sensiblement (*La
Femme de ta Jeunesse, Il y a longtemps que je
t'aime, Charmante Soirée, Ce Soir à Samarcande, Il
était une Gare, Et l'Enfer, Isabelle ?*). Jacques Deval,
qui s'intéresse particulièrement à la littérature
anglo-saxonne, est aussi l'auteur de nombreuses
adaptations théâtrales d'œuvres étrangères : *La Route*

des Indes, d'après H. R. Harwood ; *Signor Bracoli*, d'après un roman d'Agatha Christie ; *Lundi 8 heures* d'après une pièce de G. Kaufmann ; *K. M. X. Labrador*, d'après une pièce de Mark Reed ; *Demeure chaste et pure*, d'après une comédie d'Axelrod. Deval a, d'autre part, écrit deux romans, dont *Marie Galante*.

Dès la première pièce de Jacques Deval, *Une faible Femme*, le critique Georges de Pawlowski signalait : « M. Jacques Deval paraît hésiter entre deux voies différentes, celle du talent et celle du succès ». La voie du talent, c'est celle qui n'hésite pas à heurter, à provoquer le public, c'est la voie d'Henry Becque, c'est celle de Jacques Deval, auteur satirique âpre et fort. La voie du succès, c'est la voie du moins bon Sacha Guitry, c'est celle de Jacques Deval, auteur de comédies faciles et souvent conventionnelles.

Indiscutablement, Deval avait le tempérament d'un auteur satirique qui voit les choses telles qu'elles sont ou plutôt pires qu'elles ne sont et l'on put croire, de 1930 à 1933, période où il écrivit coup sur coup *Etienne*, *Mademoiselle* et *Prière pour les Vivants* que, conscient d'avoir trouvé sa vraie voie, il avait décidé de ne plus faire aucune concession au public des boulevards et de se consacrer à des comédies de mœurs et de caractères, pénétrantes et amères.

Sans pitié pour son temps, Jacques Deval semblait tout particulièrement attiré par le thème de la famille bourgeoise, qu'il représentait comme une école d'égoïsme et d'hypocrisie. Ainsi, le personnage de Lebarmécide, dans *Etienne*, incarne sous une

Elvire Popesco, Jacques Varenne et Victor Francen
dans *Tovaritch*

forme un peu caricaturale, l'hypocrisie de certains petits bourgeois ; chef du service des réclamations aux Galeries Réaumur, M. Lebarmécide a toutes les apparences du bourgeois exemplaire : il porte un veston noir bordé, un pantalon rayé et il s'exprime, devant les siens, avec une dignité et une emphase prudhommesques ; mais ce parangon de vertu est en fait un père sordidement égoïste, doublé d'un époux volage, qui court le cotillon et mène au dehors une vie de débauche. La peinture est plus pessimiste et plus sèche dans *Prière pour les Vivants*, une pièce découpée en dix tableaux, qui déroule le panorama de trois générations de la famille Massoubre, dont le protagoniste est un ingénieur, lui aussi très digne en apparence, mais qui cache un fond de cruauté et de vilenie et qui se dégrade à mesure qu'il prend de l'âge, jusqu'à sombrer dans l'érotisme sénile.

Dans *Mademoiselle* enfin, pièce inscrite au répertoire de la Comédie-Française, Jacques Deval nous présente une famille de grands bourgeois parisiens qui, sans être à proprement parler désunie, se désagrège peu à peu du fait de l'égoïsme et de la légèreté inconsciente de ses membres. Le fils, peu soucieux de se préparer à une carrière, passe le plus clair de son temps à « la faculté d'Auteuil ou de Longchamp » ; la fille, évaporée, est abandonnée à la merci d'un bellâtre qui lui fait un enfant ; cependant le père, avocat hâbleur, et la mère, véritable monstre de frivolité, « sont bien trop préoccupés d'eux-mêmes pour voir ce qui se passe sous leur nez ». Chacun vit pour soi, à l'écart des autres ; comme l'observe le père, à un de ses rares moments de réflexion : « Nous sommes quatre du même sang, du même nom, ensemble depuis vingt ans et unis depuis vingt ans par la plus étroite indifférence, par la plus intime inattention ». Tranchant sur ces êtres écervelés et farfelus, Jacques Deval peint en traits fouillés un personnage de vieille fille pauvre, « Mademoiselle », une « recluse laïque, au visage éteint, vêtue sèchement d'étuis de tons moroses ». Profondément marquée par toute une vie de gouvernante mercenaire, avare, dure et pourtant possédée par un obscur besoin de se dévouer passionnément, Mademoiselle sent brusquement s'éveiller en elle le sentiment maternel avec d'autant plus d'impétuosité farouche qu'il a été longtemps refoulé. Cette étude d'âme est assez remarquable et la pièce, où l'observation, l'humour et l'émotion sont habilement dosés, n'est pas loin d'être un authentique chef-d'œuvre.

Mais Jacques Deval a, le plus souvent, préféré sacrifier ses dons indiscutables de psychologue et de satirique aux exigences d'un théâtre plus facile et sans doute plus rémunérateur. Ses comédies légères, (1)

---

(1) En fait, l'étiquette de comédie légère ne convient strictement qu'à des pièces comme *Une faible Femme* ou *La Manière forte*. Très souple, Jacques Deval s'est adapté à tous les publics ; il semble même s'être ingénié à satisfaire les exigences propres à la clientèle de chaque scène parisienne : ainsi, au Théâtre Marigny, où régnait la comédie vaudevillesque, il faisait jouer *Beauté* ; à la Renaissance, où l'on goûtait le romanesque, *Le Bien-Aimé* ; à l'Athénée, plutôt spécialisé dans le spectacle de famille sentimental et honnête, *La Rose de Septembre* ; au Théâtre Antoine, où l'on s'orientait volontiers vers la comédie dramatique, *Une tant belle Fille* ; au Théâtre Saint-Georges, qui montait des comédies bourgeoises satiriques, *Etienne* et *Mademoiselle*. Les comédies légères proprement dites ont été représentées sur les scènes parisiennes dont c'était la spécialité : *Une faible Femme*, au Théâtre Fémina ; *La Manière forte*, à la Comédie Caumartin, puis aux Variétés.

qui représentent quantitativement l'essentiel de
sa production, ne se signalent pas par l'originalité
des sujets. Tantôt il peint les faiblesses de l'amour :
ainsi, *Une faible Femme* expose, après Corneille,
Marivaux, Lesage entre autres, le cas d'une jeune
veuve courtisée par deux hommes ; *Le Bien-Aimé*
— qui pourrait aussi s'intituler *Un Homme faible* —
décrit « l'angoisse sentimentale » d'un homme qui
s'est marié à une jeune femme, mais qui garde le
souvenir obsédant d'une maîtresse plus âgée (on
pense à *Sapho* d'Alphonse Daudet ou à *La Femme
nue* d'Henry Bataille). Tantôt, au contraire, il peint
l'amour héroïque : *La Rose de Septembre* traite
l'éternel conflit entre le devoir et la passion : un
homme d'âge mûr s'éprend de sa filleule, pour qui il
croyait n'avoir qu'une affection paternelle, mais au
bord de la faute, il se ressaisit héroïquement ; *Une
tant belle Fille* reprend le non moins éternel conflit
de l'amour et de l'amitié : deux anciens officiers de
marine, liés par une affection profonde, s'éprennent
ensemble d'une jeune femme, mais se sacrifient
plutôt que de s'affronter en adversaires irréductibles.
Ventôse utilise le thème romanesque assez usé de la
fille de grands industriels réactionnaires, qui s'amou-
rache du chef des révolutionnaires. *Tovaritch*
exploite, après Abel Hermant, Francis Carco, Joseph
Kessel, Alfred Savoir, le sujet ressassé entre tous des
princes russes en exil : un couple d'anciens aristocrates de la famille impériale russe est contraint, par
les malheurs de l'exil, de servir comme maître
d'hôtel et femme de chambre chez un député
socialiste, nouveau riche. Si Jacques Deval s'est
visiblement peu soucié d'imaginer des sujets inédits,

il ne s'est guère préoccupé non plus de renouveler le personnel de la comédie d'amour : il oppose parfois un homme à deux femmes (*Le Bien-Aimé*), mais il semble préférer la formule inverse, deux hommes et une femme (*Une tant belle Fille*, *Une faible Femme*, *La Manière forte*). Le schéma de ces deux dernières comédies est à peu près identique : la femme, faible contre les tentations, est envoûtée sensuellement par l'un des deux hommes, champion sportif ou séducteur traditionnel sûr de son pouvoir, mais elle se sent attirée sentimentalement par l'autre, artiste délicat et tendre.

On se doute que l'étude des caractères ou des mœurs reste délibérément superficielle dans des pièces dont les sujets sont aussi rebattus et les personnages taillés sur un patron aussi usé. De fait, Jacques Deval se laisse détourner de l'observation exacte de la vie et, pour plaire au grand public des boulevards, cède aux tentations d'une dramaturgie assez conventionnelle : scènes d'émotion à la sentimentalité à fleur de peau, pathétique de mélodrame, coups de théâtre à la Sardou et dénouement résolument optimiste, parce qu'il est de bon ton de ne pas assombrir la fin de soirée du spectateur.

Cependant Jacques Deval a visiblement cherché un élément d'intérêt dans une formule assez inédite de mélange des tons et des genres. Son domaine, c'est le badinage léger, la fantaisie gracieuse, qui se teinte d'un soupçon d'émotion et d'une pointe de perversité, avec de-ci de-là quelques petits traits de caricature à la Henri Monnier ou à la Labiche. Cet art léger, élégamment sensuel et libertin, fait penser

à certains divertissements du XVIIIe siècle, signés
par Crébillon ou Carmontelle. D'autre part, Deval
se plaît à entrelacer ou à superposer les genres
dramatiques : son pessimisme veut être souriant, son
comique amer ; Labiche tente de collaborer avec
Schopenhauer. Ce curieux dosage apparaît même
dans ses pièces satiriques les plus fortes : ainsi, dans
Prière pour les Vivants, Deval fait alterner l'âpreté,
voire la férocité, avec la bonne humeur ; dans
Etienne, la comédie de caractères et de mœurs est
coupée par des scènes d'une outrance caricaturale
de farce et *Mademoiselle* ressemble, selon un
critique, à « un cocktail pervers de liqueurs
comiques et tragiques ». Mais c'est surtout dans ses
comédies du boulevard que Deval recourt au
mélage des genres : il écrit une tragédie racinienne
à dénouement optimiste (*Le Bien-Aimé*), une pièce
révolutionnaire avec des situations et des types de
vaudeville (*Ventôse*) ; partant d'un sujet cornélien,
il en fait une comédie sentimentale et fantaisiste,
avec airs de fandango et partie de colin-maillard (*La
Rose de Septembre*) ; il traite, sur le ton d'un conte
de fées, un sujet sinistre : la tentative de suicide de
deux adolescents que leurs parents, nouveaux
Capulets et Montaigus, refusent l'un à l'autre (*L'Age
de Juliette*). *Tovaritch* commence sur le ton d'un
opéra-bouffe ou d'un vaudeville plein de fantaisie et
d'insouciance, puis brusquement tourne au débat
d'idées, opposant la Russie de 1934 à celle de jadis ;
sur un titre de vieille chanson, *Une tant belle Fille*
traite un sujet de tragédie en comédie ironique, pour
finir en mélodrame. En fait, Jacques Deval semble
avoir confondu le mélange des genres avec la disso-

nance des tons (1) : ses perpétuelles ruptures
d'équilibre sentent trop la gageure et produisent sur
le spectateur un effet aussi désagréable que la douche
écossaise ; des répliques brillantes à la Capus nuisent
à la montée de l'émotion, de même qu'une subite
élévation du ton fait perdre à telle scène son animation joyeuse.

Ces réserves présentées, il reste que Jacques Deval
est l'un de nos dramaturges contemporains les plus
heureusement doués. Dès ses débuts, il se révéla un
technicien très adroit ; ce sens inné du théâtre
s'explique sans doute chez lui, comme chez Guitry,
par l'hérédité paternelle. Deval agence minutieusement ses pièces dans leurs détails comme dans leur
ensemble. Chaque scène est filée avec une précision
huilée : les ressorts fonctionnent au moment voulu ;
les effets se produisent à l'endroit où ils portent le
plus. De même, chaque acte a les proportions et la
densité qui conviennent, tandis que l'ensemble de
la pièce est entraîné dans un mouvement ascendant,
avec une sorte d'allégresse juvénile, qui est la
marque propre de l'auteur. Enfin le dialogue, chez

---

(1) Un même goût pour les ruptures de tons apparaît chez un
autre auteur de comédies légères, Alfred Savoir (1883-1934)
qui, comme Guitry, acquit sa première renommée avant
la guerre de 1914. Le talent dramatique de Savoir s'apparente curieusement à celui de Jacques Deval. Souple et
divers comme lui, cet auteur a manié tous les genres :
la comédie légère et le vaudeville *(Banco* ; *La Grande
Duchesse et le Garçon d'étage)* : la comédie psychologique
(Maria) ; la comédie pseudo-historique *(La Petite Catherine)* ; la comédie rosse *(La Voix lactée)* ; la comédie
d'avant-garde, où situations et caractères sont poussés
jusqu'à l'extravagance *(Le Figurant de la Gaîté* ; *Le
Dompteur ou l'Anglais tel qu'on le mange* ; *Lui)*.

Deval, tout en étant élégant et soigné, reste en général naturel et juste ; il est émaillé de répliques spirituelles ou mordantes, qui font balle : ainsi, dans *Etienne*, le fils dit à sa mère, en parlant de son très digne père : « Quand il t'embrasse, il a l'air de coller un timbre ». Mais ce qui caractérise essentiellement le dialogue chez Deval, c'est son étonnante souplesse : il cabriole, se durcit ou atteint une sorte de sérénité classique.

II. LA COMÉDIE BOUFFONNE

La farce, ou comédie bouffonne, a été très en vogue dans les années qui suivirent l'armistice de 1918 : plus que tout autre genre dramatique, elle satisfaisait le besoin de détente du public. Le goût de la farce se répandit alors d'autant plus que les nouveaux animateurs de la scène étaient en général imprégnés de ces prestigieux comédiens italiens qui, au XVIIe siècle, avaient fait applaudir leur verve bouffonne sur les tréteaux de Paris. Jacques Copeau appelle les clowns Fratellini comme professeurs à son école du Vieux-Colombier et il inscrit à son programme, outre *La Jalousie du Barbouillé* et *Les Fourberies de Scapin*, de nombreuses farces de jeunes dramaturges : *La Pie borgne* et *Les Plaisirs du Hasard* de René Benjamin ; *L'OEuvre des Athlètes* de Georges Duhamel, où l'auteur, selon Copeau lui-même, essayait de « retrouver le ton plus franc, le mouvement plus large de l'ancienne comédie, voire de la farce classique » ; *Le Testament du Père Leleu* de Roger Martin du Gard, peinture facétieuse des mœurs paysannes ; *La Folle Journée* d'Emile Mazaud, une courte pièce dans la plus pure tradition de Courteline, c'est-à-dire d'un comique irrésistible malgré un fond d'amertume (en 1922, le Théâtre de l'Œuvre jouait, du même auteur, *Dardamelle*, qui est une sorte de pastiche de la farce moliéresque).

Aussi ne nous étonnons pas que Jacques Copeau ait déclaré : « Ceux qui me raillent en me traitant de janséniste ne se doutent guère du goût que j'ai passionnément pour la haute farce » et il ajoutait même : « C'est peut-être d'une renaissance de la farce que procèdera le renouvellement dramatique total auquel nous voudrions contribuer ». Après Copeau, Dullin monte à l'Atelier *Le Veau gras*, satire et *Les Zouaves* de Bernard Zimmer, puis une adaptation du *Volpone* de Ben Jonson ; Jouvet fait jouer à la Comédie des Champs-Elysées *Knock* et *Monsieur le Trouhadec* saisi par la débauche de Jules Romains ; Gaston Baty met en scène des farces de Molière et *Un Chapeau de paille d'Italie* de Labiche. Cette veine de farce est exploitée par Cocteau à ses débuts (*Le Bœuf sur le Toit*, « mime » joué à la Comédie des Champs-Elysées par les Fratellini) et par Jean Anouilh (*Le Bal des Voleurs*) ; elle représente une détente pour Claudel (*L'Ours et la Lune*, *Protée*). Deux dramaturges méritent, à notre sens, une étude spéciale : Fernand Crommelynck, dont les farces lyriques sont d'une truculence flamande et Roger Vitrac, auteur d'avant-garde à l'intersection de deux courants.

ERNAND CROMMELYNCX
né en 1883

Notice biographique. — Né à Paris en 1888 d'un père bourguignon et d'une mère savoyarde, Fernand Crommelynck eut une vocation dramatique précoce. A quatorze ans, il présente aux Bouffes-Parisiens une tragédie en cinq actes, en vers. Il rime ensuite un drame d'amour, puis une pièce en cinq actes, *Arlequin*, qui enthousiasme Catulle Mendès. Il fait jouer à Bruxelles *Nous n'irons plus au Bois* (1906) et interprète lui-même *Le Marchand de Regrets* au Théâtre du Parc (1911). De retour à Paris, il y donne *Le Sculpteur de Masques* (1911), mais c'est seulement en 1921 qu'il obtient un succès retentissant avec *Le Cocu magnifique*, joué par Lugné-Poe à l'OEuvre. Les pièces postérieures de Fernand Crommelynck, montées à la Comédie des Champs-Elysées ou à l'OEuvre, furent plus discutées: *Les Amants puérils* (1921), *Tripes d'Or* (1925), *Carine ou la Jeune Fille folle de son âme* (1929), *Une Femme qu'a le cœur trop petit* (1934), *Chaud et froid ou l'Idée de M. Dom* (1934). Crommelynck n'a rien produit pendant la seconde guerre mondiale. Il s'est surtout donné à tâche d'empêcher la « flamin-

← Une scène de *Une Femme qu'a le cœur trop petit*

gantisation » de la Belgique et de faire jouer, face
à l'occupant des pièces françaises au Théâtre des
Galeries, qu'il dirigeait.

Bien que Fernand Crommelynck prétende être de
formation française, il est hors de doute que son
théâtre est congénitalement flamand. Il suffit
d'ailleurs à cet auteur de quelques touches de couleur
locale pour évoquer les aspects essentiels de la terre
et de l'âme flamandes. Mais, plus encore que par
leur cadre, les farces de Crommelynck se ressemblent par le processus systématique qui a présidé à
leur construction : « Je crois à la nécessité du
métier dramatique, déclare Crommelynck; il y faut
l'art de la construction, la science du raccourci » ;
et il affirme, avec cette confiance en lui dont il est
coutumier, que sa « mécanique » dramatique est
aussi précise que celle d'une horloge. Vérifions
l'exactitude de cette assertion en étudiant brièvement
la technique dramatique des trois farces les plus
représentatives du talent de Crommelynck : *Le Cocu
magnifique. Une Femme qu'a le cœur trop petit*,
Chaud et froid (toutes les trois se situent « de nos
jours, en Flandre »).
   Crommelynck part en général d'une situation
assez banale. Dans *Le Cocu magnifique*, Bruno,
homme de lettres, poète à ses heures, a épousé la
délicieuse Stella ; il l'adore et elle ne pense qu'à lui.
Dans *Une Femme qu'a le cœur trop petit*, Maître
Olivier a épousé, en secondes noces, Balbine, une
jeune femme qui semble être le symbole de toutes les
vertus : belle, intelligente, pudique, raisonnable et,

par dessus tout, maîtresse femme d'intérieur. Dans *Chaud et froid*, la belle Léona, une femme qui, elle, a le cœur trop grand, est l'épouse de M. Dom et défraie toutes les conversations du village : on lui connaît au moins trois amants.

Cette situation est bientôt poussée à un point où elle cesse d'être banale et franchit même parfois les limites de la vraisemblance. Bruno est tellement enivré du bonheur d'avoir épousé Stella qu'il éprouve un irrésistible besoin de clamer les charmes de son corps aux quatre coins du village, dans un style éperdument lyrique. C'est le couplet qu'il chante notamment en présence du cousin de Stella, le capitaine de vaisseau Pétrus (*Le Cocu magnifique*). La vertu trop parfaite de Balbine ne tarde pas à horripiler son entourage : les paysans et les domestiques, sans cesse en butte à ses exigences tâtillonnes, la débinent sournoisement ; quant à Maître Olivier, il souffre en silence de son ombrageuse pudeur, qui la fait s'évanouir dès qu'elle entend la plus innocente grivoiserie. Ne va-t-elle pas jusqu'à demander à son époux de faire chambre à part ? Bref, la maison a perdu sa belle humeur de jadis à cause d'une femme qui, trop éprise d'ordre, n'engendre que du désordre (*Une Femme qu'a le cœur trop petit*). Léona ne se contente pas de chercher dans les bras de nombreux hommes du village l'amour que M. Dom n'a jamais songé à lui donner, mais, avec l'aide complaisante de sa servante Alix, une fine mouche, elle a recours aux ruses les plus diaboliques pour se débarrasser de l'amant d'hier, le jaloux Bellemasse, au profit de l'amant d'aujourd'hui, le jeune et bouillant Odilon. Celui-ci, transporté de passion pour sa maîtresse, médite de verser une certaine poudre dans la boisson de M. Dom (*Chaud et froid*).

Ainsi poussée à l'extrême, la situation parvient à l'état de crise. Tandis que Bruno fait admirer à Pétrus, avec une superbe inconscience, les rondeurs de la gorge de Stella, il croit remarquer une flamme de concupiscence dans les yeux du capitaine de vaisseau; il se précipite sur lui et lui donne un soufflet. Dès lors, la jalousie « le tord, le grille, le lacère » ; il ne trouve plus une heure de repos (*Le Cocu magnifique*). Excédé par la vertu trop farouche de Balbine, Maître Olivier quitte un beau soir le domicile conjugal ; il rentre le lendemain matin, fortement éméché, débraillé et de fort méchante humeur. Pour la première fois, il parle durement à sa femme et, non content de lui faire croire — ce qui est faux — qu'il a passé la nuit avec une fille de joie, il la pousse dans sa chambre et lui administre une bonne correction (*Une Femme qu'a le cœur trop petit*). Dans *Chaud et froid*, la crise est déclenchée par un événement imprévu. Odilon n'a pas le temps de mettre à exécution son projet d'empoisonnement, car M. Dom meurt subitement. Or, à ce moment, Léona apprend que cet être insignifiant, sans grâce et sans esprit, qui ronflait la nuit et se curait les dents à table, était, depuis dix ans, l'amant d'une jolie femme, Félie, qui l'adorait pour son charme et sa délicatesse exquise. Eberluée par cette révélation, Léona en oublie ses amants et se sent torturée par les affres de la jalousie rétrospective.

Dans une dernière phase, on assiste à un renversement de la situation initiale. Rongé par la jalousie,

Bruno cache son trésor aux yeux de tous avec la même frénésie qu'il mettait à le dévoiler. Mais il a beau surveiller Stella, l'enfermer, la contraindre à porter un long manteau, tout lui est sujet d'angoisse et de doute. Pour sortir de ce doute qui le consume, une logique atroce pousse Bruno à offrir son épouse à son cousin, puis à tous les gars du village, car s'il ne peut être certain que sa femme lui est fidèle, il peut — croit-il — acquérir la certitude qu'elle le trompe. Hélas! son mal est incurable : à chaque nouvelle expérience, même contrôlée par lui, il doute encore de l'évidence, car il poursuit en vain le fantôme d'un séducteur inconnu qui, la nuit, vient à son insu se glisser auprès de Stella (*Le Cocu magnifique*). Sévèrement corrigée par Maître Olivier, Balbine est soudain métamorphosée : détendue, épanouie, elle n'éprouve plus aucune aversion charnelle ; sa vertu, moins farouche, s'est humanisée : ce n'est plus qu'une femme amoureuse de son mari. Il y aura peut-être désormais un peu plus de poussière sur les meubles, mais il y aura sûrement plus de gaîté et de bonheur dans le domaine de Maître Olivier (*Une Femme qu'a le cœur trop petit*). Une métamorphose d'un autre ordre s'opère chez Léona. Vivant — « chaud » — M. Dom n'était, à ses yeux, qu'un mari trompé ; mort — « froid » — il devient l'objet d'un culte fervent. Léona, possédée par le besoin de le ravir, au moins à titre posthume, à sa rivale, enjoint au bouillant Odilon de tout mettre en œuvre pour séduire Félie et quand Odilon, obéissant, est devenu l'amant de la jeune femme, notre veuve trouve enfin une consolation à la mort d'un être adoré dans

la joie sauvage de l'avoir désormais sans partage :
« Il est à moi, à moi, tout entier ! » (*Chaud et
froid*).

Il y a donc bien une « mécanique » dramatique
chez Fernand Crommelynck, mais elle n'est pas
réglée avec la logique impeccable et implacable d'un
Feydeau.   On peut reprocher à cet auteur une
certaine lenteur dans les expositions, des ruptures
de composition qui font que la pièce tourne court,
que l'élan retombe et que l'action se disperse.
Souvent, un sujet secondaire, suggéré à Crommelynck par la richesse de son invention, vient à la
traverse du sujet principal : ainsi, dans *Une Femme
qu'a le cœur trop petit*, l'idylle de la fille de Maître
Olivier avec un jeune agronome poète ; dans *Les
Amants puérils*, à côté de l'aventure centrale — une
vieille femme, fardée et voilée, essaie de faire
illusion à un beau ténébreux — l'histoire de deux
jeunes amoureux de quatorze ans, qui décident de
mourir ensemble ; mais l'exemple le plus typique
est fourni par *Chaud et froid*, qui a pour sous-titre
L'Idée de M. Dom : la servante Alix répand en effet
le bruit que M. Dom, grand homme méconnu, avait
« une idée » à léguer à ses compatriotes et nous
voyons bientôt ce grossier canular prendre consistance et se répandre en vertu d'un phénomène,
d'ailleurs bien observé, de psychose collective ; le
bourgmestre, l'instituteur, puis les sections politiques locales attribuent à M. Dom une doctrine
profonde ; bientôt, toute la région communie dans
un même élan de ferveur enthousiaste. Or, il est
sensible que « l'idée de M. Dom », pur mythe — on
pense ici à *Donogoo* de Jules Romains — n'a rien

de commun avec le fait que M. Dom, mari berné, avait réellement une maîtresse qui l'adorait.

Bien d'autres défaillances qui, loin de s'atténuer, semblent s'être aggravées au cours de sa carrière, expliquent sans doute l'attitude assez réticente du public à l'égard de Crommelynck. Ses thèmes sont peu variés — presque toutes ses farces tournent autour de l'amour et des tourments de la jalousie — et ils manquent d'humanité générale : ce sont des cas de perversion sexuelle, qui relèvent plus de la pathologie ou de l'étude clinique que de l'art dramatique ; enfin et surtout, Crommelynck fatigue par ses outrances continuelles. Tout, chez lui, est tendu à l'extrême : ses peintures de l'amour tournent au délire ou au sadisme ; son pittoresque est poussé jusqu'à l'absurde ; sa fantaisie, trop appuyée, a souvent une lourdeur flamande ; son dialogue horripile par l'intempérance du lyrisme. Il y a partout surabondance de richesses, triomphe du paroxysme.

Mais Crommelynck est un auteur qu'il faut accepter en bloc : ses défaillances sont la rançon de sa force. Si ses personnages sont des images grossies, voire déformées de la réalité, ils s'imposent quelquefois par leur carrure : Bruno, ce Sganarelle qui n'est pas dupe des apparences, est d'une veine toute moliéresque ; et maints traits de nature apparentent Crommelynck à Molière. Il y a, d'autre part, dans les farces de cet auteur, quelque chose de robuste, de direct, un jaillissement spontané qui contraste, par exemple, avec le comique parfois laborieux et statique d'un Jules Romains. Enfin, si le style rutilant de Crommelynck contient pas mal de scories, il témoigne de dons assez étonnants de force, de mouvement et surtout de richesse : tour à tour pimpant, frais, d'une grâce ailée ou truculent et musclé, il donne une impression de sève inépuisable.

Crommelynck a subi l'influence de nombreux auteurs, Molière, Shakespeare, Maeterlinck et Pirandello en particulier, mais, à son tour, il a frayé des voies nouvelles à quelques dramaturges contemporains (chose curieuse, par les aspects de son œuvre qui ont le moins de rapport avec la farce) : ainsi, *Le Sculpteur de Masques*, où Crommelynck utilise habilement le silence comme moyen dramatique, a pu inspirer les représentants de l'école intimiste et *Carine ou la Jeune Fille folle de son âme*, pièce dont l'héroïne est tiraillée entre sa pureté originelle et les souillures que la vie lui impose, fait trop penser à *La Sauvage* ou à *Ardèle* de Jean Anouilh pour que le rapprochement soit purement accidentel.

B. *ROGER VITRAC*
    né en 1901

Notice biographique. — Né en 1901, Roger Vitrac
est, avec Antonin Artaud, le fondateur du Théâtre
Alfred Jarry. En 1927, il monte sa première pièce,
Les Mystères de l'Amour, au Théâtre de Grenelle et,
l'année suivante, *Victor ou les Enfants au pouvoir*,
à la Comédie des Champs-Elysées. En 1934, Marcel
Herrand et Jean Marchat représentent *Le Coup de
Trafalgar* au Rideau de Paris ; Dullin, en 1936, fait
appel au comique populaire Georgius pour interpréter *Le Camelot* à l'Atelier. Avec *Les Demoiselles
du large*, jouées au Théâtre de l'Œuvre en 1938,
Vitrac abandonne la farce pour la tragédie. Mais il
revient à sa vocation en écrivant *Le Loup-Garou*, mis
en scène par Raymond Rouleau aux Noctambules, en
1939. Pierre Dux a joué en 1950 *Le Sabre de mon
Père*, au Théâtre de Paris. Le Théâtre complet de
Vitrac a paru aux éditions Gallimard. Ce dramaturge, qui s'intéresse au cinéma, a adapté à l'écran
et dialogué un roman de Pierre Benoît, *Bethsabée*.

Roger Vitrac peut être considéré comme l'auteur
dramatique qui a le mieux réussi à porter le surréa-

lisme à la scène. Par delà le surréalisme, il a subi l'influence de la farce satirique et burlesque d'Alfred Jarry, dont il utilise certains procédés.

Suivant la méthode des surréalistes, Vitrac se plaît à cheminer dans les régions obscures de la conscience qui, échappant à toute emprise extérieure, permettent de découvrir la vie psychique dans son incohérence spontanée : ainsi, dans *Les Mystères de l'Amour*, il a concrétisé, pour la première fois sur une scène, les associations d'idées cocasses et même saugrenues d'un homme qui rêve. Comme les surréalistes encore, Roger Vitrac dénonce l'inanité de certaines antinomies traditionnelles ; l'opposition entre la raison et la folie n'est pas, selon lui, plus valable que l'opposition entre la veille et le rêve : dans *Victor ou les Enfants au pouvoir*, la prétendue raison des parents ne s'exprime que par des propos bornés ou stupides, tandis que l'apparente extravagance des enfants cache souvent des vues d'une étonnante lucidité. D'une manière plus générale, Vitrac s'applique à débarrasser les sentiments de ses personnages de tous les aspects conventionnels qu'imposent les traditions, les mœurs ou l'éducation pour les présenter à l'état brut : « Il nous faut entreprendre une cure de marche sur la pointe des pieds, écrivait-il à propos de son adaptation cinématographique du roman de Pierre Benoît, *Bethsabée*. Actuellement, si nous voulons représenter la vie telle qu'elle est, nous sommes obligés de tricher, c'est-à-dire de voiler cette part du réel qu'on est convenu d'appeler choquante. Si l'on ne trichait pas, les gens crieraient « au feu » ou « au fou ». Avant d'arriver à cet idéal d'une vérité qualifiée

Photo Lipnitzki

Monique MÉLINAND, Claude RICH et Bernard NOEL
dans « *Victor ou les Enfants au Pouvoir* ».

surréaliste, il faudrait que nous puissions nous
dépouiller du tact et de la mesure qui faussent le
réalisme de l'art. En lisant un de ces chroniqueurs
classiques du XVII⁰ siècle — un Saint-Simon, un
Tallemant des Réaux — dont les mémoires sont
« des choses vues » et qui offrent plus au dramaturge ou au cinéaste qu'un Molière, observateur
essentiellement « esthétique », on a l'impression
d'avoir affaire à des anormaux. Et pourtant, ces
hommes ont seulement été des témoins sincères
d'un temps qui ne valait pas moins que le nôtre.
J'ai écrit une pièce, *Le Coup de Trafalgar*, qui a
passé pour loufoque, alors que je m'étais borné à
y inclure une stricte vérité. Je n'ai rien inventé ; j'ai
seulement tout dit et tout fait revivre d'une aventure
vécue ». Vitrac s'est contenté, en effet, dans cette
pièce, de reproduire, sans aucune tricherie esthétique, les propos tenus par les locataires d'un
immeuble dans une loge de concierge, dans une cave
ou dans un appartement, à l'occasion d'un bombar-
dement de gothas, vers la fin de la première guerre
mondiale.

Les farces de Roger Vitrac, comme celles d'Alfred
Jarry, font une large place à la satire. De même que
Jarry, à travers le guignolesque père Ubu, tournait en
dérision les formes absurdes et cruelles que revêt
l'autorité politique et sociale, Vitrac bafoue d'une
manière agressive la plupart des valeurs traditionnellement respectées, comme la famille ou la patrie ;
il se moque des mœurs politiques ou journalistiques
(*Le Camelot*) ; il s'acharne particulièrement contre
les bourgeois, avec la délectation furieuse d'un
Flaubert, insistant sur leur niaiserie solennelle, leur

goût stupide pour les lieux communs et les formules toutes faites (*Victor ou les Enfants au pouvoir, Le Coup de Trafalgar*).

Ces éléments surréalistes et satiriques sont utilisés par un dramaturge constamment soucieux de provoquer chez le spectateur un rire irrésistible. La plupart des farces de Roger Vitrac ont une allure guignolesque : les personnages, fortement caricaturés, font penser aux marionnettes de la Comedia dell'Arte. Quand l'auteur s'applique au contraire à peindre sur le vif la réalité à la manière d'un documentaire, c'est sur le mode parodique, pour en dégager les aspects les plus bouffons. Il recourt avec prédilection aux procédés de l'humour burlesque : ainsi, il nous présente, dans *Victor ou les Enfants au pouvoir*, un enfant de neuf ans qui a un mètre quatre-vingts et qui s'exprime avec le sérieux imperturbable d'un homme fait ; dans *Le Loup-Garou*, un Don Juan, métamorphosé en loup-garou, qui séduit toutes les femmes d'une maison de santé (on a là un avant-goût du comique particulier à Marcel Aymé, dans *Le Passe-Muraille* ou *Les Oiseaux de Lune*). Vitrac utilise aussi les effets comiques obtenus par la disconvenance entre la pensée et l'expression : pour mieux mettre en lumière la niaiserie des bourgeois, il reproduit leurs propos sur un ton léger et désinvolte, ou encore il évoque en badinant des choses atroces; dans *Le Coup de Trafalgar*, Arcade, qui a déserté en 1914 parce qu'il ne voulait pas « se faire tuer inutilement dans une mauvaise guerre », déclare qu'il se garde pour l'autre, « la bonne guerre, la dernière, celle qui décidera de tout », et voici en quels termes il

évoque cette « guerre de mil-neuf-cent-plus-tard » :
« Avec les progrès de la science, ce ne sera pas bien
dangereux. Plus d'explosifs, plus de gaz, plus de
pétrole, plus de ces ridicules baïonnettes individuelles et de ces petits couteaux de tranchées si
commodes pour manger les sardines. Pas une goutte
de sang ne coulera. Rien ! Pas de ces travaux
pénibles d'ensevelissement, pas de cimetières ! La
destruction sera totale et instantanée ». On ne peut
s'empêcher de penser à Voltaire décrivant, dans
Candide, les pires atrocités des guerres sur un ton
d'allégresse, comme s'il s'agissait d'un spectacle de
foire.

« Le théâtre de Roger Vitrac, écrivait il y a
quelques années Pierre-Aimé Touchard, est certainement un des plus curieux et des plus originaux de
notre temps ». L'exploration méthodique des
profondeurs cachées de la personnalité, selon la
méthode surréaliste, se traduit souvent dans les
farces de Vitrac par des notations psychologiques
d'une singulière pénétration ou d'une atroce vérité.
Quant aux dons comiques de cet auteur, ils sont
incontestables et variés : Roger Vitrac est aussi à
l'aise dans la fantaisie échevelée, la cocasserie
burlesque et même loufoque que dans la satire
mordante et brutale. D'autre part, son dialogue
soutient la gageure de rester d'une constante pureté,
tout en refusant de recourir aux liaisons rationnelles
communes. Toutefois, Vitrac semble avoir quelque
difficulté à imprimer à ses pièces un rythme
soutenu : explosives et percutantes au début, elles
perdent progressivement de leur force et donnent
l'impression de s'effilocher au cours des actes. Il
faut bien reconnaître aussi que cet écrivain,

esthétiquement extrémiste, n'a jamais été adopté
par le grand public : le spectateur moyen ne peut
qu'être déconcerté par cet art négatif qui rompt
systématiquement avec les normes habituelles et par
ce comique appuyé, qui tend à l'incohérence.

III. *LA COMÉDIE SATIRIQUE*

Au début du xx⁰ siècle, deux dramaturges dans la
lignée du naturalisme avaient illustré le genre
satirique, qui, depuis *Les Précieuses ridicules* de
Molière, s'attache à railler les mœurs d'une époque :
Jules Renard, auteur de *Poil de Carotte*, dont
l'humour cruel s'exprimait par petites touches
savamment nuancées, et Octave Mirbeau, satirique
à la verve cynique, créateur d'Isidore Lechat, un
Turcaret moderne, hanté comme son devancier par
l'appât du gain. Vers la même époque, Brieux, puis
Flers et Caillavet s'étaient révélés à l'occasion
peintres satiriques : le premier, disciple d'Augier,
dénonçait la cruauté de certains magistrats ; les
seconds tournaient en dérision, avec une outrance
sans amertume, l'arrivisme des politiciens et les
ambitions des gens de lettres.

La période qui s'étend entre les deux guerres
mondiales fut assez riche en bouleversements
sociaux, en misères et en vilenies, pour fournir aux
auteurs dramatiques une ample matière à la satire
des institutions et des mœurs. Quatre auteurs, de
tempéraments et de talents différents, ont illustré
durant cette période la comédie satirique : Jules
Romains, Edouard Bourdet, Marcel Pagnol et le
protéiforme Armand Salacrou, dont l'œuvre semble
défier toutes les catégories.

Photo Lipnitzki

Louis Jouvet et Michel Etcheverry
dans *Knock ou le Triomphe de la Médecine.*

A. JULES ROMAINS
né en 1885

Photo Lipnitzki

Notice biographique. — Né en 1885 dans un hameau du Velay, Louis Farigoule, dit Jules Romains, se fixe de bonne heure à Paris, où son père a été nommé instituteur. Après de brillantes études au lycée Condorcet, il entre en 1905 à l'Ecole Normale Supérieure ; il fréquente alors des milieux littéraires, suit notamment avec sympathie l'expérience tentée par Vildrac, Duhamel, Arcos, à l'abbaye de Créteil. Agrégé de philosophie en 1909, il enseigne à Brest, Laon, Paris, Nice. Promoteur de la doctrine unanimiste, il l'illustre dans des poèmes (*La Vie unanime,* 1908), dans des récits en prose et dans ses premières productions dramatiques : *L'Armée dans la Ville,* montée par Antoine à l'Odéon en 1911 ; *Cromedeyre-le-Vieil,* jouée en 1920 par Copeau, qui lui confie la direction de l'école théâtrale du Vieux-Colombier.

Puis Romains s'engage dans la voie de la farce satirique, où sa réussite va s'affirmer ; en 1923, il fait jouer à la Comédie des Champs-Elysées *Monsieur le Trouhadec saisi par la débauche* et *Knock ou le Triomphe de la Médecine* qui, magistralement mis en scène par Jouvet, obtient un énorme succès. Romains

ne devait pas connaître une égale réussite avec *Le
Mariage de Le Trouhadec* (1925) ; *Jean le Maufranc*,
joué d'abord par Pitoëff en 1926, puis, après remaniement, par Dullin en 1930 sous un nouveau titre,
Musse ou l'Ecole de l'Hypocrisie ; Le Dictateur, monté
par Jouvet en 1926 ; *Boën ou la Possession des Biens*
(1930). Un scénario cinématographique transformé en
pièce à grand spectacle, *Donogoo*, étrenne avec succès
la machinerie du Théâtre Pigalle (1930). Romains se
consacre alors surtout à ses *Hommes de bonne
volonté*, dont les volumes paraissent de 1932 à 1947.
Il écrit cependant pour la scène, en 1939, *Grâce
encore pour la Terre*, qui ne peut être représenté à la
Comédie-Française en raison des circonstances, mais
qui fut publié à New York, où il s'était rallié au
général de Gaulle et avait fondé un Comité français
en liaison avec celui de Londres. Etabli ensuite à
Mexico, il écrivit en 1945 une nouvelle pièce, *L'An
Mil*, qui fut jouée par Dullin en 1947 au Théâtre
Sarah-Bernhardt. En 1946, il apprenait qu'il avait
été élu à l'Académie française et il regagnait la
France. Jules Romains est aussi l'auteur d'un *Essai
sur l'Art dramatique ;* de *Souvenirs du Vieux-
Colombier* (1926) ; de quelques pièces en un acte :
Amédée ou les Messieurs en rang (1923), *La Scintil-
lante* (1924), *Démétrios* (1926), *Le Roi masqué*
(1931) ; enfin d'une adaptation, écrite en collabo-
ration avec Stefan Zweig, du *Volpone* de Ben
Jonson, jouée avec grand succès à l'Atelier en 1928.

Dans la préface de sa première pièce, *L'Armée
dans la Ville*, Jules Romains a défini en ces termes

son esthétique dramatique : « Un théâtre simple de structure, dépouillé d'artifices extérieurs ; moderne quant au sujet, mais doué de la plus grande généralité. Une action ramassée en une crise, un conflit aussi essentiel et élevé que possible ». De fait, Romains, amateur passionné d'idées, a porté à la scène des débats d'une signification et d'une portée plus larges que ceux dont s'alimente d'ordinaire la production dramatique (il semble même que l'auteur de *Donogoo* ait songé à créer une comédie *universelle* au double sens du mot, c'est-à-dire une comédie d'une très ample généralité, dont l'action se répercute à travers le monde entier). Ce théâtre est d'autre part — exception faite pour *L'Armée dans la Ville* et *Cromedeyre-le-Vieil*, d'inspiration unanimiste — résolument satirique, Romains s'appliquant à détecter dans la vie sociale tous les éléments qui en compromettent la stabilité et le développement harmonieux.

Lié très jeune avec des hommes d'Etat de la troisième République et avec des milieux d'affaires, grand voyageur et président, de 1936 à 1940, du P.E.N. international (association de « Publicists, Essayists, Novelists »), Jules Romains était particulièrement apte à traiter des questions politiques, financières et internationales. Il a eu le courage, ou peut-être la témérité d'en faire le sujet de pièces, où la satire prend la forme de la discussion abstraite, voire de l'idéologie pure : ainsi, dans *Boen ou la Possession des Biens*, Romains analyse la notion de richesse et expose toutes les attitudes que l'on peut prendre devant le problème de « la possession des biens » ; dans *Le Dictateur*, il étudie, dans le cadre d'un royaume fictif, le cas d'un politicien d'extrème-gauche qui, arrivé par accident au pouvoir, renie ses affections et ses convictions d'antan, devenant ainsi un dictateur sans l'avoir conscienmment voulu; dans *Musse ou l'Ecole de l'Hypocrisie*, il représente un type de Français moyen qui, excédé par toutes les contraintes que les institutions sociales font peser sur les citoyens, s'affilie à une association « pour la défense de l'homme moderne », mais s'aperçoit que les prétendus champions de la liberté sont eux-mêmes des tyrans et découvre alors qu'une habile hypocrisie est pour le citoyen « le suprême refuge de la liberté individuelle » ; dans *Grâce encore pour la Terre*, écrit en 1939, Jules Romains exprimait, selon ses propres termes, « nos angoisses de cette époque et l'espoir, auquel s'accrochaient partout dans le monde les hommes de bonne volonté, d'éviter encore la catastrophe que, depuis si long-temps, ils voyaient venir ; l'espoir aussi d'une humanité guérie de sa folie récente et promise à des temps plus humains ».

Malgré l'intérêt et l'ampleur des sujets, ces pièces sont en partie manquées, car la satire sous forme de discussion abstraite est toujours ennuyeuse au théâtre. Par bonheur, Jules Romains a recouru parfois à une satire plus directe, où il s'est révélé excellent. Il a pu y exploiter à fond son goût du « canular » normalien, c'est-à-dire de la mystification à froid poussée jusqu'à l'outrance burlesque. Il est en effet curieux de remarquer que les deux meilleures réussites dramatiques de Romains, *Knock* et *Donogoo*, ont pour thème d'énormes mystifications et pour héros des imposteurs, possédés par un instinct de conquête et habiles à exercer sur les foules un empire despotisque (1).

Knock se sert de la médecine pour exploiter la crédulité humaine. Au début de la comédie qui porte son nom, ce n'est qu'un charlatan sans envergure, dont les connaissances médicales se sont développées à la lecture des « modes d'emploi » des produits pharmaceutiques. Après s'être soumis à cette « formalité indispensable » qu'est le doctorat, Knock s'est convaincu que, pour réussir dans sa profession, il convient avant tout d'amener les individus les plus sceptiques et les plus vigoureux à « l'existence médicale », car il pose en principe que « tout homme sain est un malade qui s'ignore ». Sa méthode, rapidement mise au point, consiste à s'enquérir habilement des revenus des consultants, puis, tout en simulant le plus parfait désintéressement, à les persuader petit à petit qu'ils sont gravement malades. Pour arriver à ce résultat, le

---

(1) Il convient, à ce propos, de distinguer deux aspects opposés et complémentaires de l'unanimisme de Jules Romains. Par delà les individus, l'unanimisme postule l'existence d'un groupe, qui forme un être distinct, susceptible d'absorber d'autres individus : ainsi, dans *Cromedeyre-le-Vieil*, les filles de la vallée, enlevées de force par les gars de Cromedeyre, sont assimilées à la substance de ce rude village montagnard, intégrées à sa conscience collective. Mais il arrive aussi, inversement, qu'un individu à forte personnalité « modèle des groupes, les anime, les transforme », conservant à leur égard son entière initiative de « créateur », de « formateur de réalité » : tel est bien le cas de Knock, aventurier conquérant et dominateur, qui intoxique toute la population d'un village par sa manie des diagnostics et l'« unanimise » dans une sorte de suggestion collective et grégaire de maladie.

docteur Knock recourt aux procédés les plus
efficaces de l'intimidation médicale : réticences,
silences lourds de mystère suivis d'affirmations
péremptoires (ainsi, il affirme à la Dame en Noir,
sur le ton d'une voyante extra-lucide, qu'elle est
tombée, étant petite, d'une échelle d'environ trois
mètres cinquante, posée sur un mur) ; emploi de
mots savants et de formules redoutables (par
exemple : « porteur de germes »). Lorsque le spectre
terrifiant de la maladie a surgi dans l'imagination
du consultant, ce dernier consent très docilement à
se coucher et à se soumettre à un traitement
régulier. Il n'y a rien de plus burlesque que le
programme dictatorial du docteur Knock qui
consiste, après s'être colleté successivement avec
tous les individus de Saint-Maurice, à mettre au lit
la population entière de ce village et à régler
tyranniquement son emploi du temps en lui
imposant, à des heures rigoureusement fixées, toutes
les servitudes les plus astreignantes de l'hôpital. Le
petit charlatan cynique du premier acte est ainsi
devenu, au terme de son aventure, le grand prêtre
d'une foi nouvelle, la foi en la médecine ; par une
plaisante ironie du sort, il se prend lui-même à son
propre piège, car il en arrive à se pénétrer sincèrement de la grandeur de sa mission et de l'infailli-
bilité de sa méthode.

Si *Knock* glorifie plaisamment l'Imposture en
médecine, *Donogoo* est une sorte d'apothéose
satirique du bluff, du mensonge plus réel et plus
fécond que la réalité. Sur la foi d'informations
fantaisistes, l'illustre géographe Yves le Trouhadec,
candidat à l'Institut, a décrit, dans un ouvrage sur

l'Amérique du Sud, une ville qui n'existe pas,
Donogoo-Tonka. Or, grâce à la complicité d'un
escroc subtil, Lamendin, qui s'abouche avec un
charlatan, professeur de psychothérapie, et avec un
banquier véreux, qui ouvre une souscription pour
la mise en valeur de Donogoo, grâce aussi à des
artifices de publicité spectaculaires et suggestifs,
cette ville fantôme acquiert peu à peu la plus
authentique réalité. Elle existe d'abord dans l'imagination des aventuriers qui affluent de tous les coins
du monde, attirés par l'appât de l'or, puis elle finit
par exister géographiquement, car, une fois arrivés
sur l'emplacement de la prétendue Donogoo, où ils
ne trouvent qu'une lande dénudée, nos colons,
harassés et dans l'impossibilité de revenir en arrière,
s'installent sur place et fondent, à leur corps
défendant, une ville qui surgit bientôt, immense,
du désert. Installé au Palais de la Résidence,
Lamendin enflamme les cœurs par son verbe,
s'impose comme dictateur et institue par décret une
religion et des lois pour son peuple, tandis que Le
Trouhadec, réhabilité dans sa réputation de savant,
est élu triomphalement à l'Institut. Ainsi l'Erreur
scientifique est glorifiée et une colossale escroquerie
devient la plus féconde des réalités, au moment où
l'on allait arrêter les individus qui l'avaient
impudemment montée.

Ce goût de la mystification systématique, que l'on
a pu considérer comme le principe moteur du
théâtre de Jules Romains, traduit, sous la forme
vengeresse du rire, un besoin profond d'honnêteté
et de sincérité. « L'ironie est en retard sur l'avion »,
fait remarquer un personnage de notre auteur ; or,

précisément, Romains (1) a contribué à faire repren-
dre à l'ironie une partie de son retard sur l'avion en
recourant à ses formes les plus variées, depuis le
paradoxe, la fumisterie, l'humour froidement dis-
tillé, jusqu'aux paraboles les plus cocasses et aux
extravagances les plus déraisonnables pour suggérer,
si l'on peut dire, par l'absurde des vérités salubres
et rayonnantes. A cet égard, les farces satiriques de
Romains s'inscrivent dans la lignée des fabliaux du
Moyen Age et des contes philosophiques de
Voltaire ; elles cachent une sorte de moralité sous
leur extravagance apparente : *Knock* et *Donogoo*
glorifient l'Escroquerie, l'Imposture et l'Erreur scientifique, mais laissent entendre que, dans un univers
harmonieux, une communion sincère unirait les
hommes, tandis que la science, dispensée par des
êtres éclairés et généreux, serait un instrument de
libération et non d'asservissement. La foi dans la
« bonne volonté » des hommes est pour Romains
dramaturge, comme pour Romains romancier,

-----

(1) Deux autres pièces de Romains ont pour thème une
mystification : *Volpone*, adapté de Ben Jonson, et *L'An
Mil*. Dans *Volpone*, un riche Vénitien sans héritiers
directs est très adulé ; il simule une grave maladie
pour obtenir des présents de ceux qui prétendent à
son héritage et se rend compte ainsi que la sollicitude
de tous, même celle de son homme de confiance,
n'avait d'autre mobile qu'une sordide cupidité. Dans
L'An Mil, un moine escroc se sert de la religion et de
la hantise de la mort pour exploiter la crédulité des hommes : la nouvelle s'étant répandue en 998, dans un fief
du Vivarais, que la fin du monde était fixée pour l'an mil,
notre moine sceptique achète, au dixième de leur valeur,
toutes les terres et propriétés qu'il compte revendre beaucoup plus cher après l'an mil, une fois que la grande peur
sera écartée.

l'idée-force qui le soutient et l'empêche de désespérer de l'avenir.

Il faut croire pourtant que ce fond de cordialité humaine reste caché, car les critiques sont à peu près unanimes à reprocher au théâtre de Romains un excès de cérébralité, de sécheresse concentrée : « On ne trouve guère de coins où se puisse réfugier la tendresse et la sensibilité même n'ose s'y montrer que très furtivement », écrivait l'un d'eux et Lucien Dubech renchérissait : « Cet ingénieux railleur n'est pas pitoyable. C'est pour cette raison profonde qu'il n'est pas auteur comique ». Jugements sévères et assez injustes, car si la prédominance de l'intelligence chez Romains a pour contrepartie un certain manque de spontanéité et d'élan créateur (1), l'auteur de *Knock* compense cette lacune par d'autres dons qui font de lui un digne continuateur de Molière : un esprit satirique lucide et incisif, sans aucun recours aux mots d'auteur ; un art d'isoler avec vigueur les traits essentiels d'un caractère ; une habileté toute particulière à exploiter une situation jusqu'à ses conséquences extrêmes, afin d'en faire jaillir des effets à la fois bouffons et d'une irréfutable logique : ainsi Madame Rémy, dont Knock a fait la patronne de la clinique qu'il a créée, répond au docteur Parpalaid, qui évoque le risque d'une épidémie mondiale : « Dans une

---

(1) Ce manque d'élan créateur explique le caractère laborieux et artificiel de la composition de ses pièces. Romains juxtapose les scènes et les actes, plutôt qu'il ne les coordonne : ainsi *Musse*, d'une construction particulièrement statique, est une suite de tableaux et non d'actes ; *Monsieur Le Trouhadec* et même *Knock* se présentent comme une mosaïque de sketches.

population où tous les gens chétifs sont déjà au lit, on l'attend de pied ferme, votre épidémie mondiale ».

Ajoutons que le dialogue de Jules Romains, d'une langue sobre et forte, pure et élégante, abonde en formules et aphorismes qui passent la rampe. Toujours lucide dans ses jugements, Jacques Copeau avait bien discerné cet aspect classique du théâtre de Romains : « Jules Romains, écrivait-il, a revigoré sur notre scène le rameau d'une comédie claire, directe, de tradition toute latine et française, inspirée par l'esprit du temps, ses caractères, ses ridicules, sa vie sociale et ses mœurs politiques ».

Photo Lipni

L'arrivée des colons à Donogoo-Tonka (*Donogoo*).

8. EDOUARD BOURDET
     (1887-1945)

Photo Lipnitzki

Notice biographique. — Né à Saint-Germain-en-Laye en 1887, Edouard Bourdet débute fort jeune au théâtre. *Le Rubicon,* joué en 1910 au Théâtre Michel, est salué comme une révélation. *La Cage ouverte,* représentée en 1912 à l'Odéon, ne connaît pas le même succès. Bourdet fait la guerre dans les chasseurs à pied ; démobilisé en 1919, il ne reprend son activité dramatique que trois ans plus tard (*L'Heure du Berger,* 1922 ; *L'Homme enchaîné,* 1923). Sa période de maturité et de maîtrise s'étend de 1926 à 1934 : Bourdet trouve alors sa voie dans la peinture satirique des mœurs. *La Prisonnière,* jouée en 1926 au Théâtre Fémina, obtint un succès considérable, où le scandale eut quelque part. A partir de 1927, Edouard Bourdet fait représenter ses pièces à la Michodière et Victor Boucher est son principal interprète : *Vient de paraître* (1927), *Le Sexe faible* (1929), *La Fleur des Pois* (1932), *Les Temps difficiles* (1934). De 1934 à 1944, sa production n'a plus la même unité d'inspiration, ni la même qualité : *Margot* (1935), *Fric-Frac* (1937), *Hyménée* (1941), *Père* (1942). Nommé administrateur

de la Comédie-Française en 1936, Bourde⁴ tint ces
fonctions jusqu'en 1940. Il fit preuve d'initiative et
d'éclectisme clairvoyant ; pour ses mises en scène,
il sollicita les conseils des quatre grands animateurs
du théâtre de l'entre-deux-guerres : Jouvet, Dullin,
Pitoëff et Baty. Edouard Bourdet est mort en 1945 ;
il laissait, inachevée, une nouvelle pièce, *Mimsy*.

Sans illusion sur ses contemporains, Edouard
Bourdet les a observés, comme ses prédécesseurs
Mirbeau et Becque, d'un œil impitoyable. Par goût
de la difficulté à vaincre, il s'attaque à des sujets
d'une rare audace. Il a en effet une prédilection
marquée pour certains cas pathologiques qui, a
priori, semblent impossibles à traiter sur une scène ;
comme l'écrivait André Gide à Bourdet en 1930 à
propos de *La Prisonnière*, qui a pour thème un cas
d'inversion sexuelle : « De ce sujet, difficile entre
tous, avoir réussi à faire un drame, sans rien
sacrifier de la vérité psychologique ni de l'intérêt
dramatique, c'est un défi qui ne pouvait tenter et
que ne pouvait tenir qu'une intelligence extraordinaire ». Irène, l'héroïne de *La Prisonnière*, est une
nouvelle Phèdre, malgré elle invertie, se condamnant
comme Phèdre sans indulgence, luttant comme elle
avec un frémissement de révolte contre son destin,
puis se laissant aller à l'entraînement de son vice,
quand elle prend conscience qu'elle est la proie
d'une force irrésistible. Parallèlement, Bourdet a
osé porter à la scène, dans *La Fleur des Pois*, les
aberrations sexuelles chez les hommes d'une certaine
aristocratie intellectuellement affaiblie et moralement

dégradée. *Margot* étudie encore un cas pathologique :
l'amour incestueux que Margot, future Marguerite
de Navarre, aurait porté à son frère Henri de Valois,
futur Henri III : tourmentée par cette passion
réprouvée, Margot lutte en vain contre elle, passe de
l'amour à la haine et prend des amants pour faire
diversion au mal qui la ronge. Bourdet se plaît aussi
à peindre, avec une sorte de rigueur clinique, les
aberrations du cœur provoquées par certaines infirmités : ainsi, dans *Hyménée*, Agnès, atteinte de
poliomyélite, est atrocement jalouse de tous ceux
qui l'entourent ; elle s'applique, avec une hypocrisie
feutrée, à ourdir des plans machiavéliques, pour
prendre la revanche de sa disgrâce au détriment de
ceux qui goûtent les joies d'un amour partagé.

Plus encore que des individus isolés, Edouard
Bourdet peint des ensembles, des catégories sociales.
Dans *Vient de paraître*, comédie satirique qui
s'inscrit dans la lignée des *Précieuses ridicules*, du
Monde où l'on s'ennuie et de *l'Habit vert*, il fustige
avec une verve caricaturale haute en couleur toutes
les tares des milieux littéraires du xxe siècle :
arrivisme et cabotinage des auteurs ; partialité et
corruption des critiques et des membres des jurys
littéraires, qui ne lisent même pas les ouvrages qui
leur sont soumis ; roublardise, cynisme et mercantilisme chez les éditeurs, indifférents à l'art et
uniquement attachés à la réussite commerciale.

Le tout-puissant éditeur Moscat est le spécialiste
de la fabrication, à coups de publicité tapageuse,
des lauréats des prix littéraires, car il dispose de
la majorité des voix, grâce à la complicité
d'un académicien cynique, qui fait, en son nom,

d'alléchantes promesses au jury. Ainsi un sinistre mercantilisme guette toute la production littéraire et artistique, laissant les auteurs de talent dans une injuste obscurité et hissant, grâce à la réclame et à la publicité, les forbans de la littérature ou de l'art vers la gloire et la riche notoriété. Comme le remarquait Jean-Jacques Gautier, « il est désormais impossible de subir une satire sur le monde de la plume, les prix littéraires, le lancement des écrivains sans se rappeler *Vient de paraître*. Et c'est une comparaison écrasante pour ceux que tente un pareil sujet ».

Fric-Frac est, selon Bourdet lui-même, « une étude de mœurs, quelque chose comme un documentaire sur une catégorie assez peu recommandable de la population parisienne » : la faune très spéciale des affranchis et des escarpes. Il faut cependant reconnaître que Bourdet, en dépit de cette déclaration, a voulu avant tout écrire sur ce milieu ou plutôt sur le milieu une pièce gaie, une sorte de fantaisie vaudevillesque à la Tristan Bernard. Le nouveau et très digne administrateur de la Comédie-Française (1) éprouvait sans doute un malicieux plaisir à initier le plus élégant public parisien aux rudiments de la langue verte et à peindre les hors-la-loi, soucieux de « régularité », sous des couleurs plus sympathiques que les petits bourgeois hypocritement conformistes.

Elargissant son champ d'observation, Edouard

_____

(1) Par une coïncidence assez piquante, Edouard Bourdet inaugurait ses fonctions d'administrateur de la Comédie-Française le jour même de la répétition de *Fric-Frac* au Théâtre de la Michodière.

Bourdet s'est fait, dans *Le Sexe faible* et surtout dans *Les Temps difficiles*, le chroniqueur attentif et sévère d'une société déséquilibrée matériellement et moralement à la suite de la première guerre mondiale.

Le Sexe faible décrit le cynisme inconscient de certains étrangers, qui fréquentaient les palaces parisiens après 1918. Dans un monde corrompu par l'argent, les relations normales entre les sexes sont complètement bouleversées : seules les femmes fortunées ou exerçant un métier lucratif peuvent se marier, c'est-à-dire entretenir un homme qui, grâce au mariage, vivra en oisif. Ainsi Madame Leroy-Gomez, soucieuse d'assurer un bel avenir à ses trois fils, aussi jolis garçons que peu doués pour le travail, leur a fait épouser de richissimes héritières, tandis que sa fille doit, pour vivre, diriger une

MICHEL SIMON dans *Fric-Frac* *Photo Lipniztki*

maison de couture. A plus de deux siècles d'inter-
valle, la pièce renouait avec *Le Chevalier à la Mode*
de Dancourt, qui peignait l'immoralité des chevaliers
d'industrie n'ayant d'autres ressources que leur
physique avantageux.

Avec *Les Temps difficiles*, Edouard Bourdet s'est
élevé à la grande satire sociale, en analysant avec
âpreté les ravages provoqués par l'appât du gain
dans la grande bourgeoisie industrielle et les conséquences morales de la crise économique, au lendemain de la guerre de 1914-1918.

Pour sauver leurs usines prospères avant la guerre,
mais touchées par la crise et à deux doigts de la débâcle, les membres, jusque-là hostiles, de la dynastie
des Antonin-Faure n'hésitent pas à manigancer un
mariage entre la benjamine de leur branche
cadette, ravissante de fraîcheur et de grâce, et un
lamentable dégénéré, idiot et infirme, mais dont la
famille a amassé une immense fortune dans les
phosphates; car, pour cette caste de grands bourgeois
qui tentent de prolonger à tout prix leur survie,
l'argent est un dieu à qui il convient de tout
sacrifier ; comme le proclame le chef de la famille,
Jérôme Antonin-Faure : « Il faut choisir dans la vie
entre gagner de l'argent et le dépenser ; on n'a pas
le temps de faire les deux... Et c'est de ça que la
bourgeoisie est en train de crever... C'est d'être
devenue dépensière, prodigue, désintéressée ! Les
bourgeois ne sont pas faits pour cela ! Ils sont faits
pour être avares et pour avoir de l'argent : le jour
où ils n'en ont plus, ils sont inutiles ; ils n'ont plus
qu'à disparaître de la circulation ». Par l'ampleur
du sujet, par la cruauté impitoyable de la démons-

tration, le talent de Bourdet s'apparente ici à celui
d'un Becque ou d'un Strindberg.

*
**

L'impassibilité constante de l'analyse chez Bourdet
renforce l'impression d'audace et de rosserie ; aux
réquisitoires indignés d'un Brieux, Bourdet préfère
le document recueilli par un observateur lucide avec
une rigueur clinique. Pourtant, ces hardiesses
presque insolentes, Bourdet réussit à les faire passer,
à force de finesse et de tact. Plus le sujet qu'il aborde
est de nature à effaroucher les spectateurs, plus il
s'applique à le traiter avec discrétion. Ainsi, pour
faire admettre le sujet de *La Prisonnière*, qui est
d'une rare audace, Bourdet met toute son ingéniosité
à ne pas heurter la pudeur dans son dialogue et,
bien qu'il pousse le tableau de mœurs jusqu'à son
dénouement logique, il réussit constamment le tour
de force d'écrire une œuvre chaste sur un thème plus
que scabreux.

A ces dons de dramaturge satirique, Edouard
Bourdet joint un sens inné de la pièce bien faite et
cet éloge, souvent mitigé sous la plume de certains
critiques, n'est pas mince, si l'on songe au nombre
quotidien d'œuvres dramatiques informes qui sont
offertes au public. S'inspirant de la technique
d'Emile Augier et de Dumas fils, Bourdet, ennemi
de l'improvisation hâtive, mûrit ses comédies qu'il
construit avec une rigueur quasi mathématique,
comme des mécaniques de précision, réglées au
dixième de millimètre. Il semble mettre un soin
tout particulier à faire de chaque acte un tout
distinct. En général, le premier acte, ample et vif,

crée l'atmosphère d'ensemble: une maison d'édition, avec ses coulisses ou plutôt sa cuisine, dans *Vient de paraître* ; dans *Le Sexe faible*, un palace parisien d'après 1918 avec, comme pivot, son maître d'hôtel qui, de par ses fonctions confident de toutes les intrigues, ménage avec un tact parfait les entrevues des principaux personnages ; dans *Les Temps difficiles*, une famille de grande bourgeoisie avec ses deux branches opposées : d'un côté, les gens assis de la dynastie industrielle des Antonin-Faure, pour qui seul compte le culte de l'or ; de l'autre, les fantaisistes, les bohêmes, indépendants, mais fiers.

Le mécanisme dramatique, minutieusement agencé au premier acte, fonctionne ensuite sans à-coup. Les rouages tournent rond ; les scènes s'engrènent jusqu'au dénouement, dans le mouvement exact qui a été prévu. *La Prisonnière* est, à cet égard, un modèle du genre : la marche de l'action est réglée avec une inexorable logique, le secret de la jeune fille n'étant dévoilé que tardivement, après une lente progression et un savant dosage de l'atmosphère d'angoisse. Cette même minutie apparaît dans le dialogue : la moindre réplique, la plus banale en apparence, a un sens et un but précis ; la place de chaque mot a été calculée et pourtant le dialogue donne en général une impression de naturel et de vie, parce qu'il reflète la vérité de tous les jours, parce que le comique jaillit des situations et non des mots.

Pour toutes ces raisons, Edouard Bourdet occupe une place d'honneur dans la production théâtrale contemporaine. Comment se fait-il cependant qu'on hésite à le ranger parmi les dramaturges de tout premier plan ? On peut lui reprocher d'abord un

certain excès de virtuosité : les actes et les scènes
sont construits avec une rigueur et un parallélisme
trop marqués ; la mécanique impeccable, l'emboî-
tage trop parfait donnent parfois l'impression
d'effort. Il y a, d'autre part, un peu de bravade et
d'ostentation, un désir plus ou moins inavoué de
flatter le goût du public pour le scandale, dans le
parti-pris affiché par Bourdet de traiter des sujets
scabreux : il a, en particulier, trop souvent insisté
sur les déviations sexuelles, ces « erreurs étranges et
tristes », comme les appelle Rimbaud, et il s'est aussi
trop complu à peindre l'écume du Paris corrompu
d'entre les deux guerres. Et pourtant — exception
faite pour *La Prisonnière* — Bourdet n'a pas le
courage de pousser ses études de mœurs jusqu'à
leur conclusion logique. Oscillant entre la réalité
et la concession, la vérité crue et la flatterie, il rend
souvent douçâtre, ce qui, au départ, était vigoureux
ou même terrible. Ainsi le thème initial des *Temps
difficiles* : une jeune vierge bourgeoise offerte en
holocauste, sous la pression de la famille aux abois,
à un avorton repoussant, eût ravi un Becque ou un
Strindberg, mais le dénouement édulcoré, semble
trop l'effet d'une Providence favorable aux desseins
d'un auteur soucieux de laisser le public sur une
note optimiste. La comédie de mœurs dévie vers la
comédie d'intrigue, voire vers la fantaisie vaudevillesque. Au total, la peinture manque de cette
puissance corrosive et de ces accents d'indignation
sans lesquels il ne saurait y avoir de grande satire :
« Il y a, remarquait Ramon Fernandez, je ne sais
quoi d'étouffé, d'effacé, dans la colère. On attend
toujours un misanthrope qui ne vient pas ».

Fernand GRAVEY, dans *Topaze*

C. *MARCEL PAGNOL*
né en 1895

Pho!o Lipnitzki

Notice biographique. — Né en 1895 à Aubagne, près de Marseille, Marcel Pagnol a été professeur d'anglais au lycée Condorcet. Il écrit d'abord pour la scène, en collaboration avec Paul Nivoix, *Tonton* (1922) et *Les Marchands de Gloire* (1925). Puis il compose seul les quatre actes de *Jazz*, joués en 1926 au Théâtre des Arts. Mais son premier grand succès est *Topaze* (1928), une comédie-vaudeville qui tient sans interruption pendant deux ans l'affiche des Variétés, avant d'être jouée et traduite dans presque tous les pays du monde. En même temps que *Topaze*, triomphe au Théâtre de Paris une comédie marseillaise, *Marius* (1929), complétée plus tard par *Fanny* (1931) *et César* (1937). Marcel Pagnol s'est ensuite fait le propagandiste d'un art intermédiaire entre le théâtre et le cinéma : *Merlusse, Angèle, La Femme du Boulanger, La Belle Meunière, Manon des Sources* sont des œuvres qui conservent la primauté au dialogue, tout en profitant des avantages que donne l'enregistrement sur pellicule. Pagnol a renoué avec le théâtre proprement dit en 1955 (*Judas*) et 1956 (*Fabien*). Il est aussi l'auteur de

Notes sur le Rire (1947), de souvenirs d'enfance (*La Gloire de mon père*, 1957) et d'un roman en deux tomes (*L'Eau des Collines*, 1963. Pagnol a été élu à l'Académie Française en 1946.

Le talent dramatique de Marcel Pagnol s'est exercé dans deux directions différentes : il y a en effet chez lui une veine satirique et une veine romantique. Mais le romantique n'arrive pas à éclipser le satirique doué d'un sens aigu de la caricature.

La veine purement satirique de Pagnol s'est exprimée dans *Les Marchands de Gloire* et dans *Topaze* : ces deux pièces contiennent des attaques virulentes contre les mœurs politiques françaises dans les années qui ont suivi la première guerre mondiale. *Les Marchands de Gloire* fustigent ces profiteurs de guerre qui, dans la sécurité de l'arrière, exploitèrent sans scrupule l'héroïsme des soldats.

Un père qui croit avoir perdu son fils au front n'hésite pas à « jouer du cadavre » de son enfant pour se pousser dans la carrière politique. Mais, en fait, le jeune homme était prisonnier en Allemagne ; lorsqu'à son retour il s'aperçoit qu'il a été bafoué, il clame sa révolte et son désir de se ranger désormais du côté des loups : « Ah, pauvre poire ! Oui, j'ai compris. Je vois ce que vous avez fait de la vie pendant que nous n'étions pas là... Il faut être égoïste... Je le serai... Il faut être ambitieux... vous allez voir ça ! Je retrouve un monde de mufles ! Je serai plus mufle que les autres... Ah, c'est la curée ! Eh bien, j'en veux ma part, maintenant ».

Avec *Topaze,* la peinture satirique prend plus d'ampleur, car, par delà la vénalité des mœurs politiques, financières et journalistiques, Pagnol voulait présenter un tableau de la déchéance morale de toute une époque (à cet égard, la pièce frayait une voie qui allait être suivie quelques années plus tard par Bourdet, dans *Les Temps difficiles*).

Le candide et scrupuleux professeur Topaze, honteusement exploité par le marchand de soupe Muche, croit très sincèrement aux lieux communs d'une morale désuète, mais plus il pratique une rigoureuse probité, plus il est voué aux échecs cuisants : ses élèves le chahutent ; la fille de son patron, dont il est amoureux, se moque de lui et, un beau jour, il est brutalement mis à la porte de la pension Muche, pour s'être refusé à falsifier les notes d'un cancre, dont les parents sont fortunés. Or, un hasard assez providentiel, il faut le reconnaître, l'ayant amené à devenir, sans qu'il s'en doute — au moins au début — l'homme de paille d'un conseiller municipal prévaricateur, notre vertueux professeur expérimente l'inanité de la morale qu'il enseignait à ses élèves. Si la vertu, inutile et gênante, est bafouée, le vice, lui, est récompensé: métamorphosé en homme d'affaires véreux, Topaze est non seulement riche, mais respecté, considéré, recherché (1) ;

_____

(1) On peut remarquer ici la différence par rapport à l'époque d'un Lesage ou d'un Becque. Si l'affairiste Turcaret était tout puissant grâce à sa fortune, il était méprisé et haï par tout son entourage. D'autre part, Becque fait dire à un de ses personnages : « Ou bien vous resterez honnête et alors on vous estimera sans vous servir ; ou bien vous cesserez de l'être, et alors on vous servira sans vous estimer ».

le marchand de soupe qui l'avait congédié lui offre
sa fille ; la séduisante maîtresse de son « associé »
lui fait les yeux doux ; les affaires viennent à lui,
comme par enchantement, et on lui décerne avec
solennité ces palmes académiques que son humble
travail de professeur ne lui avait pas permis
d'obtenir. Dans une société où, en dépit des utopies
des poètes et des rêveurs, règnent partout la
corruption et la turpitude, et où l'argent est le seul
secret de la force, il est bien tentant de faire taire,
comme Topaze, les scrupules de sa conscience et de
devenir un escroc de haute envergure, pour assurer
sa fortune et son prestige.

Dans *Jazz*, la satire, mêlée au lyrisme, n'a pas la
même acuité, ni la même actualité. Le professeur de
grec Gilbert Blaise, héros de cette « comédie
dramatique », fait penser tantôt au Docteur Faust,
tantôt à Monsieur Bergeret ou même à Monsieur le
Trouhadec. Au cours d'un voyage en Egypte, Blaise
a découvert un palimpseste ; grâce à des procédés
chimiques éprouvés, il a mis à jour un inédit de
Platon, le Phaéton, dont il a reconstitué intégra-
lement le texte après dix-sept ans d'un travail
acharné. A la suite de cette publication, les érudits
du monde entier ont chanté les louanges de notre
savant, qui brigue la Sorbonne et l'Institut. Mais
voici qu'un helléniste anglais retrouve le manuscrit
intact du véritable Phaéton, qui a pour auteur, non
Platon, mais un grammairien pasticheur du premier
siècle, Blaise, qui a dû se rendre à l'évidence, voit
s'écrouler tout ce qui fut sa raison de vivre. A quoi
a-t-il sacrifié toutes les joies de l'existence ? A une
duperie, à une illusion : « Une œuvre est belle quand

elle est signée Homère ou Platon. Cette même œuvre
est méprisable si l'auteur en est Blaise ou Tartem-
pion... Oui, les œuvres de la pensée ne sont que des
jeux dérisoires : fantaisie, fariboles, suggestion,
blague et fichaise ». Et Gilbert Blaise conclut que
les seules vérités sont les réalités des sens et non les
constructions de l'esprit : il y a « plus d'intelligence
et de poésie dans la cheville d'une vierge que sous le
crâne enflé de Sully-Prud'homme ». Dès lors, Blaise
cherche sa raison de vivre dans l'amour, dont il a
toujours repoussé les tentations, mais hélas, aucun
philtre ne l'a rajeuni, à la manière de Faust, et il
a passé l'âge de plaire. Désespéré d'avoir manqué
sa jeunesse, il se tue aux accents d'un jazz nègre.

Malgré son désir de renouveler, en particulier par
ce dénouement insolite, le vieux thème de la
faillite de la science et des plus chères espérances
humaines, Pagnol n'évitait pas l'écueil de la
banalité, ni celui, plus grave encore, de la rhétorique grandiloquente.

Il fut bien mieux inspiré en abordant, avec *Marius*,
Fanny et *César*, la comédie régionale. Cette trilogie
est en effet comme le poème dramatique de la vie
de Marseille, que Pagnol connaissait si bien pour y
avoir vécu dans sa jeunesse. Jean Aicard et Alphonse
Daudet nous avaient déjà présenté, sous forme
romancée, dans *Maurin des Maures* et dans la série
des *Tartarin*, une peinture juste et colorée des Méridionaux, mais le théâtre ne semblait pas capable de
rivaliser dans ce domaine avec le roman.

Or, Marcel Pagnol sut faire revivre sur une scène,
avec un relief étonnant, Marseille et les habitants du
cru. Tout l'ancien Vieux Port apparaissait avec son

8

Une scène de *Fanny*
avec Milly MATHIS
et Pierrette BRUNO

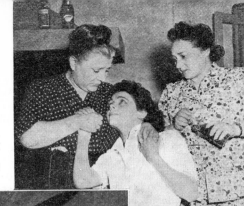

La partie de cartes de
Marius

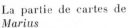

Photos Lipnitzki

Une scène de *Césa[r]*
avec, de gauche à [droite]
ALIBERT, Henri V[...]
Orane DEMAZIS
et Raymond PELL[...]

soleil éblouissant, sa vie bruyante et indolente à la fois, ses petits cafés à la terrasse desquels des écailleuses débitent des oursins, des violets, des clovisses ou des rascasses, tandis que le mistral fait claquer les toiles des éventaires. Tel était le fond de tableau d'un roman d'aventures et d'amour, touchant dans sa simplicité : le jeune Marius, tout en rinçant des verres au comptoir du bar paternel, rêvait de terres exotiques, tourmenté par ce besoin d'évasion et de rêve, qui est comme le symbole de la vraie Provence, et son amour pour la belle écailleuse Fanny n'était pas assez fort pour le retenir.

Cependant, la verve de l'auteur, son sens de la caricature ne perdaient pas leurs droits ; Pagnol campait de pittoresques figures du terroir provençal : César, le mastroquet du Bar de la Marine, « grande brute sympathique », qui triche au jeu, pique de furibondes colères, mais cache un cœur sensible ; Panisse, le maître voilier du Vieux Port, quinquagénaire galant, mais aussi cordial et délicat ; Escartefigue, le bedonnant capitaine du « féri-boite », casanier, bravache et couard ; le farfelu Piquoiseau ; et, par antithèse avec ces petites gens du port de Marseille, le Lyonnais Monsieur Brun, vérificateur des douanes, pointilleux et sarcastique. Tout ce monde évoluait sous les yeux du spectateur et lui offrait, dans une série de scènes adroitement liées, des instantanés savoureux de la vie marseillaise : parties de manille, galéjades énormes racontées « avé l'assent », invectives bouillonnantes et menaces d'extermination, bientôt suivies d'embrassades en choquant les verres. Sentiments, gestes et propos, tout évoquait l'âme de ce pays où le soleil échauffe l'imagination et où la douceur de vivre incite à la bonne humeur et à la paresse. Mais le cœur bat aussi chez ces Méridionaux : César et Marius sont unis l'un à l'autre par une tendresse d'autant plus exquise qu'elle ose à peine s'exprimer et le drame d'amour que vivent Marius et Fanny est plein de cette poésie forte, qui naît dans le cœur et dans la chair des hommes.

***

Le théâtre de Marcel Pagnol n'échappe certes pas à la critique : il y a parfois chez lui un certain manque de goût et de mesure, des disparates de ton, qui le font passer, non sans à-coups, de l'observation juste à une outrance si caricaturale qu'elle donne une allure de fantoches vaudevillesques aux personnages qu'il prétend fustiger ; un goût fâcheux, tantôt pour l'attendrissement et la petite fleur bleue, tantôt pour la rhétorique ou le couplet vengeur.

Marcel Pagnol est volontiers bavard et prolixe ; d'autre part, il est naturellement trop optimiste pour être cruel : aussi ses peintures satiriques manquent-elles en général de force, de résonance prolongée.

Enfin, il faut bien reconnaître que Pagnol s'est souvent trop mis au niveau du grand, voire du gros public : « Son *César*, écrit sévèrement un critique, est d'une vulgarité et d'une platitude violentes et agressives. Il y règne de bout en bout un mépris frémissant à l'égard du public, un abandon hautain à la ficelle, une assurance pleine d'insolence en ce qui concerne les effets reconnus efficaces ».

On ne saurait toutefois contester à Marcel Pagnol un tempérament d'homme de théâtre. Il a le sens de la progression dramatique ; il connaît l'art des préparations, des rebondissements et des surprises : une pièce comme *Topaze* est construite avec maîtrise par un technicien, selon les recettes les plus éprouvées. Le dialogue, peu littéraire sans doute, mais coloré et parfois étincelant, a le mouvement et la chaleur de la vie. La bonne humeur de l'auteur, sa fraîcheur d'âme, causent un plaisir immédiat, une allégresse sans arrière-pensée. Quant à ses personnages, s'ils sont sommaires, ils sont souvent observés avec finesse; ils expriment les sentiments les plus directs et les plus simples ; ils sont vrais, humains. Il est possible que l'œuvre de Pagnol, qui a fait trop de concessions à la facilité, ne pèse pas lourd dans le message artistique de notre époque. Il n'en reste pas moins qu'une pièce comme *Marius*, rejouée maintes fois, a gardé une fraîcheur qui ne se fane point ; ses maîtres morceaux, par exemple la partie de cartes avec son légendaire « Tu me fends le cœur » ou les adieux de Marius, sont aussi connus que des scènes classiques. Alors, pourquoi se croire tenu de faire la petite bouche devant de pareilles réussites ? Pourquoi s'obstiner à ne vouloir plaire qu'à une chapelle de snobs, épris de difficulté ou d'hermétisme ? Quand une œuvre cause du plaisir, n'est-il pas sot de rechigner contre ce plaisir même et de chercher à tout prix des raisons de n'en plus éprouver ?

Charles Dullin et Pierre Bertin
dans *L'Archipel Lenoir*

D. *ARMAND SALACROU*
né en 1899

Photo Lipnuizki

Notice biographique. — Né à Rouen en 1899,
Armand Salacrou est d'abord tenté par la médecine,
puis par la philosophie. Il est ensuite quelque temps
journaliste ; en 1922, il se marie et prépare une
licence de droit. Ses premiers essais dramatiques
sont constitués par deux pièces en un acte : *Le
Casseur d'assiettes* et *La Boule de verre*, qui furent
seulement publiées. *Tour à Terre* est joué par
Lugné-Poe à l'Œuvre en 1925. L'année suivante,
Salacrou est assistant metteur en scène ; il lance une
grosse affaire de publicité. *Le Pont de l'Europe*, joué
à l'Odéon en 1927, est un échec ; *Patchouli* (1927)
et *Atlas-Hôtel* (1931), représentés à l'Atelier par
Dullin, font connaître le nom de l'auteur ; suivent
La Vie en rose (1931) et *Les Frénétiques* (1934). *Une
Femme libre*, jouée au Théâtre de l'Œuvre en 1934,
amorce la période des succès, marquée par *L'Inconnue d'Arras* (1935), *Un Homme comme les autres*
(1936), *La Terre est ronde* (1938) et *Histoire de rire*
(1939). Pendant l'occupation, Salacrou s'impose le
silence. Il fait sa rentrée sur scène avec *Les Fiancés
du Havre* (1944), *La Marguerite* (1944), *Le Soldat*

et la Sorcière (1945), *Les Nuits de la Colère* (1946), *L'Archipel Lenoir* (1947). Les pièces postérieures de Salacrou : *Pourquoi pas moi ?* (1948), *Poof* (1950), *Dieu le savait* (1950), *Sens interdit* (1953), *Les Invités du Bon Dieu* (1953), *Le Miroir* (1956), *Une Femme trop honnête* (1957), n'ont guère obtenu de succès. *Boulevard Durand* (1960) a été assez favorablement accueilli.

Auteur à la sève exubérante, Armand Salacrou a parcouru toute la gamme des formules dramatiques : fantaisie surréaliste, impromptu, drame, comédie légère, comédie-ballet, comédie satirique, comédie bourgeoise, tragédie-vaudeville, farce dramatique, divertissement historique et même... psychodrame.

On a peine à dénombrer toutes les couleurs de ce vêtement d'Arlequin. On discerne pourtant, à travers les manières si multiples de cet auteur caméléon, le drame d'une destinée, les soucis et les joies, les rêveries et les colères d'un homme, car, comme il l'avoue, « l'expression théâtrale est liée aux manifestations les plus secrètes de son existence ».

Armand Salacrou débute à la scène par des « pièces d'essai » : cette première période s'étend de 1923 à 1931. Période de perplexité et de recherche angoissée ; exalté, imprégné de littérature, Salacrou oscille entre les tendances littéraires les plus hardies et un romantisme assez désuet. *Le Casseur d'assiettes*, dont l'action se situe dans les coulisses d'un music-hall, laisse apparaître, sous une fantaisie délirante, un fond d'angoisse et de révolte. *Tour à Terre* est marqué par le surréalisme : sujet absurde — dans un bar de port,

un laveur de vaisselle s'éprend d'une femme du
monde ; un gendarme, qui l'arrête pour un forfait,
est tué par une servante, amoureuse du laveur ! —
scènes sans lien, tourbillon de pensées et d'images,
inventions verbales gratuites. *Le Pont de l'Europe* et
Atlas-Hôtel sont des pièces poétiques aux personnages
romantiques, à la Sarment. Dans *Le Pont de l'Europe*,
le roi d'un pays lointain, voulant « teinter sa vie
d'émotions éternelles », fait jouer, en utilisant des

Denise Noel, Lise Delamare, Henri Rollan,
Christiane Carpentier, Hélène Bellanger
dans *L'Inconnue d'Arras*

Photo Lipnitzki

réminiscences d'Hamlet, une pièce qui évoque son
enfance par des acteurs qu'il a fait venir de son pays ;
Atlas-Hôtel a pour héros un chasseur de rêves, un
bâtisseur de projets, qui se laisse aller aux spéculations les plus chimériques sur un plateau désert de
l'Atlas. Enfin, *Patchouli ou les Désordres de l'Amour*
participe des deux influences, romantique et surréaliste. Le héros, Patchouli, est indécis et inadapté,
inquiet et frénétique comme les héros romantiques,
mais la structure de la pièce, dont on pourrait inter-
vertir les actes et les scènes sans guère changer le
sens de l'ensemble, a l'incohérence et l'illogisme des
œuvres surréalistes. On comprend que Salacrou ait
jugé assez sévèrement ses premières pièces : si, par
moments, une personnalité s'y fait jour, elles sont
bizarres, touffues, remplies de brouhaha et de tumulte.
L'auteur veut déconcerter et il déconcerte.

Après une éclipse de trois ans, de 1931 à 1934,
Salacrou triomphe enfin avec *Une Femme libre ;* ce
succès inaugure une période de maîtrise, qui durera
jusqu'à la guerre de 1939 et qui est marquée par trois
grandes œuvres : *L'Inconnue d'Arras, Un Homme
comme les autres, La Terre est ronde* et une comédie
légère : *Histoire de rire.* Salacrou semble avoir trouvé
sa voie: tout en conservant une certaine fantaisie dans
l'affabulation et dans la forme, il s'oriente vers la
peinture satirique des milieux bourgeois et il exprime,
à travers les angoisses de ses personnages, sa vision
personnelle du monde. *Une Femme libre* aborde le
problème de la liberté ; l'héroïne, Lucie Blondel, est
possédée par un besoin éperdu de « réserver son
avenir » : elle rompt avec l'homme qu'elle aime
passionnément parce qu'elle redoute d'avoir en lui un

époux qui ferait d'elle « sa chose, son meuble, son bien », qui disposerait d'elle « comme un paysan de son champ » (-). *L'Inconnue d'Arras* se présente comme une sorte de vaudeville métaphysique. Un homme, Ulysse, désespéré par la trahison de son épouse, se suicide ; pendant les quelques secondes qui s'écoulent entre le coup de revolver et le néant, il revoit, avec l'intensité de vision propre aux moribonds, les épisodes les plus marquants de sa vie, en particulier sa rencontre de « l'inconnue d'Arras », figure toute auréolée de mystère. « C'est une pièce, déclare Salacrou, qui, comme notre vie, sort du Néant pour retourner au Néant » ; pièce incohérente comme un songe, bien qu'une existence tente d'y retrouver son unité, et « rapide comme le souvenir, avec ces éclats de rire qui traversent souvent et bousculent nos angoisses les plus insupportables ».

Un Homme comme les autres est une tragédie bourgeoise, parfois satirique, qui étudie un cas psychologique assez particulier: « Un homme aimé, pour être aimé jusque dans sa nature d'homme, dit à sa femme ce qu'il est — c'est-à-dire « un homme comme les autres », médiocre, capable de s'abaisser à des amours ancillaires — et il perd l'amour de cette femme, écœurée ». *La Terre est ronde* est une œuvre plus ambitieuse, mi-lyrique, mi-parodique, qui évoque la vie et les aventures de Savonarole, le

_____

(1) Ce personnage fait penser à Alidor, le héros de *La Place Royale* de Corneille qui, lui aussi ivre de liberté, rompt avec la jeune fille qu'il aime et à Bérénice, dans *Tite et Bérénice*, qui refuse le bonheur pour se prouver sa liberté absolue par la gratuité de ses actes.

moine dictateur (1), à la fois apôtre et charlatan, avec comme toile de fond la Florence de la Renaissance, cité grouillante de vices multiformes, qui s'agitent dans la séduction du mal et l'insatisfaction perpétuelle. L'auteur se complaît dans les méditations sur les grands problèmes : « la pureté, la dureté, la mort » ; la lutte entre la chair et l'esprit, entre Dieu et le péché ; et, d'une manière plus générale, le drame de la condition humaine, tel qu'il se jouera jusqu'à la consommation des siècles, car le temps tourne comme la terre, et l'histoire est soumise à un éternel recommencement. Salacrou se détendit en écrivant, quelques mois avant la guerre, *Histoire de rire*. C'est, extérieurement, un vaudeville sur l'adultère, la double aventure de deux femmes qui abandonnent leurs maris, puis qui leur reviennent ; mais, sous le comique des répliques, on devine l'amertume d'un auteur qui a pris l'habitude de sonder les sentiments obscurs de l'âme. Salacrou fait ici penser à un Pailleron ou à un Noël Coward, qui aurait médité Strindberg. Paris en guerre accueillit très favorablement la pièce : il est vrai que c'était « la drôle de guerre ».

Puis, ce fut la débâcle et l'occupation, les « quatre années noires ». Salacrou cesse d'écrire ; il s'exile d'abord à Lyon, revient ensuite « au cœur même de Paris ». Lorsqu'il reparaît sur la scène, il n'a pas

---

(1) La pièce ayant été jouée en 1938, alors que l'hitlérisme était menaçant, le public et la critique ne purent s'empêcher d'y voir une satire des doctrines totalitaires. Mais Salacrou fit remarquer que sa pièce était déjà « prête » en 1920, à la suite d'un voyage en Italie et qu'il n'avait jamais voulu écrire une œuvre politique.

trouvé la forme théâtrale qui lui eût permis de traduire ses dégoûts et ses espoirs. Désolé de cette impuissance, il résout de se divertir. Lui, l'auteur engagé, il écrit « des œuvres dégagées » : *Le Soldat et la Sorcière*, « divertissement historique », inspiré à Salacrou par la découverte de « lettres peu connues de Justine Favart et de la correspondance secrète du maréchal de Saxe avec un policier » ; *Les Fiancés du Havre*, pièce hybride, où la satire de la bourgeoisie normande se mêle aux vieux procédés du mélo traditionnel. Cependant Salacrou se refuse à admettre que le théâtre ne puisse pas refléter « nos incertitudes, nos inquiétudes les plus profondes ». Il écrit en 1946 : « Le théâtre est un art d'actualité... Or, de quoi est-il question dans le monde d'aujourd'hui ? D'une terrible lutte pour la paix et pour la dignité de l'homme... L'artiste ne peut plus s'enfermer dans une tour, fût-elle d'ivoire... La vie d'un artiste est liée à la vie de son pays ». Et Salacrou, qui a découvert un nouvel idéal dans la fraternité de la Résistance, compose *Les Nuits de la Colère*, une œuvre cruelle et lucide, qui peut être considérée, au même titre que *Morts sans sépulture* de Sartre, comme un documentaire sur l'occupation. Nous assistons à la montée progressive de la peur, puis de la terreur, dans l'âme de deux êtres — des « attentistes » — dont le seul crime est de n'être pas à la hauteur d'une tragédie, dont les héros risquent leur vie pour le triomphe d'un idéal. Refrénant les tentations de la grandiloquence, Salacrou s'était appliqué à reproduire avec une fidélité totale, sur le ton d'un « procès-verbal », toutes les phrases-clichés qu'il avait pu entendre sous l'occupation.

Après *L'Archipel Lenoir* (1947), tragédie-vaudeville rose sur fond noir, qui exploite savoureusement le comique macabre, Armand Salacrou semble s'être enfoncé dans les ténèbres du nihilisme, plus exactement dans un « déterminisme mécaniste total ». *Dieu le savait* est l'illustration d'une « méditation » de Luther : « Si donc Dieu a tout prévu de toute éternité, qui peut s'imaginer encore que nous sommes libres ou que quelque chose puisse se produire autrement qu'il n'a prévu, ou hors de son action présente ? ». Nos actes sont imprévisibles et notre responsabilité est nulle. Comment serait-elle responsable, cette jeune licenciée de philosophie qui, voulant à la fois aimer son mari et avoir un amant, décide de supprimer le premier, parce que la confiance qu'elle lui inspire éveille en elle d'intolérables remords ? (*Une Femme trop honnête*).

⁎
⁎

Le théâtre d'Armand Salacrou suit une courbe en dents de scie, cet auteur ayant connu les échecs les plus cuisants, mais aussi les succès les plus éclatants : *Le Pont de l'Europe* a eu une seule représentation après la générale ; *Les Nuits de la Colère* ont été jouées dans le monde entier.

Aucune de ses pièces ne donne l'impression d'une réussite totale, car son talent n'est jamais arrivé à pleine maturité : est-ce anarchie dans le travail, incapacité à discipliner le foisonnement de ses idées ? Salacrou tâtonne, s'éparpille, prend des chemins de traverse ; il est insaisissable, capricant ; il se complaît dans le fouillis et le tohu-bohu. Il a, d'autre part, poussé à l'extrême la tendance, fréquente chez nos dramaturges contemporains, à mélanger les éléments les plus discordants. Non content de jongler avec le temps et l'espace, la vie réelle et le rêve, les vivants et les morts, il mêle, comme le remarquait Colette, « le sel et le sucre » : la farce et l'angoisse, la lucidité et l'incohérence, le romantisme le plus suranné et le modernisme le plus tapageur, le mélo à la Bernstein et l'humour à la Shaw. Le spectateur est ballotté par ses perpétuels changements de registre et de rythme : son comique est macabre, son pathétique cocasse, son pessimisme facétieux. Enfin, Salacrou, quand il est mauvais, est terriblement bavard : son torrent d'idées s'exprime par un déluge de mots et d'images.

Pourtant, cette œuvre, diverse et cahotée, ne peut laisser indifférent. Armand Salacrou a une conception élevée de l'art dramatique : il n'a rien de ces fabricants de théâtre, qui cherchent de faciles succès auprès d'une clientèle médiocre en utilisant des recettes de métier. « Si j'ai créé des affaires commerciales, déclare-t-il, c'est pour que mon théâtre n'en soit pas une ». Salacrou a le respect du public, dont il a dit qu'il était le collaborateur indispensable de l'auteur dramatique. Aussi a-t-il toujours nourri de hautes ambitions : il a cherché à s'élever au-dessus de l'actualité anecdotique pour atteindre l'homme en général et les problèmes du grand théâtre éternel. Salacrou ne se laisse pas séduire par l'apparence des choses ; on le sent obsédé par des questions angoissantes : l'extraordinaire dérision de la vie ; la fragilité et l'incohérence des sentiments humains ; l'indifférence de Dieu à l'égard de nos agitations ; les problèmes du libre arbitre, de la mort, de l'amour, « le mot le plus vague du vocabulaire humain »

Malheureusement, le théâtre ne se prête guère à l'exposé des idées philosophiques et l'on comprend l'ahurissement du public parisien, il y a quelques années, lorsque, au deuxième acte de *Dieu le savait*, un personnage de la pièce, agrégé d'histoire et déterministe intégral, lui asséna un cours antiexistentialiste, qui opposait la prescience divine à la liberté humaine. En fait, les personnages qui ont le mieux inspiré Salacrou ne sont pas ceux à qui il attribue ses propres angoisses métaphysiques, mais au contraire ceux qui vivent « contents de leur sort, assurés, tranquilles », parce que ces personnages, en l'exaspérant, excitent sa verve satirique. Tels sont, par exemple, les grands bourgeois de Normandie, qu'il a connus par expérience directe : solennels et nuls, douillettement installés dans leur confort moral, ils invoquent sans cesse les principes d'une morale surannée, auxquels ils sont les premiers à ne plus croire. A ces bourgeois fossilisés et hypocrites, Salacrou oppose souvent des êtres de scandale, hommes âgés et surtout vieilles femmes, qui, n'ayant plus guère d'intérêt à jouer un rôle, étalent leurs vices avec un cynisme cocasse : ainsi, le grand-père Lenoir, égrotant satyre, à la fois abject et réjouissant, qui n'entend pas quitter ce monde sous prétexte qu'il a batifolé avec une jeune paysanne (*L'Archipel Lenoir*) ; la tante Adrienne, dans *Une Femme libre*, joviale et vipérine, explosant de colères folles et allègre jusque dans son désespoir ; la grand-mère Mathilde, dans *Dieu le savait*, nonagénaire scurrile, qui croasse du matin au soir, l'invective à la bouche, en circulant dans son fauteuil à roulettes ; enfin et surtout, l'inénarrable Mme Berthe, dans *Un Homme comme les autres*, quinquagénaire lubrique, affreuse et bouffonne, acharnée à conserver coûte que coûte le jeune gredin qui l'a jadis détroussée et à moitié assommée dans sa baignoire. Quand il peint, avec une visible prédilection, de tels échantillons d'humanité, Armand Salacrou oublie son péché mignon, la métaphysique, et son comique, strident et sardonique, s'illumine d'aphorismes cruels et de traits flamboyants.

IV. *LA COMÉDIE ROMANTIQUE*

Le goût de la poésie et du rêve n'est pas mort au théâtre avec les derniers romantiques : il semble renaître périodiquement, surtout à la suite des périodes les plus troublées. Ainsi, après 1918, certains hommes de théâtre sentirent qu'il était temps de rompre avec les cadres désuets de la comédie boule-vardière et de réagir contre le réalisme cynique et la sèche intellectualité de quelques jeunes auteurs. Il fallait tenter, au milieu d'une époque brutale qui proclamait la faillite du cœur, de rendre ses chances au vieil appel romantique du rêve et de la féerie. Les premiers animateurs de notre scène avaient deviné cet obscur besoin d'évasion du public d'après-guerre : Jacques Copeau ressuscitait la magie du *Conte d'Hiver* de Shakespeare au Vieux-Colombier, tandis qu'au Théâtre de l'Œuvre Lugné-Poe faisait applaudir les pièces de d'Annunzio ou d'Ibsen. Mais il fallait surtout créer des œuvres nouvelles. Sans doute n'était-il pas question de ranimer le vieux théâtre romantique en vers, comme l'avaient fait, après Edmond Rostand, Miguel Zamacoïs, Jean Richepin ou François Porché. Il s'agissait, pour remplacer ce théâtre voué à une irrémédiable disparition, de trouver la formule d'une comédie néo-romantique en prose.

Deux jeunes auteurs dramatiques, Jean Sarment et Marcel Achard, apparurent alors comme à point nommé et, pa· leurs œuvres délicates et sensibles, contribuèrent à libérer notre scène des servitudes de la comédie boulevardière. De curieuses similitudes les rapprochent: tous deux eurent une vocation théâtrale très précoce ; tous deux, à la fois auteurs et acteurs, furent découverts par Lugné Poe ; ils ont subi également l'influence de Musset, de Laforgue et de Pirandello ; considérés comme de grands espoirs du théâtre d'après-guerre, ils donnèrent, l'un et l'autre, après de brillants débuts, l'impression de céder aux tentations de la facilité. Enfin, Sarment et Achard présentent des personnages lunaires, à mi-chemin entre la vie réelle et le rêve, et ils ont une curieuse prédilection pour les pièces à titres de chansons ou de romances.

A. *JEAN SARMENT*
né en 1897

Notice biographique. — Né en 1897, Jean Sarment a fait des études secondaires au lycée de Nantes. Elève de Truffier au Conservatoire, il joue au Théâtre Sarah-Bernhardt, puis au Vieux-Colombier ; en 1918, il accompagne la troupe de Copeau en Amérique. En 1920, Lugné-Poe monte à l'Œuvre sa première pièce, *La Couronne de Carton*, qui obtient de l'Académie française le prix Paul Hervieu. Dans les années suivantes, Sarment se fait jouer tantôt sur les scènes d'avant-garde, tantôt sur les théâtres officiels et la plupart de ses comédies lyriques confirment les espoirs fondés sur ce jeune auteur : *Le Pêcheur d'Ombres* (1931), *Le Mariage d'Hamlet* (1922), *Facilité* (1923), *L'Obole d'un Soir ancien* (1924), *Les six Grimaces de Don Juan* (1924), *Je suis trop grand pour moi* (1924), *L'Arlequin* (1924), *Madelon* (1925), *Les plus beaux yeux du monde* (1925), *As-tu du cœur ?* (1926), *Léopold le Bien-Aimé* (1927). Mais, peu à peu, il cède à la facilité et n'arrive plus que rarement à conquérir le public : *Sur mon beau Navire* (1928), *Bobard* (1930), *Le Plancher des Vaches* (1931), *Peau d'Espagne* (1933), *Le Discours des Prix* (1934), *Ma-*

dame Quinze (1935), *L'Impromptu de Paris* (1935),
Le Voyage à Biarritz (1936), *Sur les Marches du
Palais* (1938), *Madame Souris* (1939), *Mamouret* (1941),
Les deux Pigeons (1945), *Le Pavillon des Enfants*
(1955). Jean Sarment a aussi écrit des adaptations de
Shakespeare (*Beaucoup de bruit pour rien*, 1936) ;
(*Othello*, 1937) et de Schiller (*Don Carlos*, 1942), deux
recueils de poèmes et trois romans, dont *Jean-Jacques
de Nantes* et *Lord Arthur Morrow Cowley*, d'où il a
tiré sa comédie *Peau d'Espagne*.

On a pu déceler dans l'œuvre dramatique de Jean
Sarment des rencontres d'influences très diverses :
fortement imprégné de Shakespeare, de Musset et de
Pirandello, Sarment a certainement été aussi un
lecteur attentif de Marivaux, Byron, Ibsen, Laforgue,
Maeterlinck, Bataille et Porto-Riche. Sa première
pièce, écrite à dix-neuf ans, *La Couronne de Carton*,
évoquait un jeune prince errant, héritier d'une couronne lointaine et qui, en attendant de succéder à
son père, se mêlait à une troupe de comédiens. Ce
nouvel Hamlet se complaisait dans des attitudes
romantiques : à la fois orgueilleux et timide, désen-
chanté et ironique, hautain et désinvolte, il jouait
aussi au dandy, mettant autant de complaisance à
étudier le vêtement de son corps que le vêtement de
son âme. Shakespearienne et romantique, cette œuvre
était encore pirandellienne par le sens symbolique
qui s'en dégageait : tout n'est ici-bas qu'illusion et
mirage ; ce que les autres aiment en nous, ce n'est
pas ce que nous sommes réellement, mais une contre-
façon de nous-mêmes ; ainsi, le jeune prince ne

réussissait à se faire aimer qu'en jouant la comédie, alors qu'il restait incompris en étant sincère.

L'influence de Pirandello était prédominante dans la seconde pièce de Sarment, *Le Pêcheur d'Ombres*, dont le héros, condamné à une angoisse sans remède, évoluait aux limites indécises qui séparent la raison de la folie. Puis, avec *Le Mariage d'Hamlet*, Sarment revenait à Shakespeare : il supposait que le prince d'Elseneur obtenait, comme Faust, de vivre une seconde vie, au cours de laquelle il restait ce qu'il avait été dans la première, ambitieux, mais aussi faible et inquiet. Il y avait encore de l'Hamlet chez les protagonistes des pièces postérieures de Sarment: Tiburce de Mortecroix, le jeune seigneur étrange et neurasthénique de *Je suis trop grand pour moi* ; Georges, dans *Le Plancher des Vaches*, personnage inquiet, toujours assoiffé de désirs et insatisfait ; Louis XV, dans *Madame Quinze*, timide et passionné, désinvolte et blasé.

Ainsi Jean Sarment restait fidèle à un même schéma de héros, chez qui le souvenir d'Hamlet se combinait souvent avec celui de tel ou tel personnage de Musset : Fantasio, Coelio ou Perdican. Le héros-type de Sarment, rêveur idéaliste, s'engage sur le chemin de la vie « avec une âme pleine d'horizons ». Il envisage l'existence comme une féerie dans une île imaginaire, « où sont les arbres à palmes » et où l'amour règne en maître. Mais il ne tarde pas à voir ses rêves se briser aux angles du réel ; il se heurte « à cette longue suite de malentendus tressés en guirlandes et que les hommes appellent le destin ».

En effet, toute image qu'on se fait de la vie est plus belle que la vie: « J'ai fait une longue broderie

sur une toile d'araignée », s'écrie le vieux duc de
Mortecroix dans *Je suis trop grand pour moi ;*
autrement dit, la trame de nos jours est comparable
à un tissu fragile et sordide, sur lequel il est vain
de vouloir tracer, comme les artistes orientaux, de
magnifiques broderies, car le tissu, surchargé d'ornements, cède bientôt et se déchire. De même, toute
image qu'on se fait de soi est plus belle que ce qu'on
est : *Je suis trop grand pour moi*, titre d'une
comédie de Sarment, pourrait servir de devise à ses
personnages. Ils rêvent presque tous d'un idéal trop
élevé auquel ils ne peuvent atteindre : ainsi, Tiburce
de Mortecroix, écœuré des amours vénales et des
promiscuités dégradantes, aspire à la pureté, mais
le jour où une vierge ravissante se présente comme
miraculeusement à lui, il se révèle incapable de
goûter la bienfaisante fraîcheur de l'amour qu'il lui
inspire.

Une fois que les mirages de l'illusion se sont
dissipés, la plupart des héros de Sarment, refusant
de s'acclimater à une vie faite de concessions et de
médiocrités, promènent par le monde leur lassitude
et leur désenchantement ; sans cris passionnés, sans
révolte — ce qui les distingue des héros romantiques
— mais avec une sorte de désinvolture hautaine, ils
se contentent d'analyser implacablement leurs états
d'âme. Quelques-uns cependant abdiquent : ainsi,
l'ancien précepteur de Tiburce, Virgile Egrillard, qui
fait penser au Dupont de Musset, après avoir
longtemps rêvé de réformer l'humanité en fondant
une religion nouvelle, se livre à la boisson et s'aco-
quine avec une aubergiste. Pourtant, comme la vie
n'est qu'un songe et comme les choses n'ont que le

sens que nous leur donnons, on peut tenter de lutter contre les fatalités et les incohérences de ce monde grâce aux constructions romanesques de notre imagination. Habitons les châteaux en Espagne ! Imitons ce riche marchand de tissus lyonnais, héros de *Peau d'Espagne*, qui a l'idée de transformer son existence en changeant d'état civil : il décide de devenir pour un été lord Arthur Morrow Cowley, pair d'Angleterre chargé d'aïeux et de cousinages royaux, ancien gouverneur et commandant des navires de Sa Majesté ; il boit des cocktails, du champagne et s'affiche avec une maîtresse sensationnelle.

Plus modestement, M. Ponce, postier employé au service des « rebuts », se console de ses déboires et alimente son besoin d'illusion et de rêve en lisant chaque année quelques lettres adressées à d'autres (*Léopold le Bien-Aimé*). Quelquefois aussi, un hasard providentiel — ou malicieux — vient à notre aide et nous fait entrevoir, au moins un moment, la possibilité du bonheur : Hécube, humble professeur d'un collège de province, objet de risée pour ses collègues et ses élèves, se croit un jour appelé à un avenir brillant grâce à la protection d'un ancien condisciple devenu un politicien influent : la gloire et l'amour semblent s'offrir à lui (*Le Discours des Prix*). Léopold, misogyne amer et bougon parce que privé des joies de l'amour, se persuade, à la faveur d'un malentendu, qu'il a été jadis aimé ; dès lors, son imagination se met en branle et il puise, dans sa confiance toute nouvelle, la tranquille assurance du séducteur (*Léopold le Bien-Aimé*).

Mais ce ne sont là que de faux semblants de bonheur et la réalité, cruelle, a toujours le dernier mot:

le pseudo-lord Cowley s'aperçoit que sa somptueuse maîtresse n'est qu'une prostituée des Champs-Elysées et il est condamné à renouer avec son existence terriblement quotidienne de marchand de tissus ; quant à Hécube et à Léopold, ils apprennent bientôt qu'ils se sont dangereusement nourris de chimères. Il n'en reste pas moins que les rêves sont le meilleur de nous-mêmes, dans la mesure précisément où ils ne se réalisent pas, car un rêve réalisé n'est plus rien.

Sur ces différents thèmes, Jean Sarment brode des variations mélancoliques, tendres ou ironiques. Un dialogue en demi-teintes note les nuances fugitives des états d'âme. Les scènes d'amour se prolongent et vagabondent comme une songerie souple, pleine de méandres. Chaque interlocuteur ne cherche d'ailleurs guère à savoir ce que pense ou ressent son partenaire : il parle surtout pour mieux tirer au clair ce que lui-même pense ou ressent ; chez Sarment, le dialogue à deux n'est le plus souvent qu'un double monologue intérieur.

Au lendemain de la première guerre mondiale, la critique salua en Sarment un auteur aux dons les plus rares. Un Laforgue dramaturge, un nouveau Musset était né : « C'est un grand écrivain de théâtre qui se révèle », écrivait Roland Dorgelès.

On s'extasiait sur « la profonde originalité » de ses pièces, sur « la vertu d'enchantement de son dialogue » ; Maurice Rostand prononçait imprudemment à son propos le mot de « génie ». Sarment obtenait d'ailleurs rapidement la consécration des théâtres officiels et ses comédies faisaient les beaux soirs de nos stations estivales. Tout en tenant compte de la tendance aux louanges hyperboliques, si fréquente lorsqu'on ne juge pas une œuvre avec le recul nécessaire, on conçoit que le théâtre de Sarment ait pu séduire une génération lassée par tant de pièces dures, cyniques ou d'une intellectualité desséchante. D'emblée, Jean Sarment avait mis dans son jeu les grâces de la poésie : il entraînait les spectateurs dans un univers de rêve, d'un charme pénétrant bien que difficile à définir.

Il avait une façon assez personnelle d'exprimer la mélancolie éternelle du temps qui passe et de la jeunesse qui se perd, le pathétique des existences grises et des destinées manquées. Une sorte de grâce rêveuse et désolée baignait ses œuvres. On goûtait aussi la distinction d'esprit de cet auteur, ce qu'il y avait d'aristocratique dans sa réserve un peu distante, la qualité de son dialogue à la langue pure, très écrite.

Cependant, au fil des années, les éloges devinrent plus réticents. On s'aperçut que, bien loin d'innover, Sarment se contentait de se souvenir et de se répéter sans cesse ; qu'il n'était pas assez grand pour se hisser au niveau de ses modèles. De fait, ce théâtre, qui se complaît dans les évocations imprécises et brumeuses, manque singulièrement de puissance : ce n'est qu'un défilé, vite monotone, de songe-creux compliqués plûtot que complexes, passant leur temps à se chercher sans jamais se trouver et crispants à force de romantisme, de byronisme, de dandysme et autres poses en —isme. Les critiques avaient au début admiré, chez Sarment, l'art spéci-

fiquement classique de faire quelque chose de rien ;
il leur fallut bientôt se rendre à l'évidence : trop
souvent, Sarment ne faisait rien avec rien. Minces de
substance et parfois même banales, les comédies de
cet auteur contiennent aussi trop d'éléments disparates et cahotés : elles oscillent entre l'humour et
l'attendrissement, la féerie et le vaudeville, le pathétique et l'outrance caricaturale ; l'ensemble manque
de cohésion et d'armature solide. Enfin, Sarment n'a
pas le sens de la concision expressive : par crainte
sans doute de n'être pas suffisamment compris, il
souligne, il dilue ; et il abuse des scènes à deux
personnages, où l'on explique interminablement ses
états d'âme, à travers toutes sortes de tâtonnements
et de bavardages aqueux, imprégnés de littérature.

Quelques interprètes de *Léopold Le Bien-Aimé*

B. *MARCEL ACHARD*
   né en 1901

Notice biographique. — Né à Sainte-Foy-lès-Lyon
en 1901, Marcel Achard rêve de théâtre dès l'enfance.
A dix ans, il ébauche un drame inspiré de Dumas
père, *Henry d'Auvergne ;* à quinze ans, il improvise
une farce qui est jouée au collège Rollin, où il
fait ses études. Tour à tour monteur, ajusteur,
représentant en papiers carbone, souffleur au Vieux-
Colombier, journaliste, il est découvert par Lugné-
Poe, qui joue à l'Œuvre une pièce de lui, en un
acte, *La Messe est dite* (1923) La même année,
Dullin fait représenter un autre acte d'Achard,
Celui qui vivait sa mort, puis une farce poétique,
Voulez-vous jouer avec moi ?, son premier grand
succès. Suivent *Malbrough s'en va-t-en guerre,*
monté par Jouvet à la Comédie des Champs-Elysées
(1924) ; *La Femme silencieuse,* pièce adaptée de Ben
Jonson et jouée par Dullin (1925) ; *Je ne vous aime
pas* (1926), *Et dzim la la* (1926), *Le Joueur d'Echecs,*
d'après un roman de Dupuy-Mazuel (1927), *La Vie
est belle* et *Une Balle perdue* (1928). *Jean de la Lune*
triomphe en 1929 à la Comédie des Champs-Elysées,

mais *La Belle Marinière*, jouée la même année à la Comédie-Française, reçoit un accueil réservé.

Mistigri est représenté en 1930, *Domino* en 1931, *La Femme en blanc* et *Pétrus* en 1933, *Noix de Coco* en 1935, *Le Corsaire* et *Adam* en 1938, *Colinette* en 1939. Après 1939, les réussites d'Achard sont moins brillantes : *Mademoiselle de Panama* (1942), *Winterset*, d'après Maxwell Anderson (1946), *Auprès de ma Blonde* (1946), *Savez-vous planter des choux ?* (1947), *Nous irons à Valparaiso* (1948), *La Demoiselle de petite Vertu* (1949), *Le Mal d'Amour* (1956). *Patate*, joué en 1957, renoue avec le grand succès ; *La Bagatelle*, *L'Idiote*, *Turlututu* sont plus discutés.

Le théâtre de Marcel Achard, première manière, se rattache à la tradition du guignol et du cirque. Originaire du terroir lyonnais, où guignol est roi, Achard écrivait, encore adolescent, une parodie guignolesque de *Tartuffe*, dans laquelle Orgon s'appelait Gnafron; quelques années plus tard, il était le témoin de la curieuse vogue des clowns auprès des gens de lettres : ne voyait-il pas l'austère Jacques Copeau faire appel aux Fratellini, promus professeurs de diction à l'école du Vieux-Colombier, où lui-même remplit quelque temps l'humble emploi de souffleur ? Ainsi, Marcel Achard composa d'abord des sortes de farces improvisées qui, par delà la tradition de guignol et de la piste, renouaient avec la Comedia dell'Arte. Il recrute alors ses personnages dans ce magasin d'illusions où tout n'est que féerie ; où pantins, clowns et Pierrots font leur entrée en soufflant dans une trompette, avec un chapeau en papier sur l'oreille et le visage tout enfariné.

Voici Crockson, Rascasse et Auguste, les héros de
Voulez-vous jouer avec moâ?, aimable loufoquerie,
charivari de gentil poète, mais aussi tragédie en
miniature, car sous la défroque pailletée de ces
clowns, on sent battre un cœur qui souffre. Ce goût
de la piste et du tréteau s'estompera par la suite chez
Achard, sans toutefois disparaître : dans *Jean de la
Lune*, Jef, c'est Pierrot, candide et tendre; Marceline,
c'est Colombine, coquette et perverse ; et Cloclo,
c'est l'impudent Brighella. Sous leurs habits
modernes, qu'ils soient en veston ou en chandail, les
personnages de Marcel Achard gardent la fraîcheur
et la jeunesse de leurs ancêtres de la Comédie
italienne. Ils semblent cultiver une sorte d'enfance
prolongée : « C'est le rêve de tous les hommes et de
toutes les femmes de rester des gosses », s'écrie un
personnage de *Pétrus*. De l'enfance, ils ont gardé un
certain goût de bêtifier et aussi le goût des jeux, de
tous les jeux : « C'est un enfant, dit Migo de Pétrus.
Avec lui, il faut toujours qu'on joue au papa et à la
maman ou à Buffalo-Bill. Il est Buffalo-Bill. Moi, je
suis Fleur de Navet, la jeune Indienne, fille du
célèbre chef sioux Œil-de-Faucon. Alors, il me
sauve. Je l'aime. Parce que, dans tous les jeux, je
l'aime toujours ».

L'amour est en effet le grand jeu des personnages
de Marcel Achard, qui se qualifie lui-même de
« spécialiste de l'amour ». Ce jeu oppose des partenaires bien différents. Dans le camp des hommes,
il y a Cadet, Charlemagne, Jef, le « Captain », Polo,
Pétrus et Domino. Tendres et gouailleurs, ingénus
et malins, un peu falots et chimériques, ils vivent
entre ciel et terre, dans un univers funambulesque,

à la manière des Pierrots de Laforgue ou de Charlie
Chaplin première manière. S'ils sont rêveurs comme
les personnages de Sarment, ils ne sont pas comme
eux amers, ni douloureux ; ils avancent allégrement
dans l'existence, habiles à parer de poésie ou
d'imprévu la grisaille des jours. Ils ont de petits
vices, tout en restant naïfs et presque candides :
Domino est un aventurier sans beaucoup de scrupules, mais c'est un aventurier de rêve, dans le fond
désintéressé et capable d'un sentiment profond.

Cependant, ces héros lunaires ne s'accordent pas
parfaitement avec l'existence, parce qu'ils sont
presque toujours en deçà ou au delà de la réalité
quotidienne. En particulier, ils sont gauches et
timorés devant l'amour, au point de s'obstiner à
dire, comme Cadet : « Je ne vous aime pas » à la
femme aimée et de la renvoyer, de peur d'être
vaincus par elle. Il faut reconnaître qu'ils ont
affaire à des partenaires dangereuses : les héroïnes
d'Achard, Lady Malbrough, Florence, Marceline,
Lorette ou **Marinette**, sont presque toutes des
coquettes. Ardentes, mais fantasques, infidèles et
plus ou moins inconsciemment perverses, elles ont
un goût inné pour la tromperie et aussi pour la
séduction. Elles veulent à tout prix que les hommes
s'intéressent à elles : ainsi Marinette, « la belle
marinière », met tout en œuvre pour séduire
Sylvestre, parce qu'il ne s'occupe pas d'elle et parce
qu'elle est jalouse de l'amitié fraternelle qui unit
cet homme à son époux. Pourtant, les femmes, chez
Marcel Achard, ne sont pas foncièrement méchantes:
il n'y a chez elles ni âpreté, ni dureté, et elles
conservent de la grâce jusque dans leur impureté.

Yves Vincent, Anne Gaylor et Robert Lamoureux
dans *Turlututu*

Entre ces femmes coquettes et ces amoureux tendres et lunaires, se joue une sorte d'assaut d'escrime, à l'issue duquel l'adversaire en apparence le plus faible, c'est-à-dire l'homme, est souvent vainqueur. C'est bien ce qu'illustre le chef-d'œuvre incontesté d'Achard, *Jean de la Lune*. L'amour candide et la bonté confiante de Jef désarment la perversité et la perfidie de Marceline. Celle-ci a beau faire à Jef l'aveu de ses infidélités, Jef lui affirme qu'elle n'est pas ce qu'elle croit être ; elle est ce que lui, Jef, la croit être, simple et droite, au-dessus des atteintes du doute et, grâce à la vertu contagieuse de l'illusion, cette conviction obstinée finit par modeler la femme volage sur l'image idéale que l'homme s'en fait ; et le refrain naïf qui parcourt toute la comédie comme un leitmotiv, prend alors tout son sens :

> C'est parce que je t'aime
> Que tu m'aimes quand même ;
> Tu m'aimes pour mon amour ;
> Donc, tu m'aimeras toujours.

Quel que soit d'ailleurs le vainqueur de cette joute sentimentale, c'est la passion amoureuse qui est au centre des comédies de Marcel Achard. Celui-ci s'est attaché particulièrement à peindre les effets de l'amour sur les cœurs simples, pour qui le drame est d'être malhabiles à s'exprimer et d'en avoir conscience : un photographe et une petite girl des Folies-Bergères (*Pétrus*) ; trois mariniers : le « Captain », Sylvestre et Marinette, curieux type de grande coquette populaire, la Célimène des mariniers (*La Belle Marinière*). Souvent aussi, pour montrer la force de l'amour qui, comme l'esprit, souffle où il veut, Achard confronte, dans ses débats amoureux, petites gens et gens huppés que tout semble devoir séparer : l'élégante et riche Florence s'offre sans détours à Cadet, un bon gros garçon, « maroufleur » — c'est-à-dire restaurateur de tableaux — à Montparnasse, parce qu'elle a besoin de mettre un peu de joie dans son existence de femme entretenue (*Je ne vous aime pas*) ; l'héroïne de *La Vie est belle*, une grande bourgeoise écœurée par la muflerie de son amant et la lubricité de son tuteur, est sur le point d'aimer Charlemagne, le clochard à l'existence pittoresque, qui l'a sauvée du suicide et emmenée dans son asile de nuit ; et Lorette, épouse d'un riche industriel, finit par s'éprendre de Domino, pauvre bougre besogneux qu'elle payait pour égarer les soupçons jaloux de son mari (*Domino*).

Marcel Achard déclarait il y a quelques années : « Jusqu'à présent, en gros, j'exaltais la puissance de l'amour » et il ajoutait, à propos de *Patate :* « mais, cette fois, je veux montrer l'impuissance de la haine ». *Patate*, c'est, sous l'apparence de relations cordiales, l'histoire de la haine d'un homme contre un autre homme. L'envieux Rollo a passé sa vie à remâcher une haine sourde contre son ancien condisciple Carradine, qui l'a jadis supplanté dans le cœur d'une riche héritière, dont il a fait sa femme. Or, un jour, une occasion inespérée s'offre à Rollo d'assouvir sa rancœur : il a appris que Carradine est l'amant de sa fille adoptive. Il n'a qu'à tout dévoiler à la femme de son ennemi et ce sera pour ce dernier le divorce et la ruine. Carradine, acculé, lui offre des millions, puis parle de se suicider ; mais Rollo,

qui savourait avec une joie féroce la volupté de la
vengeance, doit alors se rendre à l'évidence ; aucune
somme d'argent, si fabuleuse soit-elle, ne saurait
lui apporter quelque apaisement et, à l'idée que
Carradine pourrait mourir, il s'affole, car il a besoin
de son ennemi vivant. Il finit par avouer qu'il a
stupidement gâché son existence, alors que le
bonheur était là, à sa portée, sous les traits de son
exquise épouse. Ainsi, *Patate* est comme la contrepartie de *Jean de la Lune* : l'acharnement dans la
haine est aussi stérile qu'est féconde l'obstination en
amour.

.∴.

Marcel Achard a beaucoup écrit, avec des fortunes
diverses. Après des débuts prometteurs, sa courbe
ascensionnelle se situe au plus haut avec *Jean de la
Lune* ; elle baisse sensiblement par la suite, Achard
donnant l'impression tantôt de se complaire dans de
faciles succès, tantôt de forcer laborieusement son
talent.

On a reproché à Marcel Achard de traiter des
sujets rebattus. De fait, *Mistigri* recommence *La
Marche nuptiale* de Bataille ; *La Femme en blanc*
reprend, après *L'Autre Danger* de Maurice Donnay,
le thème délicat de l'amour d'un homme pour la
fille d'une maîtresse jadis passionnément aimée ;
Domino a le même point de départ que *Le Chan-
delier* de Musset : une femme et son amant ont
recours à un tiers pour dériver vers lui la jalousie
du mari ; *La Belle Marinière* est, après *Le Maître de
son Cœur* de Paul Raynal, le drame d'une amitié
masculine détruite par une femme ; enfin, l'héroïne

de *Jean de la Lune*, Marceline, fait penser à *L'Aventurière* d'Emile Augier et à *Manon Lescaut* de l'abbé Prévost, elle aussi vaincue finalement par la constance de l'amour qu'elle a inspiré. Mais qu'est-ce que cela prouve ? On sait depuis longtemps qu'au théâtre, plus encore peut-être que dans le roman, « tout est dit » : Jean Giraudoux n'a-t-il pas accolé, avec une humilité un peu cavalière, le matricule 38 à son *Amphitryon* ?

On a aussi reproché à Marcel Achard le manque d'épaisseur humaine de ses personnages. Insaisissables, aériens, les héros d'Achard vivraient dans une sorte de stratosphère et l'auteur ne nous apporterait rien de valable ni sur l'homme, ni sur les mystères du cœur. Sans doute beaucoup de ses comédies sont-elles trop visiblement aux lisières de la rêverie et, par suite, indécises et floues, mais il arrive aussi que, sous sa désinvolture apparente, sous sa poésie lunaire, le théâtre d'Achard cache un sens très sûr de la réalité : Jean de la Lune, ridicule et émouvant, est un être éternel, parce que complexe et même ambigu.

Quelques griefs sont plus valables. D'abord, il y a bien du déchet dans cette œuvre inégale. Les parades de tréteaux des années 1923-1924 ont vieilli : le temps de la vogue des Fratellini et du Bœuf sur le Toit est oublié. Certaines pièces ne sont que d'inconsistantes amusettes ; d'autres, comme *Auprès de ma Blonde*, sous des apparences originales, se révèlent à l'examen banales et conventionnelles. Quand il n'est pas porté par son sujet, Achard donne l'impression de forcer son talent : sa fantaisie a quelque chose de systématique.

Pourtant, dans l'ensemble, le théâtre de Marcel Achard exerce une certaine séduction. Sur un canevas mince, mais joliment ouvragé, Achard a brodé quelques fables charmantes ; et son dialogue, improvisé avec nonchalance, riche en trouvailles jaillies de l'esprit ou du cœur, séduit par une sorte de fantaisie ailée. Ce théâtre est aussi à l'image de son auteur, débordant de bienveillance et d'optimisme ; pas la moindre pensée sombre chez ce dramaturge quiet, dont les personnages évoluent dans un univers où l'on respire un grand plaisir de vivre ; et ce sera peut-être le plus notable mérite de Marcel Achard que d'avoir fait souffler sur la scène française une brise de fraîcheur et de jouvence.

Une scène de *Patate* au Théâtre Saint-Georges.
On reconnaît, au centre, Henri Vilbert
et Sophie Daumier.

Photo Lipnitzki

CHAPITRE III

LE THÉATRE PSYCHOLOGIQUE

Parmi les dramaturges de l'entre-deux guerres qui ont peint surtout des caractères ou des conflits dramatiques, deux tendances opposées se sont manifestées. Tandis que les représentants de l'esthétique intimiste — Paul Géraldy, Charles Vildrac, Jean-Jacques Bernard, Denys Amiel — recherchaient les nuances et les demi-teintes et recouraient à un dialogue dont les répliques brèves, souvent insignifiantes en apparence, mais en fait lourdes de sens, suggéraient dans sa complexité la vie profonde des âmes, d'autres dramaturges — Henri-René Lenormand, Paul Raynal, Steve Passeur — visant à subjuguer d'emblée le spectateur, préféraient une expression tendue et violente, qu'ils jugeaient sans doute plus en harmonie avec le climat de leur époque.

I. *LE THÉATRE INTIMISTE*

Au lendemain de la guerre 1914-1918, de jeunes auteurs dramatiques se firent les propagateurs d'une technique nouvelle ; « le théâtre intimiste », appelé parfois « théâtre de l'inexprimé » ou encore « théâtre du silence ». Ce que les amateurs de la scène

avaient le plus goûté durant les années d'insouciance
de l'avant-guerre — art savant des préparations,
morceaux de bravoure, joutes sentimentales opposant des êtres qui s'analysent et se tourmentent
comme à plaisir, interminables conversations d'aristocrates à redingote ou de Don Juan de palace —
tout cela parut brusquement artificiel et insupportable à des spectateurs qui avaient vécu des années
tragiques.

Pourquoi, pensèrent alors quelques jeunes auteurs,
ne pas renverser les données de cette dramaturgie
désuète? On représenterait des personnages « comme
tout le monde », sortant des couches profondes et
solides du pays ; on reproduirait les menus faits et
les propos de l'existence la plus quotidienne ;
l'action, simple et sobre, se nouerait sans recours à
des péripéties extérieures, au moyen d'épisodes
courts, mais suggestifs. Enfin et surtout, on partirait
en guerre contre le bavardage stérile, « le théâtre
expliqué », qui dissèque et commente à perte de vue
le moindre état d'âme. De brèves paroles devraient
révéler les dessous mystérieux du cœur humain; « la
scène à faire », chère aux Bataille, Hervieu, Bernstein, serait remplacée par « la scène à taire » ; par
un ingénieux paradoxe, on exploiterait la valeur du
silence dans un art où l'expression verbale avait
jusqu'alors régné en maîtresse.

Cette doctrine n'était pas absolument neuve.
Marivaux, explorateur minutieux des « sentiers du
cœur humain », est déjà un intimiste : ses intrigues
sont simples, les propos de ses personnages, pleins
d'hésitations et de scrupules, « affleurent de la zone
des silences », comme dit Giraudoux. N'oublions

pas d'ailleurs que Marivaux, hostile au débit
pompeux des acteurs de la Comédie-Française,
écrivait ses pièces pour les acteurs italiens, qui
excellaient dans l'art de suggérer les sentiments par
les gestes et la mimique : « Avec deux yeux, ne
dit-on pas ce qu'on veut ? », s'écrie un personnage
du *Prince travesti* ; et un autre déclare dans *Les
Serments indiscrets* : « On dit : je vous aime, avec
un regard et on le dit bien ». Un peu plus
tard, Sedaine a été le propagateur de la comédie
familiale intime ; son *Philosophe sans le savoir*
est un drame domestique, qui se noue dans l'intérieur d'un négociant intègre et un des personnages
les plus attachants de la pièce, Victorine, vit bien
plus par les nuances inexprimées que par les paroles
qu'elle prononce. De même, la douce et mélancolique Kitty Bell, dans le *Chatterton* de Vigny, ne
dévoile son amour que par des réticences et de
chastes émois. Plus près de nous, Jules Renard
n'utilise que les situations les plus simples et les
plus banales de la vie ; quant à ses personnages, ils
ne sont guère bavards et pourtant une émotion
rentrée affleure à chaque instant sous les répliques
brèves, mais lourdes de sens et d'une implacable
vérité. Maeterlinck, pour sa part, a mis au point un
dialogue fait de soupirs, parfois même de silence :
« dès que nous avons vraiment quelque chose à dire,
écrit-il dans *Le Trésor des Humbles*, nous sommes
obligés de nous taire ». Mais l'insignifiance apparente des répliques, dans son théâtre, révèle des
impulsions secrètes, d'obscurs pressentiments ou des
rapports mystérieux, bref tout ce qui se passe dans
les limbes de l'âme.

Il est d'autre part curieux de constater que certains dramaturges en vogue de 1900 à 1914 et dont les pièces nous paraissent aujourd'hui très artificielles et d'une effarante prolixité, ont cependant nourri l'ambition de faire du théâtre un art sobre, plus riche de sens que de mots. Ainsi, Saint-Georges de Bouhélier — qui en fait semble avoir confondu le sublime avec le pathos — a prétendu conférer à ses œuvres, *Le Carnaval des Enfants* en particulier, une réelle puissance de suggestion grâce à l'emploi des silences dans le dialogue. Porto-Riche, analyste du cœur humain plus alambiqué que subtil, croyait avoir créé un dialogue de théâtre simple et net, où les mots valent surtout par la richesse de sens qu'ils décèlent.

Henry Bataille, qui est tombé si souvent dans le verbalisme le plus creux et dans la pire littérature, a maintes fois insisté sur la valeur de l'inexprimé et du silence : « Le théâtre n'est point fait pour exprimer les idées, mais pour les suggérer. Les pièces de théâtre doivent avoir des dessous de pensées, ainsi que les vêtements ont des doublures, nécessaires, mais résolument invisibles. Ce qui est varié et profond, c'est ce que l'on ne dit pas, c'est l'insignifiance des paroles auxquelles nous faisons porter tout notre pauvre infini ». Au spectateur de deviner toute la richesse de sens ou d'émotion qui se cache derrière un soupir, une exclamation, un silence, deux ou trois mesures de piano.

Signalons enfin, parmi les initiateurs du théâtre intimiste, le dramaturge russe Anton Tchekhov, mort en 1904 — auteur de *La Cerisaie, Oncle Vania, La Mouette, Ivanov, Ce Fou de Platonov* — que

Georges Pitoëff, avant Barrault, Vilar et son propre fils Sacha, révéla au public français ; Pitoëff fut séduit par ces œuvres d'une sensibilité retenue, où évoluaient, avec une étrange lenteur, des personnages mélancoliques et résignés, qui ne prononçaient que des paroles simples, souvent hésitantes, mais autour de qui se formait comme un halo de mystère et de rêve. « Le dialogue intérieur, le charme du sous-entendu, écrit un compatriote de l'auteur de *La Mouette*, voilà ce dont nous sommes redevables à Tchekhov. Et nous lui devons aussi d'avoir aboli l'action proprement dite, de nous avoir révélé, le premier, que la parole est loin d'être l'élément primordial de l'art scénique, qu'elle n'est que l'indice des émotions intérieures, le guide qui mène à l'âme des personnages, se tait souvent, aux moments les plus dramatiques, et cède la place au silence. Un silence plein de sens, qui contient, à l'état latent, des milliers de paroles qu'on ne prononce jamais, et agit plus fortement que le cri le plus violent, devient le but du drame ».

Le mérite essentiel des « intimistes » français, dont la vogue se situe entre 1920 et 1930, est d'avoir précisé et nuancé cette théorie dramatique et de l'avoir étayée sur un certain nombre d'œuvres intéressantes.

Jeanne BOITEL et Jean CHEVRIER dans *Duo*.

A. *PAUL GERALDY*
né en 1885

Notice biographique. — Paul Géraldy — pseudo-
nyme de Paul Lefèvre — est né à Paris en 1885. Il
se fit connaître avant la première guerre mondiale
par deux petites pièces en un acte, *Les Spectateurs*
(1906) et *La Comédie des Familles* (1908), et surtout
par un recueil de poèmes, *Toi et Moi*, qui obtint un
fabuleux succès de librairie (1913). En 1917, Emile
Fabre monte à la Comédie-Française *Les Noces
d'Argent*, une comédie bourgeoise en trois actes. En
1919, Gavault accueille à l'Odéon *La Princesse*,
écrite en collaboration avec Robert Spitzer. Deux
ans plus tard, *Aimer*, pièce en trois actes, obtint un
succès éclatant à la Comédie-Française. Après *Les
Grands Garçons* (1922), Géraldy fait jouer *Robert et
Marianne* (1925), puis *Christine* (1932), qui forment,
avec *Aimer*, une trilogie de comédies d'amour. *Duo*,
représenté en 1938 au Théâtre Saint-Georges, trans-
posait à la scène un court roman de Colette. *Gilbert
et Marcelin* a été créé en 1945, *Ainsi soit-il* en 1946.
Géraldy a fait paraître chez Julliard cinq de ses
pièces en deux tomes sous le titre de *Tragédies
légères* (Tome I : *Les Grands Garçons, Les Noces*

d'Argent, Aimer ; Tome II : *Robert et Marianne, Duo*). Paul Géraldy est aussi l'auteur de comédies boulevardières, écrites pour la plupart en collaboration avec Robert Spitzer : *Si je voulais* (1924), *Son Mari* (1927), *L'Homme de Joie* (1929), *Do, mi, sol, do* (1934) ; d'un court roman : *Le Prélude* (1923) ; d'un recueil de nouvelles : *La guerre, Madame* (1916) et de divers essais : *Carnet d'un auteur dramatique* (1922), *Maximes sur l'Amour* (1929), *Voir, écouter, sentir* (1934).

Paul Géraldy peut être rangé parmi les promoteurs du théâtre intimiste par sa méritoire recherche d'un pathétique intense dans sa simplicité. Il enserre ses personnages dans une crise, à un tournant décisif de leur destinée : crise dans les rapports entre parents et enfants, au moment où la tendresse des premiers se heurte à l'ingratitude inconsciente des seconds qui, brusquement, échappent à leur tutelle (*Les Noces d'Argent*) ; impasse de l'infidélité, tentation de l'aventure, après une dizaine d'années de, mariage (*Aimer*) ; crise de l'ennui dans le mariage, due à l'insatisfaction de l'âme (*Robert et Marianne, Christine*). Le souci d'être simple et vrai, dans la peinture de ces crises sentimentales, amène Paul Géraldy à bannir tout élément accidentel et anecdotique : « Mes goûts profonds d'homme de théâtre, écrit-il, vont aux architectures précises, ramassées, au récit qui ne dépasse pas la durée d'une veillée, à l'histoire drue, concise, elliptique, évidente, qui ne retient du particulier que ce qui sert le général ».

Ainsi, *Duo* se déroule en quelques heures et Paul

Géraldy résume le sujet de cette pièce en quelques lignes : « Un homme adore sa femme. Il apprend qu'elle l'a trompé. A notre époque, ces choses-là n'ont pas une très grande importance. On ne se tue pas pour ça ! On ne divorce pas pour ça ! Il encaisse. La vie continue... Seulement, un peu plus tard, il va se flanquer à l'eau. C'est tout simple, n'est-ce pas ? Mais que de sens inclus ! »

Visiblement, Paul Géraldy a voulu suivre le sillage d'un illustre devancier, Racine, avec le désir secret de faire plus, sinon mieux que lui. Si l'amour est la préoccupation essentielle des personnages d'*Andromaque*, il est, pour ceux d'*Aimer*, la préoccupation unique. Racine, même dans *Bérénice*, a recours à des confidents ; Paul Géraldy supprime, dans *Aimer*, ce « utilités » qu'il juge inutiles ; trois personnages en tout : le mari, la femme et l'amant. Dans *Robert et Marianne*, le classique et sacro-saint amant disparait même et le conflit se resserre davantage. Racine laisse encore sa part au contingent ; il a besoin d'un incident pour mettre en marche son mécanisme tragique : ambassade d'Oreste dans *Andromaque* ; enlèvement de Junie dans *Britannicus* ; décret du Sénat dans *Bérénice ;* fausse nouvelle de la mort de Mithridate dans *Mithridate ;* fausse nouvelle de la mort de Thésée dans *Phèdre*. Paul Géraldy n'a parfois besoin d'aucun événement extérieur pour lancer sa pièce : Henri et Hélène, qui vivent dans une maison de campagne en Charente, font la connaissance d'un châtelain célibataire des environs et, dès lors, l'action se noue ; trois âmes, trois cœurs se confrontent en un conflit que règle de manière implacable le jeu de certaines forces fondamentales (*Aimer*). Quant aux

paroles que prononcent les personnages, elles sont
souvent à dessein banales, mais elles laissent deviner
les mouvements les plus subtils et les plus cachés de
l'âme. Rien d'hermétique donc dans une telle dramaturgie. « Une œuvre de théâtre, écrit encore Géraldy,
doit être totalement, immédiatement, universellement
transmissible ou assimilable, si complexe, si difficile,
si délicat que soit le sujet. Etre clair : le théâtre est
un art populaire. Que l'auteur fasse l'effort total,
afin que le public n'ait aucun effort à faire ».

Il est fâcheux que Paul Géraldy ne se soit pas
toujours conformé à une esthétique aussi sobre. Sans
doute ne manque-t-il pas d'habileté dramatique et
ses pièces sont riches en notations ténues, mais pénétrantes : ainsi, dans *Aimer*, les câlineries et les
petites hypocrisies d'Hélène, alternant avec ses élans
de passion, rendent un son authentiquement
humain. Malheureusement, Paul Géraldy insère,
dans une construction classique, des éléments
romantiques assez surannés. Il y a bien de la convention et du romanesque dans sa conception de
l'amour, dont le climat normal est un état de perpétuelle exaltation ; certaines de ses analyses, qui
veulent être subtiles, ne sont que creuses et rappellent trop les papotages maniérés de *Toi et Moi*, qui
firent se pâmer en 1913 une foule de femmes du
monde au cœur sensible. Défaut plus grave : le
dialogue pèche souvent par une incontinence verbale
étrange, il faut l'avouer, chez un auteur qui prétend
viser à la concision elliptique.

Enfin, Paul Géraldy, sans doute à cause de
certains scrupules de conscience, n'ose pas pousser
les passions jusqu'à leur aboutissement logique et

ses dénouements sont en général plus conformes à
la morale traditionnelle qu'à la vraisemblance.
Ainsi, Hélène, amoureuse de Challange, semble
décidée à quitter son mari, mais, au moment de
franchir le seuil de sa maison, elle évoque toutes
les années qu'elle y a passées, « les légères, les
joyeuses, les graves » ; elle pense à un jeune enfant
qu'elle a perdu ; elle sent surtout la puissance des
liens qui l'attachent à son époux ; mais toutes ces
raisons, qui la retiennent à son foyer, ne devraient-
elles pas, justement, être submergées par le torrent
passionnel ? En voulant que tout s'arrange, tant
bien que mal, Paul Géraldy ne heurte pas seulement
la logique — l'égoïsme de l'amour en particulier —
il tourne le dos au vrai drame qui exige la lutte, le
conflit, la révolte contre le destin.

Une scène de *La Brouille*
avec Louis SEIGNER et Line NORO.

B. CHARLES VILDRAC
né en 1882

Photo Lipnitzki

Notice biographique. — Charles Vildrac — pseudo-
nyme de Charles Messager — est né à Paris en
1882. Il fait ses études au lycée Voltaire. En 1906,
il fonde, avec son beau-frère Georges Duhamel, le
groupe de « l'Abbaye », dont les membres impriment et éditent eux-mêmes leurs ouvrages. Il fait
ses débuts en littérature comme poète (*Poèmes*,
1905 ; *Images et Mirages*, 1908 ; *Le Livre d'Amour*,
1910 ; *Les Chants du Désespéré*, 1920) et comme
théoricien de la poésie (*Notes sur la technique
poétique*, 1911). Sa première pièce, *L'Indigent*, en
un acte, date de 1912. En 1920, une comédie dramatique en trois courts tableaux, *Le Paquebot Tenacity*, est jouée par la troupe de Jacques Copeau, au
Vieux-Colombier : l'œuvre est saluée comme une
renaissance de l'art dramatique et sa renommée
devient vite mondiale. Dès lors, Charles Vildrac se
consacre surtout au théâtre : après avoir écrit
Michel Auclair (1922), *Le Pèlerin* (1923), *Madame
Béliard* (1925), *Poucette* (1925), il cesse de produire
pendant quelques années. En 1930, *La Brouille*,
drame domestique en trois actes, remporte un succès

11

triomphal à la Comédie-Française. En 1934, il fait
un essai de farce à la Labiche : *Trois mois de prison*,
puis il revient à la comédie dramatique (*L'Air du
Temps*, 1938). *L'Absence*, créée à Londres en 1936,
n'a pas encore été jouée en France. Charles Vildrac
est aussi l'auteur de quelques adaptations : *Le
Songe d'une nuit d'été*, d'après Shakespeare, *L'Ours
et le Pacha*, d'après Scribe, *Le Médecin volant*,
d'après Molière, *Mon Aimée*, d'après Sydney
Howard, *Le Jardinier de Samos*, satire politique
tirée d'un conte de Lemontey. Il a enfin écrit des
Réflexions sur le Théâtre.

Charles Vildrac représente le théâtre d'intimité
sous sa forme la plus pure et la plus achevée. Son
esthétique s'oppose au théâtre artificiel d'avant
1914 et à la primauté du metteur en scène après
1918.

Le dramaturge doit avant tout, selon Vildrac,
s'appuyer sur la réalité humaine : « Il y a toujours
pour le dramaturge un modèle immuable — écrit-il
dans ses *Réflexions sur le Théâtre* — c'est l'homme,
considéré dans la permanence de ses sentiments, de
sa passion, de sa nature ». Mais, cet homme éternel,
il faut le situer dans le cadre et dans les circonstances modernes ; or, l'élément social le plus vaste,
le plus fécond, celui qui est « à la base de toute
société, si mouvementée ou chancelante qu'elle
soit, n'est-ce pas le peuple, cette inépuisable
réserve de valeur humaine ? »

Aussi Charles Vildrac met-il presque exclusivement en scène non ces oisifs que présentait le

théâtre d'adultère d'avant 1914, mais des gens de modeste condition, quotidiennement attachés à un métier précis : ouvriers typographes (*Le Paquebot Tenacity*) ; préparateurs, ouvriers d'usine, petits industriels (*Madame Béliard*) ; contremaîtres (*Poucette*) ; petits bourgeois (*La Brouille*). Ces personnages sont représentés dans l'intimité de leur vie journalière, comme à travers un miroir ; ils tiennent les propos les plus banals ; ils ont les sentiments simples des gens de leur condition. « Pas de situations exceptionnelles. Une action purement psychologique, que d'aucuns trouveront peut-être un peu dépourvue de circonstances extérieures », écrit Vildrac à propos de *La Brouille*.

Comme le théâtre exige cependant un conflit, l'auteur observe ces êtres à un moment de crise, qui fera affleurer leurs sentiments les plus cachés : ainsi, l'amour qu'ils ressentent tous deux pour une jeune servante d'auberge révèle la nature profonde de Bastien et de Ségard (*Le Paquebot Tenacity*) ; la visite d'un oncle, grand voyageur, éveille chez Denise, jeune provinciale sédentaire, le désir d'évasion et de vie aventureuse qui sommeillait en elle à son insu (*Le Pèlerin*) ; le violent amour que sa nièce Madeleine éprouve pour l'ingénieur Saulnier permet à Madame Béliard de connaître la nuance exacte du sentiment que ce dernier lui avait inspiré (*Madame Béliard*) ; l'absurde querelle, qui sépare quelque temps deux vieux amis et leurs familles, fait apparaître le dépôt de petites animosités, la lie de menues incompatibilités, que cache la plus solide affection, de même qu'une pierre lancée dans une eau calme et limpide en trouble la surface et fait émerger les branches qui reposaient au fond (*La Brouille*).

En pénétrant ainsi, à l'occasion d'une crise morale, jusqu'au tréfonds de ses personnages, Charles Vildrac décèle souvent, à côté de sentiments vils et mesquins, des trésors cachés de sensibilité et même de poésie. Il pense en effet que le dramaturge, tout en empruntant ses éléments à la réalité la plus quotidienne, ne doit pas s'en tenir là : pour que l'art réussisse le miracle de nous captiver par ce qui nous semblerait insipide dans la réalité journalière, il faut que l'artiste dépasse cette réalité. Le discret parfum de poésie qui se dégage des comédies intimistes de Charles Vildrac nous rappelle que cet auteur, avant d'être un dramaturge, fut un poète délicat et tendre, dont les recueils (*Le Livre d'Amour*, *Les Chants du Désespéré*) étaient inspirés par un fervent amour de l'humanité.

Une telle esthétique dramatique vise à réduire au minimum tout ce qui concerne la mise en scène. Charles Vildrac écrit en effet dans ses *Réflexions sur le Théâtre* : « Le metteur en scène qui tend à régner aujourd'hui sur le spectacle, comme il règne sur le cinéma, n'a que faire des œuvres qui se suffisent à elles-mêmes et où le décorateur, l'électricien, le costumier n'ont qu'un rôle effacé ». Son office consistera donc uniquement à mettre un texte en valeur, « sans chercher à s'imposer par des recherches ingénieuses ». Et Vildrac conclut : « La meilleure mise en scène est celle devant laquelle nous ne pensons plus à la mise en scène ».

Charles Vildrac est un artiste probe et sincère, qui mérite toute notre sympathie. Ennemi des « tricheries » et du snobisme, indifférent aux succès

tapageurs, il a composé patiemment, en y appor-
tant sans cesse des retouches, un petit nombre
d'œuvres sobres et claires, avec l'unique ambition
de recueillir les suffrages de quelques connaisseurs.
Sa retenue, sa modestie, qui touche à l'humilité,
reposent des prétentions de quelques-uns de ses
confrères. Jamais il ne hausse le ton ; jamais il ne
cherche à briller ; et pourtant sa simplicité cache un
art savant qui, sous la banalité des sentiments expri-
més, suggère la vérité profonde et complexe des
âmes. Enfin et surtout, dans tout son théâtre, le
dialogue, sans fioritures et sans mots d'auteur, rend
constamment un son juste.

Sans doute n'évite-t-il pas toujours la monotonie,
la fadeur ou la mièvrerie : un critique peu bienveil-
lant compare ses pièces à des tasses de thé tiède ;
un autre ironise quelque peu sur leur ton « gris tour-
terelle ». Charles Vildrac donne parfois l'impression,
par excès de minutie laborieuse, de manquer de
souffle ; les sentiments, les passions de ses personnages ont quelque chose de feutré, de ouaté, qui
exclut en partie la chaleur et l'enthousiasme. En
dépit de ces quelques défaillances, le théâtre de
Vildrac présente d'assez solides chances de survie.
Comme l'écrivait en 1948 Robert Kemp, à l'occasion
d'une reprise de *La Brouille* à la Comédie-Française,
« pas une des finesses de cette pièce, ferme et délicate,
ne s'est évanouie. Tel est le privilège du vrai, du
simple. Une fraîcheur qui ne se fane point, car
elle ne s'était parée d'aucun colifichet à la mode.
On avait déjà vérifié la solidité du *Paquebot
Tenacity*. Celle de *La Brouille* ne fait plus de doute.
M. Charles Vildrac n'est pas un auteur abondant,
mais c'est un auteur qui durera ».

Photo Lipnitzki

Lise Delamare et Jeannine Crispin dans *Martine*

Photo Lipnitzki

JEAN-JACQUES BERNARD
né en 1888

Notice biographique. — Jean-Jacques Bernard, fils de Tristan Bernard, est né à Enghien en 1888. Il se signala avant 1914 par deux petites pièces : *Le Voyage à deux* (1910) et *La Joie du Sacrifice* (1912). Après 1918, il écrivit d'abord deux œuvres inspirées par les répercussions de la guerre : *La Maison épargnée* (1919) et surtout *Le Feu qui reprend mal* (1921) qui, joué par les Escholiers, puis par les acteurs de la Comédie-Française, l'imposa définitivement. En 1922, Gaston Baty représente sur la scène des Mathurins *Martine*, une comédie en cinq tableaux, qui fit le tour du monde et fut inscrite au répertoire de la Comédie-Française.

De 1924 à 1939, l'activité dramatique de Jean-Jacques Bernard ne se ralentit pas, mais sa réussite est plus inégale : *Le Printemps des autres*, *l'Invitation au Voyage* (1924), *Le Secret d'Arvers*, *Denise Marette* (1925), *L'Ame en peine* (1926), *Le Roy de Malousie* (1928), *La Louise*, *A la Recherche des Cœurs*, *Les Sœurs Guédonec* (1931), *Jeanne de Pantin* (1933), *Nationale 6*, *Les Conseils d'Agathe*, *8 Chevaux, 4 Cylindres et pas de Truites*, *Deux*

Hommes (1935), *La Grande B.A.* (1936), *Le Jardinier d'Ispahan* (1939). Depuis la deuxième guerre
mondiale, Jean-Jacques Bernard a moins produit :
Marie Stuart (1941), *Louise de Lavallière* (1945),
Notre-Dame d'en-Haut (1950). Il est aussi l'auteur
de contes, de romans et d'essais (*Témoignages et
Confrontations*).

Jean-Jacques Bernard passa longtemps pour
avoir été le promoteur de « l'école du silence » au
théâtre. En fait, déclare-t-il lui-même, c'est « d'un
court papier écrit dans le feu des dernières répétitions de *Martine* » qu'est née, « après coup et de
façon arbitraire », cette fameuse théorie. Jean-
Jacques Bernard se défend d'avoir écrit cette pièce
avec la moindre idée préconçue : « Conter l'histoire
d'une petite paysanne qui aime et qui souffre, mais
ne peut confier à personne ni son amour, ni sa
souffrance, saisir cette vie secrète par les moyens
les plus simples, écrire en quelque sorte de la vie,
telle avait été ma seule pensée ». Et l'auteur ajoute
que *Martine* était avant tout « un effort contre
l'artifice. Si elle a pu, à sa création, avoir l'air de
bousculer quelque chose, n'est-ce pas justement
parce qu'elle représentait un des efforts qui se firent
alors pour échapper à la convention, maladie sans
cesse renaissante du théâtre ? ». Quoi qu'il en soit,
Martine, pièce mélancolique, toute en demi-teintes
et en souffrance inexprimée, illustrait à merveille
l'esthétique intimiste.
　Selon Jean-Jacques Bernard, on parle beaucoup
trop et de manière invraisemblable au théâtre :

dans la réalité, on ne fait guère de confession publique de ses états d'âme ; on n'analyse pas à perte de vue ses impressions ou ses sensations ; on ne déclame pas des tirades. C'est même dans les moments de crise que nous parlons le moins : sous le coup d'une émotion violente, ou bien nous nous taisons, ou bien les phrases prononcées sont brèves, souvent banales, coupées de silences impressionnants, qui laissent deviner, ainsi que les gestes, les jeux de physionomie et les regards, une vie intérieure lourde de pensée ou d'angoisse. « C'est moins par les répliques que par le choc des répliques que doivent se révéler les sentiments les plus profonds. Il y a sous le dialogue entendu comme un dialogue sous-jacent qu'il s'agit de rendre sensible. Aussi le théâtre n'a pas de pire ennemi que la littérature. Elle exprime et dilue ce qu'il ne devrait que suggérer. Le romantisme, dans ce qu'il a de moins bon, a porté cet inconvénient à l'extrême... Un sentiment commenté perd sa force. C'est pourquoi un « couplet » en dit toujours moins qu'une réplique en apparence indifférente. Est-ce que nous ne sommes pas plus émus et convaincus des sentiments de Silvia quand elle murmure : « J'avais grand besoin que ce fût là Dorante », que de ceux de Dona Sol quand elle appelle Hernani « son lion superbe et généreux ? »

Jean-Jacques Bernard s'est assez strictement conformé à cette esthétique. Sans fracas, sans aucune recherche de l'effet facile et arbitraire, au contraire avec une simplicité et une honnêteté fort sympathiques, il pousse en profondeur l'étude du cœur humain, plus spécialement des cœurs fémi-

nins qui, par timidité ou par pudeur, se recroque-
villent sur eux-mêmes. Quelques répliques brèves,
mais significatives, ressemblent à des coups de
sonde jetés dans les profondeurs secrètes des âmes,
qu'elles éclairent brusquement.

Le spectateur, par-delà les mots prononcés, suit
pas à pas, comme à travers un sentier encombré de
broussailles, le drame intérieur qui se joue dans le
cœur d'un être. C'est ce que Gabriel Marcel a très
finement noté : « J.-J. Bernard semble inventer un
type original de construction dramatique. L'action
gravite autour d'un personnage unique, dont la vie
s'organise sur deux plans hiérarchisés, celui des
apparences et celui de la conscience profonde.
l'auteur prend d'abord soin de nous faire assister
à la formation, dans l'âme du protagoniste, du pli
secret (pour nous seuls visible) qui, peu à peu, en
modifiera l'instable équilibre » : c'est ainsi que
nous voyons la jalousie s'insinuer sournoisement
dans le cœur d'André, puis y exercer progressivement ses ravages, lorsqu'en rentrant au foyer
conjugal, après quatre ans de captivité en Allemagne, il apprend que Blanche a donné l'hospitalité
à un jeune officier américain (*Le Feu qui reprend
mal*) ; de même, nous voyons naître, dans le cœur
de la romanesque Marie-Louise, la hantise qui,
associant l'image d'un homme, en soi assez insignifiant, à celle des continents lointains et enchan-
teurs où ses affaires l'appellent, prend peu à peu la
figure de l'amour (*L'Invitation au Voyage*).

« Grâce à la priorité qui nous a été ainsi conférée,
nous sommes en mesure d'interpréter des actes qui
demeurent en partie inexplicables pour celui qui les

accomplit » ; et, généralement, « la pièce s'achève quand ce qui n'a cessé d'être clair pour nous devient intelligible aussi pour les acteurs du drame obscur dont on nous a rendus témoins » : ainsi, Clarisse a longtemps aimé son gendre sans s'en rendre compte et son amour l'a poussée à le détacher de sa fille ; le drame cesse le jour où la rivalité, jusque-là sourde, entre la mère et la fille, éclatant aux yeux de tous, Clarisse prend enfin conscience de sa passion et du rôle odieux qu'elle lui a fait jouer (*Le Printemps des autres*).

L'art de Jean-Jacques Bernard est, dans sa discrétion, délicat et subtil, et il atteint parfois au pathétique. Ajoutons que, comme Charles Vildrac, ce dramaturge sait créer autour de ses personnages une atmosphère de poésie contenue qui n'est pas sans charme. Mais il n'a pas toujours évité les écueils de l'esthétique intimiste ; certaines de ses pièces — *Nationale 6*, par exemple — versent dans le conte bleu ou la berquinade naïve et douceâtre ; quant à ses personnages (les jeunes filles et les femmes en particulier), ils semblent vivre au ralenti, sous un globe de verre à rebords feutrés ; aussi n'ont-ils pas assez de force pour lutter ou prendre une décision ferme ; alors ils abdiquent : Blanche, bien qu'excédée par les injustes soupçons d'André, reste au domicile conjugal (*Le Feu qui reprend mal*) ; Martine, après avoir pudiquement caché son amour pour Julien, se résigne à épouser un brave campagnard (*Martine*) ; Clarisse s'efface quand elle ne peut plus se faire illusion sur sa passion pour son gendre (*Le Printemps des autres*) ; Francine, après avoir échafaudé un beau roman d'amour, renonce à ce grand bonheur et se contente de l'existence la plus prosaïque (*Nationale 6*). Par peur de la rhétorique et de l'indiscrétion, Jean-Jacques Bernard s'est confiné dans un univers trop humble, trop étriqué, où les passions, même violentes, manquent de vitalité et où le langage, confidentiel, tend vers le chuchotement.

D. *DENYS AMIEL*
né en 1884

Notice biographique. — Denys Amiel est né en 1884 près de Carcassonne. Il débute en littérature par une étude sur Henry Bataille, dont il fut le secrétaire. En 1911, Antoine monte, à l'Odéon, sa première pièce, *Près de lui* ; la même année, Denys Amiel écrit *Le Joueur* et *L'Engrenage*. En 1912, Henry Bataille fait accepter à la Comédie-Française un acte de son protégé : *Le Voyageur*. La guerre interrompt l'activité dramatique de Denys Amiel. En 1921, *La Souriante Madame Beudet*, tragi-comédie écrite en collaboration avec André Obey, remporte un succès considérable au Nouveau-Théâtre. Denys Amiel produit dès lors avec régularité des œuvres de valeur inégale : *Le Couple* (1923), *Monsieur et Madame Un Tel*, *L'Homme d'un soir* (1925), *La Carcasse* (1926), *L'Image* (1927), *Décalage* (1931), *Café-Tabac*, *L'Age de fer*, *Trois et Une* (1932). A partir de 1933, Denys Amiel **devient** le **fournisseur** attitré du Théâtre Saint-Georges ; il y donne : *Cette nuit-là* (1933), *L'Homme* (1934), *La Femme en Fleur* (1935), *Ma Liberté* (1936), *Famille* (1937), *La Maison Monestier*

(1939). Pendant l'invasion allemande, Denys Amiel fit jouer sur la scène de l'Odéon une pièce d'actualité : *1939*. Il a écrit ensuite *Mon Ami* (1943) et *Le Mouton noir* (1945) ; en 1963, la radio a joué *Elle et Elle*.

Si l'on met à part quelques pièces, comme *Trois et Une*, qui s'apparentent à la formule boulevardière, la production dramatique de Denys Amiel relève également de la technique de l'inexprimé. Comme Charles Vildrac et surtout comme Jean-Jacques Bernard, Denys Amiel est hostile aux interminables dissections d'âme et au pathétique qui prend sa source dans des circonstances exceptionnelles. Cependant, Denys Amiel se distingue des autres intimistes par sa conception particulière du silence et de l'inexprimé : « Pour moi, déclare-t-il, garder le silence ne signifie pas se taire. Certes, en société, les gens parlent, s'expriment jusqu'à la verbosité, mais leurs bavardages peuvent être pourtant d'un silence angoissant, s'ils se taisent précisément sur leurs occupations principales, celles-là mêmes qui les ont fait se réunir. On a dit : « La pièce de M. Amiel cache le silence sous les mots ». Rien de plus exact ; j'ai voulu que mes personnages se taisent en parlant ». En somme, tandis que, dans les pièces de J.-J. Bernard, les personnages se taisent réellement, ou plutôt n'expriment tout ce qui s'agite en eux que par des phrases brèves et des mots incolores, les personnages de Denys Amiel parlent beaucoup, mais leurs propos ne sont souvent que des « revêtements menteurs » de leurs pensées véritables. Les premiers sont, en gros, sincères, mais pudiques et timides ; les seconds donnent le change sur leurs vrais sentiments, volontairement dans la majorité des cas, inconsciemment quelquefois.

Denys Amiel, sous la plume de qui naissent spontanément les images, a illustré de diverses manières la conception qui lui est propre. C'est ainsi qu'il écrit, en épigraphe à sa courte pièce, *Le Voyageur* : « Penchés sur le texte comme sur un aquarium, nous devons voir en transparence tout ce qui se meut au-dessous, descend, zigzague, remonte à la surface de temps à autre, comme la promenade sous-marine de nos sentiments ». Ou encore : « La conscience des êtres ressemble parfois à ces poupées russes qui s'emboîtent les unes dans les autres, et la vérité ne réside, hélas, trop souvent que dans la plus petite qu'en recouvrent quatre ou cinq autres ».

Le Voyageur oppose en effet trois personnages qui se trouvent dans une situation fausse : « une vérité est entre eux, qui les ronge et dont ils feignent, les uns vis-à-vis des autres, d'ignorer la gravité. D'abord, ils se jouent autour d'elle, puis ils se mettent à la manier avec une sorte de griserie farouche, jusqu'à ce que l'un d'eux, harassé par le jeu, demande grâce ». Tout au long de l'acte, le spectateur doit lire « à travers la transparence fardée des mots, jusque dans leur conscience en détresse ». De même, Valentine, « la femme en fleur », s'écrie lorsque — après un long chassé-croisé, au cours duquel Pierre et elle ont évité de s'avouer leur amour — ses nerfs et ceux de son partenaire sont tellement à bout qu'ils n'ont plus la force de prolonger cette sorte de comédie : « Comme c'est curieux et

émouvant ! On marche un certain temps à travers
des phrases à double et triple sens, comme on irait
à travers un souterrain, et tout d'un coup on
arrive au grand jour... on est là, tous deux, en
pleine vérité ! Et ce qui est merveilleux, c'est qu'on
peut, maintenant, se regarder en face, si légers...
comme si l'on sortait ensemble de la nuit ! ».

Mais Denys Amiel ne se contente pas de faire du
théâtre un art « suggestionniste », l'art des silences
parlés. Il nourrit de plus hautes ambitions : « Ma
préoccupation, en matière dramatique, a toujours
été de confronter le transitoire avec le permanent,
de me pencher sur les variations autour d'un thème
éternel, et de noter leur rattachement à l'immuable
épine dorsale des lois de l'espèce et de la vie ».

Le psychologue étudie « le permanent », c'est-
à-dire les drames sentimentaux, les crises qui se
jouent dans le secret des cœurs. Denys Amiel est
attiré par le problème du couple et, plus spécialement, par la psychologie féminine : « Les trois
quarts de mes œuvres sont des études de femmes »,
déclare-t-il : études de jeunes femmes, avant le
mariage et « de leurs élans magnifiques aux prises
avec la vie » ; études de « femmes en fleur »',
d'autant plus ardentes qu'elles ont souvent gâché
leur jeunesse et qu'elles voient venir avec angoisse
le déclin de l'âge.

Le moraliste, de son côté, étudie « le transitoire », c'est-à-dire les modalités particulières qu'un
milieu et une époque impriment aux sentiments
éternels. Observateur attentif des mœurs de son
temps, Denys Amiel s'attaque aux questions sociales
que pose l'actualité : divergences sentimentales des

générations (*Décalage, La Femme en Fleur*) ;
rapports des parents et des enfants dans « l'équipe
famille de nos jours » (*Famille*) ; répugnance de la
jeune fille moderne à abdiquer sa liberté (*Ma Liberté*) ; danger du machinisme pour l'épanouissement
de la vie intérieure (*L'Age de fer*). Parfois même,
l'observateur social esquisse de véritables fresques
de la vie contemporaine : *La Souriante Madame
Beudet* et *La Maison Monestier* contiennent des
tableaux de mœurs provinciales, d'une observation
assez aiguë.

Denys Amiel a des dons indiscutables de dramaturge. Il est capable de construire logiquement et
solidement une pièce, sur un thème simple et largement humain ; il sait suggérer, non sans subtilité,
les états d'âme complexes et changeants de ses
personnages. Son dialogue est en général juste, vif,
voire incisif. Enfin, Denys Amiel est un auteur
scrupuleux, d'une indiscutable bonne foi. Pourtant
aucune de ses pièces ne donne pleinement satisfaction : tout au plus, pourrait-on faire exception
pour *La Souriante Madame Beudet*, œuvre pénétrante et sans fausse note. Le talent de Denys Amiel
est sujet à pas mal de défaillances : ce grave
moraliste, épris de hauts problèmes, a une façon
assez simpliste de concevoir les rapports humains ;
quant à ses « silences parlés », qui veulent être
lourds de pensées et de sentiments, ils sont parfois
d'une clarté aveuglante pour le spectateur, qui a
tout compris dès les premières répliques et qui doit
attendre plusieurs actes avant qu'on lui donne la
solution d'un problème qu'il a depuis longtemps
déchiffré.

Enfin et surtout, le théâtre de Denys Amiel —
comme celui de Géraldy, de Vildrac et de J.-J.
Bernard — nous présente ordinairement des sentiments exaltés, puisque étudiés à un moment de
crise, mais qui ne sont pas poussés jusqu'à leur
conclusion logique : « l'accident » qu'avait prévu
Madame Beudet, en chargeant le revolver de son
mari, ne se produit pas (*La Souriante Madame
Beudet*) ; Monsieur Un Tel laisse partir sa femme
avec un autre homme et celle-ci ne le trompe
même pas (*Monsieur et Madame Un Tel*) ; Charles
Siégler, qui ne pouvait se passer de Lucienne,
-'efface et retrouve la sérénité (*Décalage*) ; Gilberte
et son beau-père ne s'avouent même pas leur attirance mutuelle (*Le Mouton noir*). Comme
l'observait, non sans sévérité, Jacques Lemarchand,
« cette longue série d'actes manqués, qui se dissimule sous l'élégante étiquette de la discrétion, de
l'école du silence, de la pudeur, ne relève que de la
timidité, du frôlement et de ces vices secrets où les
grands solitaires trouvent de la compagnie ».

L'expérience intimiste a marqué une étape dans
l'évolution de la dramaturgie française. Réagissant
opportunément contre un théâtre artificiel, où
« Sire le Mot » avait usurpé une place exclusive,
les auteurs de cette école ont rallié un public assez
vaste autour d'œuvres sobres, souvent suggestives,
d'une facture minutieuse et délicate. Mais si les
principes essentiels de l'esthétique intimiste sont en
soi excellents, il importe de ne les appliquer qu'à

bon escient. On ne saurait a priori déconseiller à des dramaturges d'écrire des pièces dont l'action est simple et dont les personnages ressemblent à ceux qui nous entourent. Pourtant les réalisations des intimistes nous montrent qu'il ne faut pas se complaire systématiquement dans des anecdotes trop minces — voire un peu simplistes — et dans la peinture de personnages médiocres, hésitants et résignés, dont les entreprises sont infailliblement vouées à l'échec. On peut poser en principe que le théâtre est moins fait pour exprimer les idées que pour les suggérer ; cependant, la formule, trop rigoureusement appliquée, risque d'être dangereuse.

Le théâtre est, en effet, un art qui exige de la concentration et de la puissance : or, peut-on bâtir une pièce vigoureuse avec des sentiments en demi-teintes, à plus forte raison avec des monosyllabes, des soupirs et des points de suspension ? De plus, il semble difficile d'éviter certains écueils, lorsqu'on recourt à « l'inexprimé » sur une scène : en effet, ou les sentiments suggérés ne peuvent être déchiffrés par le spectateur moyen et, dans ce cas, le théâtre intimiste, qui prétend toucher une vaste audience, ne s'adresse en fait qu'à des gens d'une rare subtilité ; ou ces sentiments sont d'emblée clairs comme de l'eau de roche et, dès lors, la pièce perd tout intérêt. Il faudrait aussi éviter que, sous couleur de suggérer, certains auteurs se dispensent de penser ou tout au moins de préciser leur pensée, car on pourrait appliquer à leurs œuvres cette remarque spirituelle de Fortunat Strowski, à propos de *La Femme en Fleur* de Denys Amiel : « La pièce dit sans le dire ce qu'elle ne veut pas dire ».

Au vrai, le théâtre intimiste — nous l'avons constaté à propos de Géraldy — n'a fait que systématiser, d'une manière un peu trop doctrinale, quelques principes fondamentaux de l'esthétique classique, si bien que, par-delà Marivaux ou Sedaine, ce sont nos grands tragiques du XVIIe siècle — Racine surtout — qui peuvent être considérés comme les précurseurs les plus lointains de cette technique moderne. Racine, comme nos intimistes, recourt à une action « simple, chargée de peu de matière » ; ne s'est-il pas vanté, dans la préface de *Bérénice*, d'avoir fait « quelque chose de rien » et d'avoir construit toute sa tragédie sur trois mots de Suétone ?

D'autre part, si l'on dépouille ses tragédies de l'appareil de grandeur que constitue le décor historique, biblique ou mythologique, si l'on oublie que les personnages sont presque tous des rois ou des princes, on s'aperçoit que la plupart des situations, transposées dans l'humble réalité de la vie quotidienne, conserveraient une émouvante vérité. Bien plus, Racine a su exploiter, avant les intimistes, toute la valeur de l'inexprimé. Souvent, les propos de ses personnages, loin de dépasser leurs pensées, restent en deçà ; ils empruntent aux données mêmes du drame une exceptionnelle vertu d'émotion : « Vous y serez, ma fille », déclare Agamemnon à Iphigénie, qui demande si elle assistera au sacrifice dont elle a appris les préparatifs et qui ne sait pas qu'elle doit en être la victime ; « J'ai mes raisons », se borne à dire, quelques instants plus tard, le même Agamemnon, qui veut interdire à Clytemnestre l'accès de l'autel, sans lui révéler qu'on doit y sacrifier leur fille. Les mots les plus courants, « les répliques en apparence les plus indifférentes » — comme dit Jean-Jacques Bernard — parfois même un simple cri jailli du cœur prennent une signification pathétique parce qu'ils éclairent, chez un personnage, sa passion maîtresse : « Me cherchiez-vous, Madame ? », demande Pyrrhus à Andromaque, et son amour est tout entier dans cette question ; de même, le vers d'Andromaque à Pyrrhus : « Je ne l'ai point encore embrassé d'aujourd'hui », révèle toute la tendresse d'une mère pour son enfant. Le cri d'Hermione à Oreste qui, sur son ordre et pour lui plaire, vient de faire exécuter Pyrrhus: « Qui te l'a dit ? » met en lumière toute son inconscience d'amante affolée.

Valentine TESSIER, la « femme en fleur »

Photo Lipnitzki

A côté de ces répliques isolées, on pourrait citer des scènes entières qui relèvent de la technique de l'inexprimé : dans la scène de la confidence de Phèdre à OEnone (1,3), dans celle de l'aveu de Phèdre à Hippolyte (11,5), « il y a — comme dit encore J.-J. Bernard — sous le dialogue entendu comme un dialogue sous-jacent qu'il s'agit de rendre sensible ».

Sans doute aurait-on plus de peine à trouver des exemples analogues dans le théâtre de Corneille, qui a exalté un idéal orgueilleux de grandeur humaine (1). Pourtant, il y a, dans quelques-unes des scènes les plus illustres du *Cid* et de *Polyeucte*, d'excellents éléments d'intimisme : les deux entrevues de Rodrigue et de Chimène sont chargées d'une amère tendresse ; par delà les propos que dicte aux amants le respect de certaines obligations, nous croyons entendre, dans la douceur de la nuit où leurs souffles se mêlent, la voix sourde de la jeunesse, bouleversée par l'attente de l'amour et du plaisir, au sein même de la souffrance.

---

(1) Toujours en quête de renouvellement, Corneille pensa à créer, vers 1650, une sorte de tragédie intimiste. En effet, dans l'épître dédicatoire de *Don Sanche*, il se demande « ce qui défendrait à la tragédie de descendre plus bas ». Si elle doit faire naître dans nos âmes la pitié et la crainte, « ce dernier sentiment ne pourrait-il pas être excité plus fortement par la vue des malheurs arrivés à des personnes de notre condition, à qui nous ressemblons tout à fait ? ». On met sur scène des hommes illustres « dont l'histoire a marqué les actions » ; mais nous n'avons de rapport avec eux « qu'en tant que nous sommes susceptibles des mêmes passions : ce qui n'arrive pas toujours ». Ne serait-il pas permis de « faire une tragédie entre des personnes médiocres », quand leurs infortunes les en rendent dignes ?

Mais l'exemple le plus typique des « silences parlés », chers à Denys Amiel, nous est fourni par la scène de *Polyeucte* (11,2) où Pauline, sur les instances de son père, revoit une dernière fois Sévère. Dans son désir d'ôter tout espoir à son ancien prétendant, peut-être aussi pour se prémunir contre une défaillance, elle donne le change sur ses sentiments, qu'elle comprime, nerfs tendus : ne va-t-elle pas jusqu'à déclarer brutalement à Sévère qu'elle aime Polyeucte, ce qui, à ce moment de la pièce, est faux ? Mais, peu à peu, la présence de Sévère et surtout l'évocation nostalgique de leur idylle passée font naître en elle un trouble que trahissent sa rougeur, sa voix rauque, ses soupirs et même ses pleurs. Elle laisse alors deviner, en usant de termes voilés, les tourments d'un cœur impuissant à étouffer complètement la passion qui l'habite : « Un je ne sais quel charme encor vers vous m'emporte », dit-elle à voix basse et ce vers, justement célèbre, est remarquable non seulement par la grâce alanguie de son rythme, mais aussi par sa puissance d'évocation : comment mieux suggérer, sans le dire vraiment, que l'amour de Pauline pour Sévère est fait d'une attirance mysté-rieuse, qui tient du sortilège et qui est irrésistible ? Et, à la fin de l'entrevue, comme dans *Le Cid*, les anciens amants s'approchent l'un de l'autre : sans oser se l'avouer, ils prolongent de quelques instants leur entretien avant la suprême séparation, jusqu'au moment où Pauline, brisée d'émotion, laisse échap-per ce cri de son cœur : « Je dépendais d'un père » (« hémistiche délicieux, tout imprégné de regret et d'amour », estimait le bon Sarcey). Quelle richesse de sens et d'émotion tient en réserve une pareille scène ! « Le classicisme tend tout entier vers la litote », écrivait André Gide et il ajoutait — la formule méritait d'être adoptée par nos intimistes pour définir l'essentiel de leur programme dramatique — : « C'est l'art d'exprimer le plus en disant le moins ».

II. *LE THÉATRE VIOLENT*

On a parfois attribué à l'influence d'auteurs étrangers le goût de certains de nos dramaturges contemporains pour la violence et la cruauté. De fait, le Suédois Strindberg et, plus près de nous, l'Autrichien Bruckner ont exercé une action sensible sur l'orientation de notre théâtre.

Jean-Auguste Strindberg (1849-1912), « le plus grand génie du théâtre moderne », selon le dramaturge américain Eugène O'Neill, appartient à cette catégorie d'auteurs qui, méconnus et même bafoués de leur vivant, conquièrent après leur mort l'adhésion enthousiaste du public. Lugné-Poe, après Antoine, contribua à révéler cet auteur au public français en montant *Créanciers* et *La Danse de Mort*, deux pièces d'un pessimisme et d'une violence atroces. Pour Strindberg, grand admirateur d'Emile Zola, « qui peignit la vie comme un enfer », les hommes appartiennent, depuis la chute d'Adam, à une race maudite condamnée à se torturer pour racheter des crimes commis dans une vie antérieure. Ainsi, dans *La Danse de Mort*, Alice et Edgar, mariés depuis vingt-cinq ans, vivent seuls à l'intérieur d'une forteresse, soudés l'un à l'autre par une haine farouche. Cette tragédie d'un couple maudit étale un nihilisme intégral en un dialogue abrupt, aux répliques tranchantes : « Tu bâilles devant ta femme ?, demande Alice. — Que veux-tu que je fasse d'autre ? », réplique Edgar.

Ferdinand Bruckner, d'origine autrichienne, a vécu en Allemagne, d'où il s'est enfui pour échapper au régime nazi. A peu près inconnu en France jusqu'en 1932, il s'y imposa rapidement en faisant jouer, coup sur coup, trois œuvres au Théâtre des Arts et au Théâtre de l'Œuvre : *Les Criminels* (1932), une pièce jouée par Pitoëff, qui peint les instincts violents et mal refoulés des locataires d'un même immeuble ; *Le Mal de la Jeunesse* (1933), qui retrace avec une amère saveur le désarroi moral des jeunes allemands après 1918 et *Les Races* (1934), qui dénonce l'éclosion frénétique de la mystique hitlérienne.

Le genre brutal n'était cependant pas en soi une nouveauté pour les spectateurs français après la première guerre mondiale : il avait connu la vogue sur nos scènes à la fin du XIXe et au début du XXe siècles avec Henry Becque, Paul Hervieu, Porto-Riche, Henry Bataille et Henry Bernstein, sans oublier les nombreux auteurs — Georges Ancey, Paul Alexis, Henri Céard... — du Théâtre-Libre, qui servaient à un public facile à scandaliser des « tranches de vie », d'un réalisme cynique et provocant.

Les représentants les plus caractéristiques du théâtre violent entre les deux guerres nous semblent être : Henri-René Lenormand qui, tout en s'intéressant surtout « aux mystères de la vie intérieure » et en particulier aux forces obscures de l'inconscient, scrute ses personnages avec une impitoyable rigueur ; Paul Raynal et Steve Passeur, dont les héros s'affrontent comme des lutteurs en d'implacables combats et, arrachant le masque d'hypocrisie qu'imposent d'ordinaire les convenances sociales, mettent à nu leurs secrets les plus intimes. Un autre dramaturge pourrait être rangé sous cette même étiquette: Jean Anouilh qui, dans ses « pièces noires », cultive une violence explosive et parfois provocante; mais cet auteur, en raison de son talent exceptionnel, méritait d'être étudié à part.

A. *HENRI-RENÉ*
LENORMAND
(1882-1950)

Notice biographique. — Né à Paris en 1882, Henri-René Lenormand est le fils du compositeur René Lenormand. Il débute dans la vie littéraire en 1905 avec un recueil de poèmes en prose, *Les Paysages d'Ame* ; la même année, il fait jouer un drame, *La Folie blanche*, au théâtre du Grand-Guignol ; l'année suivante, il publie un roman, *Le Jardin sur la Glace*. En 1911, il épouse la comédienne Marie Kalff, qui devait jouer dans la troupe des Pitoëff. Sa production dramatique antérieure à la première guerre mondiale comprend des adaptations de Vigny (*Le Cachet rouge*) et de Dostoïevski (*L'Esprit souterrain*) ; de courts drames (*La Grande Mort, Le Réveil de l'Instinct, Au Désert*) ; enfin quelques œuvres plus amples et plus significatives (*Les Possédés, Terres chaudes, Poussière*, montée en 1914 par Gémier). Mais Lenormand n'atteint le grand public qu'en 1919 avec *Le Temps est un Songe*, joué au Théâtre des Arts par la Compagnie Pitoëff, à qui il confiera la mise en scène de la plupart de ses pièces.

Son activité dramatique, dès lors intense, lui

assure en quelques années une grande notoriété : *Les Ratés, Le Simoun* (1920), *Le Mangeur de Rêves, La Dent rouge* (1922), *L'Homme et ses fantômes, A l'Ombre du Mal*, deuxième version de *Terres chaudes* (1924), *Le Lâche* (1925), *L'Amour magicien* (1926), *Mixture* (1927), *L'Innocente* (1928), *Une Vie secrète* (1929), *Les Trois Chambres, Asie* (1931), *Sortilèges* (1932), *Crépuscule du Théâtre* (1934), *La Folle du Ciel, Pacifique* (1937), *Arden de Feversham* (1938). Deux drames, non joués, ont été publiés, en 1942, au tome X du *Théâtre complet* de Lenormand : *La Maison des Remparts* et *Terre de Satan*. Lenormand est aussi l'auteur de récits (*L'Armée secrète, A l'Ecart*), d'impressions de voyages (*Ciels de Hollande*), d'études sur *Le Théâtre Elizabéthain* et *Les Pitoëff*, de *Confessions d'un auteur dramatique*. Il est mort en 1950.

Dans son étude sur *Le Théâtre Elizabéthain*, publiée par *Les Cahiers du Sud* en 1933, Henri-René Lenormand écrivait : « Il est difficile d'imaginer qu'un génie dramatique, s'il surgit demain ou dans dix ans, soit un génie psychologique de la descendance de Racine... Chez Claudel, chez Maeterlinck, chez Saint-Georges de Bouhélier, chez plusieurs jeunes écrivains groupés autour de Gaston Baty, les personnages se meuvent dans une atmosphère qui n'est plus tout à fait celle de la réalité telle que les classiques la concevaient. Leur notion du réel s'est approfondie, amplifiée. Ils ne considèrent plus l'homme psychologiquement analysable comme la matière exclusive de leur art... L'anima'

raisonnable n'est plus seul à occuper les planches ».
Ces quelques lignes, appliquées à des dramaturges
contemporains, définissent aussi l'effort personnel
de Lenormand pour « élargir la vie psychique » de
l'homme sur le plan scénique.

Lenormand a renouvelé le théâtre en lui assi-
gnant comme domaine les mystères de l'âme
humaine : « Toutes mes pièces, déclare-t-il, tendent
vers l'élucidation du mystère de la vie intérieure,
vers le déchiffrage de l'énigme que l'homme est
pour lui-même ». Or, selon Lenormand, l'être
humain est régi par des lois qui lui échappent : sa
personnalité et sa destinée ; les « puissances » qui
émanent de son inconscient ; l'action qu'exercent
sur lui, de l'extérieur, certaines « forces naturelles », comme le temps et l'espace, ce sont là autant
d'énigmes qu'il se sent, en dépit de tous ses efforts,
impuissant à résoudre : d'où son inquiétude, qui
aboutit souvent à une névrose d'angoisse.

L'homme est d'abord incapable de saisir sa
nature profonde, car il est incohérent. Les sentiments et les passions les plus contradictoires
coexistent en lui : ainsi, chez un même individu,
se mêlent, dans un tumulte intérieur difficilement
déchiffrable, la haine et l'amour, la loyauté et
l'hypocrisie, la terreur, mais aussi le désir de la
mort. La bête humaine, le monstre aux instincts
les plus sauvages se déchaîne parfois chez l'être en
apparence le plus pur, de même qu'on peut déceler
dans le cœur des criminels les plus endurcis une
aspiration vers la pureté : « J'aime l'innocence qui
est au fond des crimes », s'écrie un des personnages
du *Mangeur de Rêves*, tandis que l'un des héros de

Mixture éclaircit en ces termes crus le titre de la pièce : « Vous êtes double, comme tout le monde aujourd'hui. Il y a de la peau d'évêque autour de la tripe des meurtriers et des pensées de puritains dans les cervelles des faux-monnayeurs ». C'est surtout à l'occasion d'une crise morale que les sentiments les plus opposés s'agitent en nous : ainsi, quand Laurency, qui éprouvait pour sa fille un amour incestueux, se trouve en présence de son cadavre, il ressent, en même temps qu'une atroce souffrance, une sensation de délivrance (*Le Simoun*) ; quand *Lui* apprend qu'*Elle* s'est livrée à la prostitution pour l'aider à vivre, il sent monter en son cœur, avant de sombrer dans une crise de démence, un mélange confus de joie, de mépris, de pitié et de colère (*Les Ratés*).

Inapte à percer son propre mystère, l'être humain est de plus incapable de connaître la vérité ; de là, chez lui, l'angoisse de l'inconnaissable : « Nous ne pouvons jamais rien connaître de ce que voient nos yeux, de ce qu'entendent nos oreilles, de ce qui traverse nos cerveaux... Tout est fantôme et reflets de fantômes », s'écrie douloureusement Nico van Eyden, le héros du *Temps est un Songe*. Ame ou matière, liberté ou destin, autant de mots vides. Dès lors, l'homme est impuissant à donner un sens et une direction à son existence : « Quel but ? » se demande *Lui* dans *Les Ratés*. On n'atteint rien... On n'arrive nulle part ! la terre tourne et elle ne connaît pas les hommes ! Personne ne sait que nous sommes là ! Alors à quoi bon vouloir devenir quelque chose ? ». Submergé par le destin, l'homme assiste à la désagrégation progressive de sa personnalité et de sa volonté, à l'effondrement de toutes ses ambitions ; il se laisse aller aux pires déchéances, jusqu'au jour où il entrevoit la mort comme le seul remède à son tourment : Nico se jette dans un étang ; *Lui* se suicide dans une sordide chambre d'hôtel et entraîne sa compagne dans la mort.

L'être humain est aussi le jouet de forces mystérieuses qui l'habitent et le commandent secrètement : « J'ai voulu, écrit Lenormand, en finir avec l'homme des périodes classiques, l'archétype de la dramaturgie nationale. Je l'ai livré, ce héros cartésien totalement analysable, aux puissances dissolvantes qui émanent de son inconscient... La plupart de mes pièces suggèrent des forces obscures, invisibles, psychiques. Elles sont un réseau de rayons immatériels qui pénètrent mes personnages, qui agissent sur eux, qui déterminent leurs réactions, leurs agissements et qui engendrent les événements ».

Sur ce point, Lenormand a subi l'influence de Sigmund Freud, mais il convient de signaler qu'il n'a pris connaissance des travaux du psychiatre viennois que vers 1918, c'est-à-dire à une époque où il avait déjà exploré les mystères de l'inconscient. D'ailleurs Lenormand a précisé ce qu'il doit à la doctrine freudienne : « Ce qui peut me rester de Freud, c'est les deux points que voici : la croyance à la signification réelle du monde des rêves, car je suis persuadé que le monde des rêves est plein de révélations sur notre personnalité véritable ; la croyance à l'importance des manifestations affectives de la première enfance ».

Lenormand a exploité, d'une manière assez systé-

matique, ces deux moyens d'étude de la psychana-
lyse dans *L'Homme et ses fantômes* et surtout dans
Le Mangeur de Rêves.

Cette dernière pièce a pu être définie : « l'exposé
d'un cas de névrose provoqué par une censure
s'exerçant sur la libido infantile et du traitement
qu'un psychanalyste applique à la maladie ». Luc de
Bronte, psychanalyste de profession, prétend découvrir chez chaque individu « le signe indéchiffrable
qui est gravé en lui », en se renseignant sur ses
rêves et sur les expériences de son enfance. Une
jeune femme se soumet à ses expériences, Jeannine
Felse, qui a épousé à dix-huit ans un homme de
quarante ans. Jeannine lui déclare qu'elle rêve
souvent à sa mère, qui est morte ; or chacun de ces
rêves s'accompagne de terreurs fantomatiques,
suivies d'une impression douloureuse et, pour elle,
incompréhensible de remords ; elle est aussi
poursuivie par l'idée que l'amour lui est interdit.
D'autre part, Luc de Bronte apprend que l'enfance
de Jeannine a été marquée par un drame affreux ;
à l'âge de six ans, elle a assisté à l'assassinat de sa
mère par des bandits marocains.

Muni de ces renseignements, Luc poursuit ses
investigations : un indigène, qui avait été jadis
témoin du drame, lui révèle que la fillette avait fait
des signes aux bandits, alors que sa mère et elle
étaient réfugiées dans une caverne. De déductions
en déductions, Luc de Bronte perce le mystère de
Jeannine et formule son diagnostic : la vie entière
de la jeune femme a été hantée par l'amour inconscient qu'elle éprouvait pour son père. Dès lors,
tout s'éclaire : le mariage de Jeannine avec un

homme qui aurait pu être son père ; les signes faits aux bandits, pour se venger de sa mère, dont elle était instinctivement jalouse ; ses remords et sa frayeur de l'amour (1).

Aux rêves et aux « manifestations affectives de la première enfance », Lenormand a ajouté un troisième mode d'investigation, préconisé par Freud : la considération des lapsus, gestes ou actes accomplis en dehors du contrôle de la volonté. Ainsi, dans *Le Simoun*, la passion que Laurency éprouve pour sa fille, vivant portrait de sa femme qu'il aimait follement, ne s'exprime que par des réactions involontaires ou par des jeux de physionomie : son refus violent quand l'Agha des Laarba lui demande la main de sa fille pour son fils Giaour ; l'expression de son visage, lorsqu'il fixe les yeux sur le cadavre de Clotilde : « Laurency contemple toujours le cadavre, mais peu à peu son expression change. Elle reflète maintenant une espèce de soulagement animal, la détente physique de la bête poursuivie qui se sent hors d'atteinte ».

Aux fatalités internes qui accablent l'homme s'ajoutent enfin des fatalités qui lui sont extérieures : « les mystères du temps et de l'espace pèsent sur lui ». L'action de ces « forces naturelles » sur la

---

(1) Après avoir élucidé le mystère des êtres soumis à ses expériences, Luc de Bronte applique une méthode théra- peutique qui consiste à libérer les forces subconscientes des malades : dans le cas de Jeannine, il tente de lui faire « dévorer ses rêves » — d'où le titre de la pièce : *Le Mangeur de Rêves* — en lui montrant l'inanité de ses angoisses. Mais l'expérience aboutit au résultat contraire : quand Jean- nine voit enfin clair en elle-même, elle se prend en horreur et se suicide.

conscience est, pour Lenormand, une réalité aussi
indiscutable que l'hypocrisie ou la jalousie pour les
dramaturges classiques.

Le temps, divinité inexorable, est comme
l'incarnation de la fatalité. Hier, aujourd'hui,
demain, « ce sont des mots qui n'ont de réalité que
pour nos mesquines cervelles ». En fait, l'avenir est
déjà contenu en puissance dans le présent, car,
dans l'éternité, « nous sommes en même temps à
naître, vivants et morts ». Le passé, le présent et
l'avenir coexistent ; Lenormand illustre cette idée,
dans *Le Temps est un Songe*, par une allégorie à la
manière de Platon qu'il attribue à un vieux prêtre
de Madras : « L'homme se promène dans le temps
comme dans un jardin... Quelqu'un marche
derrière lui, portant une toile, et il ne peut voir
les fleurs du passé. Quelqu'un marche devant lui,
portant une autre toile, et il ne peut pas encore
voir les fleurs de l'avenir. Mais toutes ces fleurs
coexistent derrière les deux toiles et les yeux de
l'initié ne cessent de les contempler ». Ainsi, « le
temps est comme un mécanisme dont on ne peut
ni retarder, ni suspendre le déclenchement » : le
libre-arbitre humain est une notion absurde.

La fatalité de l'espace s'exerce par l'action du
climat et de certaines forces naturelles, en particulier les eaux et les montagnes. « J'ai courbé
l'homme sous la loi des climats excessifs »,
affirme Lenormand. Grand voyageur, il a situé
certains de ses drames en Afrique et il a analysé
l'action envoûtante de cette terre sur le physique et
sur l'esprit des Européens transplantés. La chaleur
torride provoque d'abord une excitation du système

nerveux, puis elle engourdit le corps, désaxe le
cerveau, annihile la volonté, en même temps qu'elle
provoque le réveil des instincts ancestraux les plus
sauvages.

Ainsi *Le Simoun* a pour cadre un coin perdu du
Sahara algérien : le soleil accablant et les rafales
d'un vent chargé de poussière exercent leurs
ravages sur Laurency et poussent au paroxysme les
passions troubles qui sommeillaient dans son
subconscient. *A l'Ombre du Mal* se situe en Afrique
équatoriale française : les tam-tam des nègres et les
incantations trépignantes des féticheurs, sous une
chaleur d'enfer, au milieu d'une « coulée de jours
vides », atrophient la pensée et livrent les héros du
drame à un hallucinant désarroi intérieur.

Les montagnes et les eaux renforcent l'action du
climat. Les cimes qui se dressent, au milieu de
l'intensité bleue du ciel, à une altitude où il n'y a
presque plus d'atmosphère, accablent le touriste sous
une sensation d'écrasement et d'infinie petitesse ;
en présence de forces naturelles aussi imposantes,
l'homme sent s'atrophier ses réactions de défense.
Les eaux, surtout l'eau morte et fangeuse des marais,
exercent une action encore plus oppressante : Nico,
le héros du *Temps est un Songe*, qui habite une
vieille propriété de la province d'Utrecht, se sent
envoûté et comme désagrégé par le grand étang,
enveloppé de brumes malsaines, près duquel il vit :
« L'eau est morte ici... On devient comme elle,
stagnant, moisi ». Bientôt, pourtant, une attirance
mystérieuse se mêle à sa répulsion ; l'eau de l'étang
s'anime et s'identifie à sa fiancée, Romée : « Elle a
des passions, des colères contenues, comme celles

de Romée... Cet étang paraît clair ; il ne l'est pas.
Sous la surface où se reflète le ciel, il y a tout un
monde obscur, impénétrable. Quand on regarde
Romée dans les yeux, c'est la même chose. Leur
clarté n'est qu'à la surface ». Et le suicide de Nico
dans l'étang s'explique en partie par l'obscur
besoin de pénétrer un insondable mystère.

⋆⋆

Une technique dramatique nouvelle devait corres-
pondre à cet élargissement de l'horizon théâtral.
Les dramaturges classiques, présentant des personnages cartésiens « totalement analysables », avaient
adopté la coupe en cinq actes d'égale longueur pour
renforcer l'impression d'unité et d'harmonieuse
rigueur que donnait déjà la soumission aux
fameuses règles. Les romantiques et leurs successeurs, tout en modifiant plus ou moins profondément les principes de l'esthétique classique, étaient
restés fidèles à la division en actes.

C'est sur ce point surtout que Lenormand s'oppose
à ses prédécesseurs. A la coupe traditionnelle en
actes, il substitue la division en petits tableaux
successifs, dont certains ne durent que quelques
minutes : *Le Lâche* comporte dix tableaux, *Les
Ratés* quatorze, *Le Simoun* quinze. Ce morcellement
du drame, cette juxtaposition de scènes brèves qui
semblent parfois indépendantes les unes des autres
répondent à des exigences psychologiques plus qu'à
des nécessités scéniques : l'auteur a ainsi toute
latitude pour présenter, à des moments et en des

lieux différents, la succession « d'états d'âme » de
personnages chez qui les pensées et les passions sont
toujours en mouvement ; il peut scruter à loisir les
replis les plus cachés du subconscient.

Sous leur dispersion apparente, les drames de
Lenormand laissent pourtant apparaître une unité
interne. L'emprise de plus en plus forte de la
fatalité sur les protagonistes assure la progression
dramatique et tient le spectateur haletant jusqu'au
dénouement.

Ainsi, à travers les quatorze tableaux des *Ratés*,
nous assistons à la déchéance progressive et
inéluctable d'un auteur sans succès et d'une obscure
comédienne qui, après avoir aspiré aux joies de
l'amour et de l'ambition, prennent peu à peu
conscience de leur misère qu'ils analysent douloureusement, glissent vers la résignation, puis se laissent aller aux plus viles lâchetés, jusqu'au moment
où ils se sentent pris et comme broyés dans un
étau : une mort violente est dès lors le seul dénouement logique de leur lamentable destinée.

L'exemple le plus typique de morcellement
apparent et d'unité profonde nous est fourni par
Le Lâche. Les dix tableaux du drame promènent le
spectateur dans différents coins d'une station
d'altitude en Suisse, vers 1915, au milieu d'un
grouillement pittoresque et inquiétant de moribonds,
d'hivernants cosmopolites, de déserteurs et d'espions
internationaux : on passe d'un salon à une chambre,
d'une galerie de cure à « un quai promenade
devant une villa » ou à un tertre de neige à deux
mille mètres d'altitude ; on assiste, dans un palace,
à une fête de nuit costumée, qui se termine en

orgie : de nombreux personnages, dessinés en quelques traits d'esquisse, « profilent leurs masques bouffons, suspects ou grimaçants, sur le fond tragique de la guerre ».

Mais, à aucun moment, l'auteur ne perd son fil d'Ariane : une étude clinique de la peur, qu'il mène jusqu'au dénouement avec une implacable rigueur. Le protagoniste, Jacques, n'est pas le banal poltron dont la comédie nous a offert tant de types : c'est un artiste raffiné, aux nerfs délicats, qui se révolte dans son esprit et dans sa chair contre la guerre, parce qu'elle lui paraît une folie injustifiable et que la seule idée de la souffrance physique et de la mort le remplit d'effroi. Afin de se soustraire à la mobilisation, il se fait passer pour tuberculeux. Mais bientôt il sent rôder autour de lui une atmosphère de soupçons et d'arrière-pensées: il croit deviner, sous les phrases les plus banales, des allusions perfides.

Dans le désarroi de sa conscience, il subit et fait subir à sa femme les pires tortures morales : la terreur le saisit et monte en lui, comme un mal sans remède. D'aventure en aventure, il devient agent de renseignements, est démasqué et mené au poteau d'exécution : « Engrenage terrible et saisissant, parce que d'une logique impitoyable, observait Lucien Dubech. La peur folle du danger jette le lâche au plus sûr des dangers. Il y a dans cette marche une justice et une nécessité qui rappellent les drames de la fatalité ».

***

L'œuvre de Lenormand a été célèbre en Europe et même en Amérique — certaines de ses pièces y ont été publiées en éditions scolaires — avant d'acquérir chez nous la notoriété publique ; cette notoriété subit d'ailleurs actuellement une éclipse. Les critiques reprochent à Lenormand « une certaine immobilité de l'analyse, qui arrête trop longtemps la crise à dénouer » ; des poncifs ; des relents romantiques ; une tendance à nouer des intrigues mélodramatiques ; une impuissance à assainir les plaies qu'il débride.

Le grief qu'on lui adresse le plus communément touche au pessimisme atroce de l'univers qu'il a créé. Il peint en effet un monde halluciné et hallucinant, où règnent la névrose, l'inceste, le meurtre, toutes les déchéances et toutes les turpitudes. « Il me semble qu'il y a un charnier dans ma pensée, un tas d'immondices d'où monte la même puanteur », s'écrie Laurency dans *Le Simoun*, tandis que, dans *La Maison des Remparts*, un juge d'instruction déclare, en montrant des racines tordues qu'il collectionne : « Ce sont, pour moi, des images d'une humanité torturée par le désir, ou la souffrance, ou l'espoir... Des images ressemblantes, parce qu'elles sont hideuses, presque effrayantes ».

Bien qu'il ne convienne guère de chicaner un écrivain sur sa vision du monde, il faut reconnaître que de tels propos risquent de susciter chez le spectateur plus de malaise que d'émotion. On se lasse à la longue d'un théâtre morbide, qui relève

moins de la psychologie que la psychiatrie, voire
de la tératologie (1). Sans doute Lenormand s'est-il
expliqué sur ce point : aussi anxieux et tourmenté
que ses personnages, il a considéré le théâtre
comme un moyen de se libérer des démons qu'il
devinait en lui : « L'œuvre d'art, déclare-t-il,
n'est qu'une décharge des obsessions inconscientes
de l'artiste. L'écrivain exorcise ses démons en les
dépeignant. Il met en scène l'homme qu'il craint
de devenir un jour ; il s'inflige des souffrances ou
des hontes qu'il redoute secrètement d'avoir à
subir ». Reste à savoir si un auteur dramatique doit
se délivrer de ses propres obsessions en écrivant ses
pièces.

En dépit de ces réserves, Lenormand mérite une
place d'honneur parmi les dramaturges de l'entre-
deux guerres, en raison de l'originalité et de la
hardiesse de son œuvre. Dédaigneux des conventions
et de la sensiblerie, il a créé un théâtre « intégral »,
qui scrute jusqu'à la lie le mystère des âmes, grâce
à une exploration méthodique et, pour ainsi dire,
scientifique.

---

(1) Notons pourtant quelques atténuations à ce pessimisme.
On devine, à travers l'œuvre de Lenormand, un besoin
d'évasion, parfois même un appel vers la divinité : ainsi
dans *L'Amour magicien*, il propose une explication occul-
tiste du problème de la survie ; dans *Le Temps est un Songe*,
il déclare, par la bouche de Nico, que « mourir, c'est s'éveiller, c'est savoir, c'est peut-être atteindre ce point de
l'éternité d'où le temps n'est plus un songe ». Dans *Asie*,
apparaît plus nettement l'espoir d'un au-delà, où l'homme
serait libéré des fatalités qui l'accablent ; enfin Lenormand
avouait, en se comparant à Strindberg qui, lui aussi, se
complaît dans le pessimisme le plus sombre : « Notre
désir de voir luire les blanches clartés de la rédemption
et du salut est aussi fort que le sien ».

Une matière aussi ample et aussi chargée d'idées risquait de mal s'adapter aux nécessités scéniques et de buter sur l'écueil de la pièce à thèse, abstraite et figée ; cet écueil, Lenormand l'a en général évité, d'abord parce qu'il a eu l'habileté de ne choisir dans les théories que ce qui convenait à son art, ensuite parce qu'il a le sens de l'intensité dramatique : ses meilleurs pièces sont émouvantes, au sens littéral du mot, c'est-à-dire qu'elles ont le mystérieux pouvoir de provoquer chez le spectateur un ébranlement dont les effets se prolongent au-delà de la chute du rideau.

Aimé CLARIOND et Fernand LEDOUX dans une scène du *Simoun*, à la Comédie-Française

Photo Lipnitzki

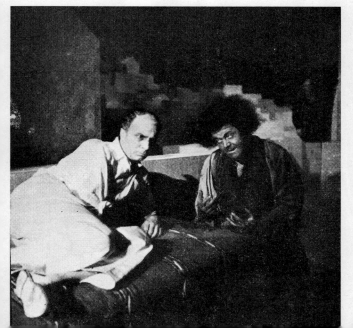

d'après Bourdelle

B. *PAUL RAYNAL*
   (né en 1885)

Notice biographique. — Né en 1885, Paul Raynal a peu produit. En 1909, il écrit *Le Maître de son Cœur*, qu'il présente quelques années plus tard à Antoine, mais la guerre éclate ; jouée en 1920 à l'Odéon, la pièce obtint un succès retentissant. *Le Tombeau sous l'Arc de Triomphe*, représenté en 1924 à la Comédie-Française, déchaîne un tumulte : discutée avec passion, cette œuvre est jouée dans tous les pays et traduite dans toutes les langues. Après un long silence, Paul Raynal donne au Théâtre de l'Œuvre, en 1932, *Au Soleil de l'Instinct*, puis il fait jouer, à intervalles réguliers : *La Francerie* (1933), *Napoléon Unique* (1936), *A souffert sous Ponce-Pilate* (1939). Une dernière pièce, *Le Matériel humain*, écrite dès 1935, n'a pu être jouée, en raison d'incidents assez curieux, qu'en 1947 par la Compagnie de Jean Darcante, au Théâtre de la Renaissance ; saluée comme une réussite exceptionnelle, cette œuvre a obtenu le prix Corneille.

Bien que Paul Raynal ait toujours mis une sorte de point d'honneur à laisser le public dans l'igno-

Le Matériel humain
Photo Lipnitzki

rance de ses desseins, il est possible, à la lumière de ses œuvres, de dégager les grandes lignes de son esthétique dramatique, sans courir le risque de trop la déformer.

Désireux de libérer notre scène à la fois de la facilité des pièces boulevardières et de la vulgarité d'un naturalisme qui l'astreignait à reproduire la vie dans sa plus désolante médiocrité, Paul Raynal a conçu l'ambition de ressusciter la tragédie classique, dans son esprit et dans sa substance, mais en l'adaptant aux mœurs et aux goûts du XXᵉ siècle.

De la notion classique de tragédie, Paul Raynal ne rejette que deux éléments : l'emploi de l'alexandrin et le recours aux rois et aux princes de l'histoire ancienne. La tragédie, telle qu'il la conçoit, sera donc en prose et elle aura pour héros des gens de nos jours. L'essentiel est que ces personnages se hissent sur un plan de vie supérieur: la tragédie représentant ce qu'on a pu appeler « les vacances de la vie », il importe que les passions humaines — amour, haine, ambition — y apparaissent dépouillées de toutes les mesquineries qui les corrompent dans la vie réelle. De là l'imprécision volontaire de Raynal sur les occupations quotidiennes de ses personnages, sur leur métier, voire sur leur milieu social. Débarrassés des contingences, de tels êtres vivent avec plus d'intensité que le commun des mortels et leurs passions, à l'état pur, ont une valeur universelle (1).

_____

(1) Ce souci d'universalité apparaît fréquemment dans l'œuvre de Raynal. Ainsi, au milieu du deuxième acte d'*Au Soleil*

Art de synthèse, la tragédie est en même temps un art de simplification. Aussi Paul Raynal s'est-il appliqué à construire ses pièces avec une extrême économie de moyens. Les personnages — exception faite pour *Le Matériel humain* — sont réduits au strict minimum, le plus souvent à trois (*Le Maître de son Cœur, Le Tombeau sous l'Arc de Triomphe, Au Soleil de l'Instinct*). Les unités, qui assuraient une forte puissance d'émotion à la tragédie classique, sont en général respectées : ainsi, dans *Le Tombeau*, un moment capital de la destinée de trois êtres s'accomplit en quelques heures et dans un même lieu ; l'action de *Napoléon Unique*, qui se prêtait pourtant à l'étalement dans le temps, est concentrée dans la décision d'une journée — la répudiation de Joséphine — dont les répercussions sont de nature à changer le destin du monde.

Le sujet, grand et simple, est toujours une crise d'âme arrivée à son point culminant et qu'il faut rapidement dénouer : lutte entre l'amour et l'amitié (*Le Maître de son Cœur*) ou entre l'amour et l'affection fraternelle (*Au Soleil de l'Instinct*) ou encore entre l'amour et l'ambition dynastique (*Napoléon*

---

de l'Instinct, Brigitte, qui représente l'Éternel Féminin, semble brusquement quitter le réel pour devenir le porte-parole de tout son sexe : « Sa voix s'est faite soudain mystérieuse, comme si ce n'était plus Brigitte maintenent qui parlât pour Alban seul, comme si une femme entre les femmes confiait les secrets de toutes et leurs volontés à tous les hommes en un homme ». Pour une raison analogue, Raynal, dans *Le Tombeau*, laisse l'anonymat à deux de ses protagonistes et ne les désigne que comme des symboles : *Le Vieux, Le Soldat*.

Unique) ; conflit psychologique opposant, à l'occasion d'une permission, un soldat français de 1914 à son père et à sa fiancée qui, installés dans la quiétude de l'arrière, acceptent trop naturellement son sacrifice (*Le Tombeau sous l'Arc de Triomphe*); antagonisme de la raison d'Etat et de l'équité ou, plus exactement, conflit entre les exigences de la discipline militaire et une appréciation humaine de la culpabilité individuelle (*Le Matériel humain*).

La crise morale une fois définie, l'action se développe, suivant la formule racinienne, sans recours à la moindre péripétie extérieure, par la seule force des passions en présence et des perturbations qu'elles provoquent. Comme Racine en effet, Paul Raynal se plaît à opposer ses personnages dans des luttes implacables. Plus que toute autre passion, l'amour se prête à de véritables duels à mort. Une pièce comme *Au Soleil de l'Instinct* évoque par son titre les vastes espaces de la jungle, où luttent les fauves amoureux, et l'un des personnages du *Maître de son Cœur* définit l'amour en ces termes : « C'est une sorte de grand fauve aux colères terrifiantes et soudaines, qui caresse et qui va déchirer ».

Aussi les images empruntées aux assauts de lutte ou à la stratégie militaire reviennent-elles constamment au cours des scènes, où un homme et une femme s'affrontent jusqu'à l'épuisement. Chacun « règle sa manœuvre », prépare attaques, feintes et ripostes avec cran et précision, sachant bien que, s'il relâche sa clairvoyance, il sera impitoyablement « jeté bas et foulé aux pieds ». Une fois l'adversaire « maté », la victoire n'est pas encore défini-

tivement acquise : il faut « installer sa domination »,
rétablir avec persévérance son empire. Une certaine
grandeur farouche naît de la tension même des âmes,
de leur volonté de vaincre ou plutôt de dompter.

Le paroxysme passionnel de ces personnages se
traduit dans le dialogue par un flot de paroles. C'est
ici qu'apparaît le plus nettement l'opposition entre
les « violents » et les « intimistes ». Selon Jean-
Jacques Bernard, que l'on a pu considérer comme
le promoteur de l'école intimiste, chaque fois que
nous sommes sous le coup de sentiments extrêmes,
nous parlons beaucoup moins qu'en temps normal ;
si nous ne gardons pas un silence complet, nous ne
prononçons que des phrases brèves, banales et
coupées de périodes de mutisme, qui laissent deviner un dialogue intérieur sous-jacent, lourd de
réflexion et d'angoisse.

Paul Raynal, au contraire, estime sans doute que
nous sommes particulièrement volubiles dans les
moments de crise : nous éprouvons alors le besoin
impérieux de nous analyser en détail, de mettre à
jour les secrets les plus intimes de nos cœurs, bref
de vider notre sac ; la passion, enfiévrée, trouve un
exutoire dans son expression verbale. A de tels
moments, nos propos diffèrent non seulement en
quantité, mais surtout en qualité, des propos d'une
conversation ordinaire, si souvent dérisoires,
encombrés de platitudes et de balbutiements. Une
certaine éloquence, un certain lyrisme, qui détonne-
raient en temps normal, rendent un son juste dans
la bouche d'un être passionné, car ils sont la traduction spontanée de son état paroxystique. Ce
recours à l'éloquence ou au lyrisme permet de plus

à l'auteur dramatique de sauvegarder, sur le plan de
l'expression, l'obligatoire dignité du genre tragique.

Cette esthétique dramatique est en soi très
valable et il faut rendre hommage à l'héroïsme
d'un auteur qui, dédaignant de recourir à des
moyens faciles, s'est astreint à restaurer le plus
fidèlement possible la notion classique de tragédie.
Mais dans quelle mesure Paul Raynal a-t-il réussi à
accorder ses intentions et ses réalisations ? La
critique a été fort divisée sur ce point : porté au
pinacle par certains, qui le considéraient comme
l' « un des princes du théâtre » contemporain, Paul
Raynal a été rejeté, honni même par d'autres. En
fait, il y a dans son œuvre des erreurs certaines.
Intransigeant et présomptueux, Raynal a conçu l'ambition démesurée de rivaliser avec Eschyle, Shakespeare et les grands tragiques de notre XVIIᵉ siècle.
Il eût fallu du génie : Paul Raynal n'a que du talent.
Ses pièces manquent en général de mouvement:
ainsi, dans *La Francerie*, les discours alternés d'un
prince prussien, d'une Française et d'un jeune
convalescent, qui s'affrontent comme des symboles
dans un poème allégorique, pendant que se déroule
la bataille de la Marne, se ressentent fâcheusement
d'une absence presque totale de progression dramatique. D'autre part, Paul Raynal semble avoir
confondu puissance et brutalité ; ses audaces
ressemblent souvent à des défis : par exemple, il y a
une outrance provocatrice très déplaisante dans la
scène du *Tombeau sous l'Arc de Triomphe*, où le

Soldat exprime devant le Vieux, son père, les rancunes des combattants contre les gens de l'arrière et on comprend le mouvement d'indignation qui souleva les spectateurs de la répétition générale. Enfin, Paul Raynal pèche par incontinence verbale : possédé par le démon oratoire, il noie l'analyse psychologique sous une écume de mots. Certaines de ses pièces, *Le Tombeau* et *La Francerie* en particulier, s'étirent en d'interminables monologues déclamatoires auprès desquels, comme le remarquait Pierre Brisson, « le récit de Théramène n'était qu'un triolet ».

Il faut pourtant reconnaître que Paul Raynal révèle parfois un tempérament dramatique de haute classe. Il y a dans son œuvre quelques maîtres morceaux, d'une ampleur et d'une puissance indéniables : ainsi, tout le second acte du *Maître de son Cœur* et, plus encore, la scène centrale du troisième acte du *Matériel humain*, où un général en chef convoque un caporal qui vient d'être condamné à mort par le conseil de guerre pour un acte d'insubordination et le met en demeure d'apprécier lui-même s'il convient de le gracier, à un moment particulièrement critique où il faut à tout prix maintenir la discipline.

Il convient enfin de signaler que Paul Raynal, sensible sans doute à la critique le plus souvent formulée à son endroit, s'est progressivement libéré de la prolixité et de l'emphase, qui encombraient ses premières pièces, et qu'il s'est élevé, dans *Napoléon Unique* et surtout dans *Le Matériel humain*, à un pathétique d'essence classique, aussi sobre que rigoureux.

14

C. STEVE PASSEUR
(né en 1889)

Notice biographique. — Né à Sedan en 1899, Etienne Morin, dit Steve Passeur, est d'origine irlandaise. Découvert par Lugné-Poe, il fit jouer ses premières pièces à l'Œuvre ou à l'Atelier : *La Traversée de Paris à la Nage, Un Bout de Fil coupé en deux, La Maison ouverte* (1925), *La Jeune Fille à la Popote* (1926), *Pas encore* (1927). Après *A quoi penses-tu ?* (1928) et *Suzanne* (1929), Steve Passeur donne à l'Œuvre, en 1930, sa comédie la plus représentative : *L'Acheteuse.*

Il écrit ensuite *Défense d'Afficher, La Chaîne* (1931), *Les Tricheurs* (1932), *L'Amour gai* (1933), *La Bête Noire, Le Château de Cartes* (1934). *Je vivrai un grand Amour,* créé en 1935 par les Pitoëff au Théâtre des Mathurins, obtient un grand succès. Les œuvres postérieures de Steve Passeur ont été plus discutées : *Le Témoin* (1936), *Le Pavillon brûle* (1939), *Marché Noir* (1941), *La Traîtresse* (1946), *Le Vin du Souvenir* (1947), *107'* (1948), *N'importe quoi pour Elle* (1954).

Si Steve Passeur s'apparente à Paul Raynal par l'extrême violence des sentiments qu'il attribue à ses personnages, il diffère de lui par un curieux parti-pris d'anti-conformisme. Ce dramaturge a tendance en effet à partir de situations qui marquent un renversement des usages auxquels la société est censée se conformer.

Ainsi, dans le théâtre de Passeur, c'est aux femmes seulement qu'il appartient de choisir leurs époux : dans *La Traversée de Paris à la Nage*, une jeune fille demande en mariage un bellâtre frivole et, dans *L'Acheteuse*, une vieille fille fait une démarche identique pour épouser le fils d'un ami de son père. De même, Passeur prend le contre-pied du dicton selon lequel « tout s'achète, sauf l'amour » et, pour administrer la preuve que l'amour lui-même est un marché, il crée Elisabeth Fontanelle, qui « se paye un mari comme elle se payerait une auto » (*L'Acheteuse*) et la duchesse Dominique d'Applemont, qui offre toutes sortes d'avantages substantiels au chevalier d'Idrac (*Je vivrai un grand Amour*). Dans l'univers de Steve Passeur, ce sont toujours les parents qui craignent leurs enfants, ce sont toujours les maris qui tremblent devant leurs épouses ; et bien entendu, l'amour (surtout chez les femmes) n'est vraiment passionné que s'il n'est pas payé de retour : dans *Les Tricheurs*, Agathe aime Samuel Luckmann surtout parce qu'il la rejette et parce qu'elle est convaincue que ce refus est sincère.

La situation initiale — une crise amoureuse le plus souvent — étant posée, Steve Passeur pousse presque d'emblée jusqu'au paroxysme les passions de ses personnages. Déchaînés et en même temps étrangement lucides, ceux-ci s'acharnent, avec une sorte de fureur froide, à satisfaire l'objet de leur désir : ainsi, la protagoniste de *Pas encore*, une nouvelle « maman Colibri » plus cyniquement sensuelle que l'héroïne de Bataille, ne pense qu'à assouvir coûte que coûte ses instincts frénétiques ; l'héroïne de *Suzanne* descend jusqu'au plus bas degré de la perversion pour combler un impérieux besoin de sensations violentes ; les deux héros de *La Chaîne* tournent inlassablement dans le cercle de leur passion, charnelle chez l'un, maternelle chez l'autre.

Au cours de la lutte farouche qui oppose les deux sexes, un être domine, l'autre est dominé, souvent même humilié. D'ordinaire, ce sont les femmes qui mènent le jeu : après avoir provoqué l'homme qu'elles ont choisi, elles prennent un plaisir cruel à le faire souffrir avec une ténacité qui n'admet pas de répit.

Elisabeth Fontanelle ne se contente pas d'exercer un empire despotique sur l'homme qu'elle a « acheté » ; elle lui fait subir chaque jour mille petites tortures qu'elle dose avec des raffinements de tortionnaire ; elle tourne et retourne le fer dans la plaie, en cherchant dans les raisonnements les plus captieux les moyens d'aviver ou plutôt de pimenter la douleur. Et sa victime, Gilbert Courtefigue, un être veule et passif — comme la plupart des personnages masculins de ce théâtre — se sent progressivement lié à Elisabeth par le jeu torturant auquel elle le soumet ; bien plus, il se complaît dans les servitudes de cette domination, en ressent d'étranges voluptés, comme si les liens de la haine

avaient la même vigueur et la même puissance
d'envoûtement que les liens de l'amour.

Non content de renverser comme à plaisir les
normes de la vie sociale, Steve Passeur semble
répugner à développer et à conclure, d'une manière
vraisemblable, la situation initiale qu'il a choisie.
Visiblement, il recherche, en même temps que les
outrances, souvent gratuites, de psychologie, les
revirements brusques et inattendus, parce que non
liés à des décisions antérieures ou à des traits de
caractère précédemment évoqués.

La Chaîne fournit un exemple typique du goût
de Steve Passeur pour ces volte-face : l'héroïne,
Armance, est présentée au début comme une
orpheline pauvre, pleine de grâce et de résignation.
Traitée avec hostilité par un vieil oncle et ses filles,
qui l'ont recueillie, elle a reporté tout son besoin
de tendresse sur Roger, dont elle est devenue la
maîtresse. Mais, par jalousie haineuse, son entourage
s'emploie à la séparer de Roger, qui se suicide dans
une crise de désespoir, laissant Armance enceinte.
Au moment où la jeune femme est au comble de
l'infortune, un brave industriel, Daniel, qui l'aimait
depuis longtemps, consent à l'épouser et à reconnaître l'enfant. Or, au second acte, alors que le
spectateur est encore sous le coup du geste généreux
de cet homme, Armance avoue brusquement à son
mari qu'elle est devenue depuis peu la maîtresse de
son fondé de pouvoir. Elle a beau dire, pour se
justifier, que depuis son enfance une sombre
fatalité pèse sur elle, que, d'autre part, elle ne se
sent pas la débitrice d'un homme qu'elle n'aime
pas, cet aveu abrupt semble absolument invraisem-

blable, parce qu'il n'est pas dans la ligne du caractère du personnage, tel qu'il nous a été jusqu'alors présenté.

Le dialogue, chez Steve Passeur, ne verse pas, comme trop souvent chez Paul Raynal, dans la prolixité ou dans l'emphase : il frappe ou irrite par son âpreté agressive. Les personnages, cyniques, se jettent à la face, en de cinglantes répliques, tout ce qu'ils ont sur le cœur : c'est le contraire même du dialogue des dramaturges intimistes, réticent, tout en demi-teintes, avec ses pudeurs et ses petites hypocrisies. La brutalité d'expression semble d'ailleurs exclure l'émotion : ce n'est pas par des pleurs, mais par des cris d'une stridence glaciale que les héros de Steve Passeur traduisent leur détresse la plus profonde. Imperturbable, l'auteur reste toujours absent du dialogue.

⁂

On ne saurait contester à Steve Passeur une singulière verdeur de tempérament. La virulence, qu'il pratique à haute dose confère à ses meilleures pièces un relief saisissant : ses personnages, spontanément féroces, évoluent dans un univers étrange, mais ils vivent intensément, entourés d'une lumière crue assez effrayante ; la brutalité de leurs attaques. leur goût passionné pour la flagellation sentimentale et les vérités scandaleuses, coupent le souffle du spectateur, l'éberluent, mais souvent aussi le subjuguent.

Pourtant, on a l'impression que ce théâtre n'a pas réussi à trouver son point de floraison. Au lieu de tendre vers la plénitude, Steve Passeur s'est enfoncé dans ses défauts : de là une atmosphère d'étouffement de plus en plus irritante. Sa dramaturgie, arbitraire et préconçue, pèche surtout par un manque presque constant de vraisemblance et de mesure. La cruauté et la monstruosité n'ont d'intérêt en littérature qu'à deux conditions : il faut qu'elles n'excluent pas la vérité de l'observation et qu'elles soient distribuées avec une judicieuse économie. Les héros de Racine sont égarés par des passions d'une extrême violence, mais qui exercent leurs ravages selon les lois d'une implacable nécessité interne. D'autre part, ils n'apparaissent avec un visage effrayant que sous l'empire d'une crise ; ce n'est point là leur visage ordinaire.

Steve Passeur, au contraire, ne réussit que rarement à maintenir les sentiments paroxystiques de ses personnages dans un ton de vérité ou du moins de vraisemblance : leurs revirements insolites, en particulier, suppriment chez le spectateur cette crédibilité, qui demeure l'un des éléments essentiels de l'intérêt que nous portons à un spectacle dramatique. Ajoutons que les héros de Passeur semblent être, par constitution native, constamment frénétiques et hypertendus ; la brutalité, ainsi prodiguée à haute dose, ébranle les nerfs du public, mais le fatigue assez vite et ne le convainc pas.

⁎⁎

En dépit d'un effort apparent de renouvellement, l'œuvre dramatique de Paul Raynal et de Steve Passeur marque un retour à d'anciennes formules, plus ou moins camouflées.

L'esthétique de Paul Raynal ressemble singulièrement à celle de son devancier Paul Hervieu qui,
lui aussi, nourrit en son temps l'ambition de
restaurer l'intensité de la tragédie classique, en
!'adaptant au rythme et aux mœurs de son temps.
Egalement hautains, ces deux auteurs ont refusé
de plaire au public en recourant à des moyens
faciles ; également épris de logique et de véhémence, ils ont construit leurs pièces avec la même
rigueur géométrique et recherché les mêmes effets

René LEFÈVRE, Suzanne FLON et Christian LUDE
dans *L'Acheteuse*

Photo Lipnitzki

d'émotion violente. Enfin, chez l'un comme chez l'autre, le dialogue, éloquent et même emphatique, est mené à la manière d'un assaut d'escrime.

L'œuvre de Steve Passeur s'apparente plutôt à la tradition du théâtre passionnel d'avant 1914 : elle fait penser à Porto-Riche et à Henry Bataille par sa conception de l'amour, passion exclusive qui oppose les sexes dans une lutte farouche, et plus encore peut-être au Bernstein première manière, dont les drames, taillés à coups de hache, peignaient un univers féroce et subjuguaient les spectateurs par un sens éprouvé des effets violents (1).

---

(1) Un autre dramaturge, Charles de Peyret-Chappuis, qui a connu la notoriété peu de temps avant la seconde guerre mondiale, a écrit quelques pièces d'une noirceur et d'une violence implacables. Son chef d'œuvre, *Frénésie* (1938), a pour héroïne une vieille fille secrète et dure, qui prend brusquement conscience qu'elle peut inspirer de l'amour : elle est prête à briser le carcan de vingt années de refoulement et de contraintes. Mais le racornissement d'une âme pétrie de rancœurs l'a marquée pour la vie et rien ne peut la délivrer de l'enfer qui est en elle : si elle goûte une joie maligne à torturer l'être faible qu'elle aime sauvagement, elle est incapable de vraie tendresse, inapte à jamais au bonheur. La crise passionnelle a permis à l'auteur de peindre, en traits cruels, un monstre qui s'épuise à souffrir et à faire souffrir, mais dont la frénésie ne manque pas d'une sauvage grandeur.

QUATRE MAITRES

I. *PAUL CLAUDEL*
  (1868-1955)

Photo Lipnitzki

Notice biographique. — Paul Claudel est né en 1868 à Villeneuve-sur-Fère, dans l'Aisne. Après avoir achevé ses études scolaires à Louis-le-Grand, il suit les cours de l'Ecole de Droit et des Sciences politiques. En juin 1886, il découvre l'œuvre de Rimbaud, dont il subit « l'ensorcellement » ; il affirme avoir été touché par la grâce, le soir de Noël de la même année, en entendant le Magnificat à Notre-Dame. Il entre dans la carrière diplomatique en 1890 : consul, ministre plénipotentiaire, ambassadeur enfin, il séjourne dans de nombreux pays, en particulier en Extrême-Orient et en Amérique du Sud. Il écrit pour la scène : *Tête d'Or* (1880), *La Ville* (1890), *L'Échange* (1893), *Le Repos du Septième Jour* (1896). En 1900, il publie un recueil de poèmes en prose inspirés par la Chine : *Connaissance de l'Est* ; à partir de 1904, il compose un *Art poétique*. En 1905, il épouse la fille d'un architecte de Lyon, Reine Saint-Marie Perrin.

L'année suivante, il revient au théâtre avec *Partage de Midi*, qui est publié à cent-cinquante exemplaires, puis retiré de la vente parce que traitant un sujet trop intime (cette œuvre n'a été jouée qu'en 1948 par J. L. Barrault). *L'Annonce faite à Marie*, remaniement de *La Jeune Fille Violaine*, est jouée en 1912 au Théâtre de l'Œuvre par Lugné-Poe : c'est la première représentation d'une œuvre dramatique de Paul Claudel. *L'Otage* (1910), *Le Pain dur* (1915), *Le Père humilié* (1916), constituent une trilogie, qui s'étale sur trois générations. En 1910, Claudel avait publié le chef-d'œuvre de sa poésie lyrique, *Cinq grandes Odes, suivies d'un Processionnal pour saluer le siècle nouveau* ; il fait paraître ensuite *La Cantate à trois voix* (1913) et *Deux Poèmes d'été* (1914).

De 1919 à 1924, Claudel compose un drame aux multiples épisodes, *Le Soulier de Satin*, que J. L. Barrault a monté à la Comédie-Française en 1943 et repris au Théâtre de France en 1963 dans une version abrégée ; pendant cette même période, il écrit deux farces lyriques : *L'Ours et la Lune* et *Protée*. Il tire ensuite de la Bible ou de l'histoire des scènes « dialoguées et animées » : *Le Livre de Christophe Colomb* (1933), *Jeanne au Bûcher* (1939), *L'Histoire de Tobie et de Sarah* (1940). Paul Claudel est élu à l'Académie-Française en 1946 ; il meurt en 1955. L'œuvre dramatique de Claudel a été publiée dans la collection de la Pléiade.

Dans son œuvre théâtrale, comme dans son œuvre poétique, Paul Claudel prétend éclairer le mystère de l'univers et le destin de l'homme à la lumière de la foi chrétienne. De *Tête d'Or* au *Soulier de Satin*, la production dramatique de cet auteur se résume en un effort pathétique pour détacher la créature humaine des passions terrestres, incapables de satisfaire son besoin de sécurité et d'absolu, pour l'acheminer peu à peu, en dépit des tentations

Photo Lipnitzki

charnelles, vers Dieu, c'est-à-dire vers sa cause première comme sa fin dernière, et pour lui permettre
de retrouver, en même temps que l'innocence primitive, le paradis perdu.

A. LA VISION CHRÉTIENNE DU MONDE

Pour Paul Claudel comme pour Pascal (1), les
êtres humains s'étagent sur des plans différents ;
ils sont répartis en classes ou ordres distincts : « Aux
célestes le ciel, et la terre aux terrestres », déclare
Jacques Hury à Violaine dans *L'annonce faite à
Marie*.

---

(1) Bien que Claudel, dont le christianisme est fait d'ardeur
joyeuse, n'ait rien d'un janséniste et bien qu'il n'ait pas
formulé explicitement, comme Pascal, une théorie des
ordres, le rapprochement est tentant. Pascal distingue
essentiellement trois ordres : aux deux extrémités, l'ordre
de la chair, auquel appartiennent tous ceux qui convoitent
les biens matériels, les rois, les capitaines, les riches, et
l'ordre de la sainteté, où évoluent ceux qui, méprisant
les grandeurs de l'ordre charnel, pratiquent la charité
et aspirent à s'unir à Dieu dans le monde surnaturel. Ces
deux ordres se retrouvent, à quelques nuances près, chez
Claudel. A mi-chemin entre la chair et la sainteté, Pascal
situe l'ordre de l'esprit, qui groupe les « curieux », artistes
ou savants, ceux qui échappent à la chair en s'élevant
par leur intelligence vers un idéal humain ; cet ordre est
différent de l'amour humain, que l'on peut considérer
comme le troisième ordre claudélien. Autre différence :
selon Pascal, les ordres n'ont entre eux ni communication,
ni commune mesure ; la toute puissance dans l'ordre de
la chair ne rend pas apte aux choses de l'esprit, pas plus
qu'un accroissement de l'intelligence ne peut produire
un mouvement de vraie charité. Pour Claudel, il n'y a
pas, entre les ordres, de cloisons étanches : ainsi l'amour
humain, en se purifiant, peut acheminer les créatures
vers l'amour divin et le monde spirituel lui-même apparaît
à l'image du monde matériel.

← Paul CLAUDEL et ses interprètes de *Partage de Midi* :
on reconnaît J.-L. BARRAULT et Edwige FEUILLÈRE

Les « terrestres » représentent l'ordre de la chair
ou du péché. Avides de biens matériels et possédés
par les diverses passions humaines — volonté de
jouissance et volonté de puissance en particulier —
ils symbolisent, dans leur solitude égoïste, l'angoisse
et parfois même la détresse d'une humanité privée
de Dieu. C'est, dans *Tête d'Or*, Simon Agnel, glorieux
et vain conquérant, qui représente l'effort impuissant
de l'homme pour s'élever par ses seules forces terrestres ; c'est, dans *La Ville*, Isidore de Besme, le
constructeur de cités, le brasseur d'affaires, qui
incarne l'esprit capitaliste, résolument hostile à tout
ce qui est amour et charité ; c'est, dans *L'Echange*,
Louis Laine, asservi à une conception utilitaire de
la vie, tout comme le bouffon Thomas Pollock
Nageoire, qui rend grâces au Seigneur pour avoir
donné « le dollar à l'homme, afin que chacun puisse
vendre ce qu'il a et se procurer ce qu'il désire ».
« Terrestres » encore, dans *Partage de Midi*, de Ciz,
l'époux d'Ysé, « espèce d'ingénieur à la manque »,
gauche et faible, et, à l'opposé, Amalric, le type du
grand aventurier fort et impérieux, « qui a dans le
dos un gros os dur » ; dans *L'Annonce faite à Marie*,
Mara, la fille de la terre, sauvage et dévorée par des
passions toutes terrestres : l'entêtement, l'avarice, la
jalousie et le goût du crime ; dans *Le Soulier de
Satin*, le renégat don Camille, chez qui dominent
l'ardeur impie, l'appétit du blasphème et l'amère
volupté du néant.

Mais, plus que tout autre personnage claudélien,
c'est Toussaint Turelure, le héros de *L'Otage* et du
Pain dur, qui symbolise, avec un puissant relief,
cet ordre de la chair. Fils d'un braconnier et d'une

Une scène de *L'Otage*. De gauche à droite :

Jacques BERTHIER,
Hélène SAUVANEIX et Jean LE POULAIN

servante, ce plébéien vulgaire, hypocrite et féroce, mais astucieux et indomptable, recherche avec obstination, au sein d'une société bouleversée, les satisfactions matérielles les plus éclatantes. Cyniquement opportuniste, il gravit ou plutôt il escalade en force tous les échelons de l'antique société : entré tout jeune au monastère, il s'empresse de jeter le froc aux orties, dès que la Révolution brise les clôtures des couvents ; il est alors tour à tour terroriste implacable, général, baron d'Empire, préfet de la Marne, puis de la Seine, enfin maréchal comte et président du conseil des ministres de Sa Majesté Louis-Philippe.

Parallèlement à son étonnante carrière politique, Turelure prétend aussi assurer par la force ses conquêtes amoureuses : comme il sent qu'il ne peut inspirer que de la répulsion à Sygne de Coûfontaine, dont il est violemment épris, parce qu'elle est belle, mais surtout parce qu'elle symbolise pour lui, fils de serf, cette race hautaine des seigneurs dont la Révolution a triomphé, il n'hésite pas à recourir à un chantage odieux pour qu'elle consente à l'épouser. Mais Turelure est en butte à la haine de son entourage : sa femme, Sygne, refuse, en mourant, de pardonner à celui à qui elle s'est alliée par contrainte ; plus tard, son propre fils, qu'il a dépouillé de son héritage et acculé à la ruine, trame un complot contre lui et Turelure agonise, effrayé, sous la menace de ses pistolets. Ainsi, les êtres qui évoluent dans le monde du péché sont peut-être encore plus malheureux que coupables : ce sont des âmes que la grâce n'a pas touchées ; elles ont droit à notre compassion.

Les « célestes » représentent l'ordre de la sainteté ou de la grâce. Contraints de gravir le dur chemin de leur perfection, ces êtres, élus de Dieu, ne trouvent leur achèvement qu'après avoir lutté contre la nature, pour ne s'attacher qu'à l'âme et aux choses immortelles : au terme de leur ascension, ils goûtent la plus haute joie, faite de sécurité et de paix, dans l'extase mystique, comparable à l'extase des saints.

Ainsi, dans *Tête d'Or*, le jeune Cébès, un être faible, sensible comme une femme, ne s'accomplit qu'après s'être affranchi des contraintes de la chair ; dans *L'Annonce faite à Marie*, le patriarche Anne Vercors et sa fille Violaine accèdent à l'état de sainteté en luttant contre eux-mêmes pour obéir à une destinée secrète tracée d'avance : Anne, fermier prospère, mari et père comblés, quitte son domaine, sa femme et ses enfants, parce qu'un ordre impérieux — cette « trompette » qui sonna le jour de la naissance de l'enfant de Bethléem — lui enjoint de quitter les limites de sa terre trop heureuse et de se rendre en pèlerinage à Jérusalem ; de même, Violaine, qui aime son fiancé Jacques Hury et qui en est aimée, se doit de donner un baiser de pardon et de paix au lépreux Pierre de Craon : ce sacrifice librement consenti (1) fera d'elle une lépreuse, une réprouvée, presque une bête, mais aussi une

---

(1) Le sacrifice, fondement de la vie chrétienne, n'a en effet de la grandeur que s'il est librement et même joyeusement consenti. Sygne de Coûfontaine, qui s'est sacrifiée en s'alliant à Turelure, qu'elle exècre, pour sauver le chef de l'Eglise, commet pourtant un grave péché, parce qu'elle refuse de se donner loyalement à son époux et parce qu'elle meurt sans consentir à lui pardonner, manquant ainsi à l'un des plus pressants commandements de la charité chrétienne.

« servante du Seigneur », une sainte, dont la merveil-
leuse mission sera de rendre le bien pour le mal,
de coopérer, comme la Vierge Marie, au salut des
âmes en donnant à chacun une part de sa grâce.

De même que les individus, les communautés
humaines accèdent à l'ordre de la charité, lorsqu'au
lieu de faire d'elles-mêmes leur fin, elles confessent
l'existence de Dieu et lorsqu'au lieu de se fonder sur
la loi, elles se fondent sur la foi, c'est-à-dire sur
l'amour : tel est le problème que Claudel pose dans
La Ville et dans sa trilogie, *L'Otage, Le Pain dur,
Le Père humilié.*

Un troisième ordre, l'ordre de l'amour humain —
ou amour de la créature pour la créature — se
présente sous deux aspects opposés, selon qu'il nous
éloigne de Dieu ou qu'il nous achemine vers lui.
Dans le premier cas, l'homme cherche à satisfaire
son besoin d'unité et d'absolu en s'attachant passionnément à un autre être humain ; il espère remédier
à sa propre insuffisance grâce à la fusion que l'amour
laisse entrevoir : ainsi Mésa, amoureux d'Ysé, dans
Partage de Midi, et, dans *L'Otage*, Agénor de Coûfontaine qui, au nom d'un idéal chevaleresque,
sacrifie son bonheur pour se mettre entièrement au
service de son roi en exil. Un tel amour ne se réalise
qu'au prix du péché, dans la mesure où il prétend
trouver sa fin dans une créature et non en Dieu : il
porte alors en lui-même son expiation, car il aboutit
(c'est surtout vrai de l'amour charnel) à l'incompréhension, à la satiété, à la honte, au désespoir, parfois
même au crime (dans *Partage de Midi*, Mésa, sur
l'initiative d'Ysé, fait disparaître de Ciz). Pourtant,
l'amour humain, dans certains cas, fait partie des

plans secrets de la Providence : c'est un moyen, une
« amorce », un « cric » que Dieu, à qui tout sert,
même les péchés — *etiam peccata* — utilise parfois
pour le salut des âmes : l'amour fait connaître à
l'homme le désir qui, le laissant insatisfait, l'oriente
par la souffrance sur la voie de l'amour divin ; après
s'être progressivement libéré de toute attache
charnelle, l'homme ne cherche plus à atteindre,
dans l'objet de son amour, que l'âme immortelle,
le renoncement sur le plan terrestre étant la condition
et le moyen d'une union mystique absolue, après
la mort, dans le monde divin. Dans *Partage de Midi*,
lorsque l'imminence de la mort fait comprendre
à Mésa et à Ysé que leur désir d'être l'un à l'autre,
dès cette terre, ne pouvait aboutir qu'au sacrilège
et que ce qu'ils croyaient être « le triomphe de la
nature et de la vie » n'était que la mort de leur âme,
tous deux acceptent alors l'expiation en ce monde
et bientôt dans l'autre. Ce qui règne dès ce moment
dans leur cœur, ce n'est plus la honte, ni l'acca-
blement du remords, mais la joie de la compréhension
totale, l'enthousiasme du consentement parfait à leur
destin, la vision de leur union, ou plutôt de leur
fusion en Dieu, au delà de l'anéantissement de leur
chair.

Paul Claudel a résumé et comme épanoui cette
vision du monde, étagée sur trois plans, dans
l'immense fresque dramatique qu'est *Le Soulier de
Satin*, « action espagnole en quatre journées », qui
se déroule sous la Renaissance, époque où l'Espagne
s'efforçait d'organiser son empire en Amérique.

Le héros de la pièce, don Rodrigue, un conquis-
tador dont l'auteur retrace la singulière odyssée,

évolue assez longtemps dans l'ordre de la chair, hanté par « un désir passionné de bonheur individuel ». Ce désir s'applique d'abord à l'univers : avidement attiré par tous les biens matériels, Rodrigue tend ses bras vers les immenses espaces du monde, comme pour les embrasser et les conquérir d'une seule étreinte. Mais la Providence divine, qui veille sur cette âme, recourt à un moyen détourné, à une « ligne courbe » pour la sauver : un jour, elle substitue l'amour humain à la passion de l'univers dans le cœur de Rodrigue. Dès sa première rencontre avec dona Proulhèze, épouse de don Pélage, gouverneur de Mogador, don Rodrigue se sent uni à cette femme par un lien indissoluble.

L'illusion du bonheur terrestre et la soif du désir poursuivent quelque temps ces deux êtres, mais grâce à une double aide providentielle — don Rodrigue est protégé par les prières de son frère, un missionnaire jésuite, qui a offert sa vie à Dieu pour le sauver, tandis que dona Prouhèze est secourue par la Vierge, à qui elle a confié en gage un de ses souliers de satin, pour qu'elle ne puisse plus s'élancer vers le mal qu' « avec un pied boîteux » — ils luttent victorieusement contre la tentation et respectent la sainteté du mariage (on note sur ce point le progrès par rapport à *Partage de Midi*, où Mésa et Ysé succombent à la tentation). Bientôt, ils sont physiquement séparés : don Rodrigue, au service du roi d'Espagne, doit gouverner l'Amérique en qualité de vice-roi, tandis que doña Prouhèze, veuve de don Pélage, est appelée à jouer un rôle politique sur la côte africaine ; bien plus, Prouhèze se remarie et Rodrigue a des maîtresses.

Mais ni l'absence, ni de nouvelles unions ne sauraient porter atteinte à un amour comme le leur ; par-delà les océans qui les séparent, don Rodrigue et dona Prouhèze restent unis par leurs âmes, qui sentent « ce battement sacré par lequel elles se connaissent l'une dans l'autre sans intermédiaire ». Dépouillé de tout désir charnel, après s'être dépouillé de toute volonté de puissance, don Rodrigue finit son existence déchu et misérable, mais tout rayonnant de sainteté : il ne songe plus qu'à la vie véritable, qui est la vie éternelle, et à l'unique amour, qui est l'amour de Dieu. Le renoncement volontaire aux satisfactions terrestres est ainsi la condition de la félicité éternelle et de la rédemption définitive.

B. *LA VISION POÉTIQUE DU MONDE*

La vision chrétienne du monde ne se sépare pas chez Paul Claudel d'une vision poétique, car son christianisme est essentiellement un christianisme de poète. Pour Claudel, l'univers, texte vivant où se manifeste le message divin, réalise, en dépit de son chaos apparent, une complexe, mais harmonieuse unité, formée de subtils accords entre la terre et le ciel, entre le corps et l'esprit, entre le visible et l'invisible. Tout ce que Dieu a créé a une essence commune, toutes les choses communiquent entre elles, s'enchaînent et se tiennent, comme en une trame dont les fils s'entrecroisent.

Or, le rôle du dramaturge, comme celui du poète, est de suggérer cette grandiose harmonie ou plutôt « mélodie » de l'univers. Pour réaliser ce dessein,

Claudel, totalement indifférent aux conventions traditionnelles de la scène, n'a pas hésité à réformer de fond en comble la technique dramatique, de même qu'il a renouvelé la langue et le rythme poétique du théâtre.

Doué d'une fastueuse imagination, que stimula encore sa carrière de diplomate appelé à parcourir en tous sens notre globe, Paul Claudel s'insurge contre l'univers resserré dans le temps et dans l'espace, que préconisent la plupart des dramaturges. Comme Isidore de Besme dans *La Ville*, il contemple « l'étendue du lieu, la durée du temps ». Que signifie en effet une limitation dans le temps, alors que le passé et l'avenir sont faits d' « une seule étoffe indéchirable » et qu' « à toute heure de la Terre, il est toutes les heures à la fois, à chaque saison, toutes les saisons ensemble » ?

Ainsi, les quatre journées du *Soulier de Satin* recouvrent plus de dix années et la trilogie de *L'Otage*, du *Pain dur* et du *Père humilié* s'étale, à travers trois générations successives, sur plus de soixante ans. De même, Claudel donne souvent pour cadre à ses pièces l'univers entier, embrassé sous tous ses angles : « La scène de ce drame est le monde », déclare l'Annoncier au début du *Soulier de Satin*. Et de fait, cette œuvre, où se pressent princes et serviteurs, négresses et chinois, saints et picaros, conquistadors et nobles dames, transporte le spectateur du désert de Castille à la côte de Mogador, d'une forêt vierge en Sicile à Prague et à Panama, de la pleine mer, que sillonnent de blanches caravelles pour coloniser des terres nouvelles, jusqu'au milieu même du monde astral.

Mais Claudel n'est pas seulement soucieux de donner la sensation de l'immensité de l'univers, il veut aussi suggérer le mouvement lent et continu qui anime la nature : par là s'expliquent l'absence presque totale de péripéties dans la plupart de ses drames, souvent même l'absence d'exposition et de dénouement véritables. mais, en revanche, une progression majestueuse, sans heurts ni ruptures, comme la coulée d'un grand fleuve, et des personnages qu'on dirait enveloppés de brumes, aux gestes longuement prolongés et aux attitudes hiératiques.

Drame universel — « catholique » au sens étymologique — le drame claudélien ne rejette aucune des formes, aucune des manifestations de l'univers, car tout ce qui existe, ayant été voulu par Dieu, a sa raison et son rôle à jouer dans l'ordre providentiel. C'est à ce titre que le réalisme, le comique et même le burlesque tiennent une place importante dans cette œuvre dramatique. Si Claudel est un mystique, épris de visions grandioses et de pensées éthérées, c'est aussi un paysan champenois, qui a un sens charnel de la réalité, un homme de grange et de charrue, aux épaules trapues, bien arqué sur ses jambes, qui se plaît à célébrer avec de savoureux mots de terroir toutes les splendeurs de la terre, dont il suggère le sens profond en faisant surgir leur chaude présence autour des héros de ses drames.

A ce réalisme s'associent parfois des éléments de comique. Il semble assez oiseux d'expliquer le goût de Claudel pour la farce par un désir de rivaliser avec Shakespeare, qui coupe d'amples mouvements dramatiques par des réparties bouffonnes, ou encore

avec les tragiques grecs, qui ajoutaient à leurs
trilogies un drame satirique, à la fois lyrique et
burlesque. Retenons plutôt cette confidence de Paul
Claudel à M. Jacques Madaule : « Le côté comique,
le lyrisme épanoui de la farce est fondamental chez
moi ». Ce « côté comique » répond, plus encore
qu'au souci de ne pas rejeter d'une œuvre qui veut
être cosmique (1) un aspect important du réel, à un
besoin impérieux de détente chez un homme
vigoureux, plein de santé et d'entrain : « Rions, cela
est bon », disait Claudel ; tel était aussi le cas de
Victor Hugo qui, las de se tenir sur les cimes,
mêlait parfois aux accents solennels du prophète
inspiré les accents frivoles d'un faune en liberté.

Le comique claudélien se manifeste par des
calembours ou des intermèdes burlesques, qui
dissipent la tension du drame : par exemple, dans
Le Soulier de Satin, la scène où les hidalgos recensent
les bateaux qui formaient l'Invincible Armada, le
Saint-Marc Girardin, le Saint Barthélemy, le Saint-
Hilaire, le Saint-René Taillandier. Il apparaît à l'état
pur, pourrait-on dire, dans deux « farces lyriques »,
Protée et *L'Ours et la Lune* ; enfin, il anime certains
personnages, à qui Claudel communique sa joie de
vivre : ainsi Louis Laine, dans *L'Echange*, et surtout
l'abominable, mais truculent Turelure.

De même qu'il a fait craquer les cadres qu'il
jugeait trop étroits de la dramaturgie traditionnelle,

---

(1) Claudel se réjouit un jour, paraît-il, de voir sur la man-
chette d'une de ses œuvres : « Paul Claudel, auteur *comique*»
au lieu d'« auteur *cosmique* ».

Paul Claudel a bousculé les règles habituelles du langage au théâtre. Les mots ne sont pas pour lui des signes conventionnels, chargés de rendre compte logiquement de l'univers. Concrets et non abstraits, constamment recréés et neufs au lieu d'être usés, les mots, trame et substance de toute œuvre, doivent par leur sonorité, mais aussi par leur juxtaposition et leur subtil arrangement dans la phrase, traduire, dans leur spontanéité originelle et dans leur vérité essentielle, aussi bien l'harmonieuse luxuriance des choses sensibles que les mouvements les plus secrets et les plus difficilement saisissables de notre vie intérieure.

Ainsi s'explique l'importance que Claudel accorde à la métaphore, qui est pour lui non plus la notation de deux termes ressemblants, mais « le mot nouveau, l'opération qui résulte de la seule existence conjointe et simultanée de deux choses différentes ». Sublimes ou triviales, les métaphores de Claudel, par leur foisonnement intarissable, creusent toujours plus avant pour atteindre, par-delà les apparences, le mystère vivant de la création, la substance intelligible des êtres et des choses.

Enfin Claudel, considérant la versification traditionnelle comme un instrument trop étroit pour son art universel, lui a substitué ce vers sans rime ni mètre qu'on a pris l'habitude d'appeler verset, bien qu'il ait rejeté cette appellation. Disposé en alinéas, dont les lignes se disjoignent, le verset claudélien ressemble plus à une phrase de prose qu'à une strophe de poème. Claudel lui-même l'a indiqué dans une lettre à M. Henri Clouard : « La lignée n'est pas chez les poètes français, mais dans

la suite ininterrompue des grands prosateurs, qui
va des origines de notre langue à Arthur Rimbaud.
C'est cette longue houle qui, même dans mes poèmes,
vient enfin déferler et se changer en un vol d'oiseaux,
comme les estampes du Japon. Prenez mes alinéas,
si vous voulez, comme un système nouveau de
ponctuation, qui aère l'antique masse et lui donne le
trait et l'aile ».

Le vers claudélien, d'un type original, est calqué
sur le rythme respiratoire, qui est le rythme le plus
naturel et le plus primitif : il se dilate et se contracte,
se soulève et s'abaisse, comme la poitrine dans sa
double fonction d'aspiration et d'expiration. Ce vers
transcrit avec fidélité toutes les pulsations de la
sensibilité : fébrile pour exprimer l'allégresse,
entrecoupé pour l'angoisse, lent et grave pour la
sérénité.

C. FAIBLESSES ET GRANDEUR D'UNE ŒUVRE

Bien qu'il ait conquis dans les dernières années de
sa vie et surtout depuis sa mort une audience plus
large, Paul Claudel reste méconnu du grand public.
Un Français non croyant et de culture latine, c'est-
à-dire épris de logique, de clarté et de mesure, aura
toujours, si pénétrant que soit son esprit, difficilement accès à une œuvre non seulement tout
imprégnée de foi catholique mais aussi étrange, tumultueuse, baroque, tour à tour grandiose et burlesque, presque constamment hors du monde des
proportions courantes.

Les spectateurs qui n'ont pas la foi ne sauraient se trouver à l'aise dans un univers régi par des lois étrangères à notre humaine sagesse. Lecteur familier des livres saints, Claudel évolue avec une parfaite aisance au milieu d'un réseau subtil et complexe de symboles liturgiques, dont le sens reste souvent hermétique au commun des mortels : « Il faut être bougrement chrétien pour y comprendre quelque chose », s'écria, raconte-t-on, l'acteur Raimu à la première du *Soulier de Satin*. Claudel s'est d'ailleurs expliqué lui-même sur « la véritable raison de l'obscurité » de ses œuvres. Cette obscurité, qu'il ne conteste pas, viendrait surtout de l'impossibilité pour un chrétien de s'exprimer en termes parfaitement intelligibles, alors qu'il tâtonne « dans l'humiliation, dans la nuit, dans l'aveuglement » à la recherche de la cause de toutes choses, qui est Dieu. Tenons-nous-en, sur cette délicate question, à la poétique image de Colette évoquant « le vaste souffle de forêt nocturne » qui passe sur l'œuvre entière de Paul Claudel.

Quant aux critiques dramatiques contemporains qui, malgré une indiscutable largeur de vues, ont gardé peu ou prou un vieux fonds d'habitudes classiques, ils sont quelquefois déconcertés ou choqués par certaines particularités de l'œuvre dramatique de Claudel : la surcharge ; la richesse foisonnante du dialogue — « C'est du bavardage sublime », s'écria un critique à la répétition générale d'une de ses pièces — ; l'absence d'unité de ton d'une dramaturgie qui va du grandiose au bouffon à travers des échappées de réalisme, d'épopée ou de lyrisme ; la surabondance des monologues qui, ralentissant ou

même immobilisant le rythme, paraît être un défi
à l'exigence d'action dramatique ; les propos apoca-
lyptiques débités sur un ton d'oracle par des
personnages qui ressemblent plus à des idéologues
qu'à des êtres de chair et de sang ; une absence à
peu près continue de naturel et de simplicité (« Les
sentiments sont vrais, mais l'expression en est
fausse », écrivait Lucien Dubech à propos de
L'Annonce faite à Marie).

Enfin, certains critiques ont signalé dans cette
œuvre des défaillances singulières du strict point
de vue de la technique dramatique : comment
expliquer, par exemple, que le pape qui, durant
les deux premiers actes de *L'Otage*, fait figure de
protagoniste, disparaisse totalement de l'action à
l'acte trois, et, d'une manière plus générale, comment
ne pas faire des réserves sur la maîtrise d'un auteur
qui, tout au long de sa carrière, a procédé à des
refontes, à des replâtrages de la première version
de ses pièces, qui d'ailleurs, dans la plupart des
cas, reste la meilleure ?

Il est difficile d'avoir moins de tact et de délicatesse que Paul Claudel. Ainsi son penchant à
manier la grosse plaisanterie, l'a entraîné à des
excès déconcertants. Dans ses deux farces lyriques,
Protée et *L'Ours et la Lune*, il n'épargne au
spectateur ni les charges d'atelier les plus lourdes
(« Quel veau ! » — « Quel cerveau, dites-vous ? »),
ni les anachronismes les plus burlesques : par
exemple, la nymphe Brindosier, qui habite l'île de
Naxos, où l'on est à l'avant-garde de la haute couture,
offre à Hélène de Troie des boutons à pression et un

Une scène de *L'Annonce faite à Marie*

bracelet en celluloïd ; ailleurs, un chœur de satyres chante la gloire du vin de Bourgogne.

Accordons toutefois à Claudel le droit d'avoir dilaté sa rate en écrivant des œuvres de ce genre, mais comment apprécier les idées saugrenues, qui surgissent dans ses pièces les plus nobles : les comparaisons triviales et les injures qui se mêlent à des symboles religieux, dans *Tête d'Or ;* dans *L'Annonce faite à Marie,* l'allusion à ce vieux « aux oreilles pleines de poils blancs comme un cœur d'artichaut » ; dans *L'Échange,* les excentricités de Thomas Pollock Nageoire, héros burlesque qui semble évadé d'un vaudeville; dans *Le Père humilié,* l'envoi macabre qu'Orso fait à Pensée de la tête de son frère Orian, dissimulée dans un pot de fleurs ? Enfin, on aura beau répéter que *Partage de Midi* a été inspiré par le souvenir très précis d'une aventure sentimentale de l'auteur, il n'en reste pas moins que cette œuvre, qui a pour thème la pathétique aventure d'un chrétien tenté par un impossible amour, se présente extérieurement comme la plus vulgaire des comédies d'adultère — il y a un mari « complaisant », une femme « insatisfaite » et ses deux amants — insérée dans un décor à grand spectacle, digne du Châtelet.

Si l'on discerne dès maintenant les parties caduques de cette œuvre, dont on peut dire, comme on l'a fait pour celle de Hugo, qu'elle « sera lue à travers les siècles, mais en anthologie », on peut aussi prévoir ce qui résistera à l'épreuve du temps : des scènes poignantes, d'un pathétique largement humain, comme celle, dans *L'Otage,* où l'abbé Badilon, qui est un curé de campagne, mais aussi un saint, amène Sygne de Coûfontaine à se courber sous la volonté divine ; la scène finale de *Partage de Midi*, où Mésa et Ysé, sur le point de comparaître devant Dieu, se disent leur terrestre adieu ; la scène de l'unique rencontre de Rodrigue et de Prouhèze, dans *Le Soulier de Satin*, où, ainsi que l'écrivait Brasillach, « la tentation de la grandeur empêche l'union et la paix terrestre de ces deux âmes de feu » ; surtout quelques grands intermèdes lyriques, par exemple l'hymne à la nuit et au sommeil dans *La Ville* et, dans *L'Annonce faite à Marie*, la scène du départ d'Anne Vercors pour Jérusalem et, symétriquement, la scène de son retour de Terre Sainte, qui est comme un chant somptueux à la gloire des blés mûrs et des âmes fécondées par la grâce.

D'une manière plus générale, si tumultueuse, si étrange et dépourvue de goût que soit cette œuvre, elle s'impose par la grandeur de sa conception et par sa puissance souveraine. Lorsqu'il assiste à un drame de Claudel, le spectateur se sent peu à peu transporté dans un milieu dont l'air, tout imprégné de merveilleux et de sacré, n'a pas la même densité que celui où il respire d'ordinaire. Superbement indifférent à tout ce qui est limité, instable et accidentel, Paul Claudel ne voit les choses que par masses et par volumes. Tout chez lui, comme chez un Eschyle ou un Shakespeare, tend naturellement vers l'immense et le grandiose : le cadre de ses drames, qui évoque toutes les civilisations, toutes les époques, dans leurs contrastes bigarrés comme dans leur accord fondamental ; le thème, inlassablement repris, de son œuvre dramatique, qui est le problème du

salut ou de la perte de l'âme, dont il a dit lui-même
qu'il est « le conflit essentiel et central, qui fait le
fond de la vie humaine » ; enfin le mouvement même
de son dialogue, avec ses déchaînements orageux, ses
puissantes envolées et sa mystérieuse magie incan-
tatoire. Un siècle environ après le drame romantique,
Claudel a restauré sur notre scène, trop souvent
encombrée par les productions d'auteurs soucieux de
se mettre au niveau de la médiocrité bourgeoise, le

Jean-Louis Barrault dans *Le Soulier de Satin*
au Théâtre du Palais-Royal

Photo Lipnitzki

goût de la haute poésie et, si l'on ose employer un mot qui n'a presque plus cours, du sublime.

Il convient enfin de ne pas oublier, même si l'on ne partage pas sa foi, que, seul parmi nos dramaturges contemporains, Paul Claudel donne une réponse nettement formulée à la recherche angoissée de l'équilibre intérieur chez l'homme et que cette réponse, au lieu de nous plonger dans des abîmes de doute et de ténèbres, tend à dissiper le chaos des âmes en nous offrant des raisons de croire et d'espérer (1).

_____

(1) Malgré le rayonnement mondial de ses drames, Paul Claudel n'a guère suscité de disciples. Pourtant quelques noms demeurent attachés à la renaissance du théâtre chrétien : Boussac de Saint-Marc, auteur de drames étranges *(Le Loup de Gubbio*, 1921), où une pensée mystique se traduit de manière éloquente ; André Obey, dont le *Noé* rappelle, sur un mode plus ironique, la manière de Claudel ; surtout Henri Ghéon (1875-1944). Ancien docteur en médecine venu à la littérature par la poésie, Henri Vangeon, dit Henri Ghéon, écrivit d'abord des « tragédies populaires », d'un symbolisme un peu simpliste : *Le Pain* (1911) et *L'Eau de Vie*, montée par Copeau en 1913. Converti au catholicisme en 1915 sur le front de l'Artois, il oriente ensuite son effort vers la réalisation d'une œuvre mystique, retrempée aux sources médiévales : *Le Pauvre sous l'Escalier*, joué par Copeau en 1921, *Les Trois Miracles de Sainte-Cécile* (1922), *Le Triomphe de Saint-Thomas d'Aquin* (1924), *Le Comédien et la Grâce* (1925). Sa *Judith*, écrite en 1937, a été mise par Gabriel Marcel au-dessus de celle de Giraudoux. Henri Ghéon ne désespérait pas d'atteindre un jour « le peuple fidèle », en faisant jouer des mystères modernes par des confréries organisées « sous les porches de nos églises, à l'occasion des grandes fêtes ». Ghéon touche par la noblesse de son inspiration et par la fraîcheur de sa poésie, pleine d'effusion ; mais il n'a pas toujours su éviter les écueils du genre édifiant, dont le plus grave est certainement l'ennui.

II. JEAN GIRAUDOUX
(1882-1944)

Notice biographique. — Né à Bellac, dans le Limou-
min, en 1882, Jean Giraudoux fait de brillantes études
au lycée de Châteauroux. Il est Normalien en 1902,
puis agrégé d'allemand et chargé de cours à l'Université de Harvard. Il fait ses débuts littéraires en 1909,
en publiant *Les Provinciales ;* l'année suivante, il entre au Ministère des Affaires Etrangères : dès lors, il
mène de front sa carrière de diplomate et son activité
d'écrivain. Il fait la guerre de 1914-18 comme officier
de réserve en France et en Orient ; il écrit des
souvenirs sur cette période (*Amica America*, 1919 ;
Adorable Clio, 1920) et des romans (*Simon le
Pathétique*, 1918 ; *Elpénor*, 1919 ; *Suzanne et le
Pacifique*, 1921 ; *Siegfried et le Limousin*, 1922 ;
Juliette au Pays des Hommes, 1924 ; *Bella*, 1926).
  Giraudoux fait un début triomphal à la scène en
1928 avec une transposition théâtrale d'un de ses
romans, *Siegfried*, mise en scène par Louis Jouvet
à la Comédie des Champs-Elysées. En 1929, il fait
jouer *Amphitryon 38* ; l'année suivante, il publie un
roman, *Les Aventures de Jérôme Bardini*, et une étude sur Jean Racine. Il revient au théâtre avec *Judith*,

accueillie avec réserve (1931), fait ensuite paraître
deux romans : *Le Combat avec l'Ange* et *Choix des
Elues* et une étude critique : *Les Cinq Tentations de
la Fontaine.* Cependant, il se consacre de plus en plus
à la scène, où son talent s'exerce avec le même bonheur dans la fantaisie et dans la tragédie : *Intermezzo*
(1933), *Tessa* (1934), *Supplément au Voyage de Cook*
(1935), *La Guerre de Troie n'aura pas lieu* (1935),
Electre (1937), *L'Impromptu de Paris* (1937), *Cantique
des Cantiques* (1938), *Ondine* (1939). Secrétaire
général à l'Information pendant la guerre 1939-1940,
il revient au théâtre après l'armistice : en 1943, il
fait jouer *Sodome et Gomorrhe.* Il meurt en 1944,
laissant presque achevées deux pièces importantes,
La Folle de Chaillot, créée en 1945, *Pour Lucrèce*,
jouée en 1953, ainsi qu'une pochade, *L'Apollon de
Bellac*, représentée en 1947.

La carrière théâtrale de Jean Giraudoux présente
deux curieuses particularités. D'ordinaire, la vocation
dramatique s'éveille de bonne heure et chez des
dramaturges-nés : vers vingt-cinq ans chez Eschyle,
Racine et Beaumarchais ; vers vingt et un ans chez
Corneille et Molière ; dès dix-huit ans chez Aristophane, Euripide, Marivaux, Jean Anouilh ; à quinze
ans chez Alfred Jarry. Jean Giraudoux a quarante-six
ans lorsqu'il débute au théâtre.

D'autre part, rien ne semblait le prédestiner aux
succès de la scène : comment aurait-on pu imaginer
que le romancier d'*Elpénor* ou de *Bella*, subtil, mais
sinueux, serait capable de se plier aux contraintes
du genre dramatique et d'établir entre le public et

ses personnages ce contact ou plutôt ce courant qui,
d'emblée, subjugue et maîtrise ? Or, *Siegfried*, sa
première pièce, obtient un succès considérable et,
dès lors, Giraudoux écrit pendant dix-sept ans pour
le théâtre avec une remarquable régularité, jouissant
d'une vogue à peu près constante auprès d'un public
littéralement envoûté par ses productions dramatiques.
Peut-on expliquer ce qui, au premier abord, semble
presque miraculeux ? En fait, il n'y a pas de miracle.
Giraudoux, en abordant la scène, n'a rien changé à
sa manière de penser et d'écrire. Au lieu de
contraindre sa nature en l'adaptant tant bien que
mal aux exigences théâtrales, c'est lui qui a imposé
sa loi au théâtre. Il a assoupli à son usage le carcan
des conventions scéniques.

Par là s'expliquent à la fois son originalité et la
marque puissante qu'il a imprimée sur la littérature
dramatique contemporaine.

A. *LA PRÉÉMINENCE DE LA PENSÉE*

Jean Giraudoux a exposé l'essentiel de ses idées
sur la technique dramatique dans un Discours prononcé en 1931 devant les anciens élèves du lycée de
Châteauroux, dans une Conférence de la même année
à l'Université des Annales sur *Le Théâtre contemporain en Allemagne et en France*, enfin dans un
petit acte, *L'Impromptu de Paris*.

Incapable d'abaisser son talent à des fins
commerciales, Giraudoux stigmatise les auteurs
dramatiques qui, en s'abandonnant à une dangereuse

facilité, ont compromis l'avenir du théâtre et
entretenu le préjugé stupide qui veut voir en lui un
art mineur, en marge du mouvement littéraire d'une
époque : « Si, à Paris, le public a risqué de perdre
la notion du théâtre, c'est-à-dire du plus grand
des arts, c'est qu'un certain nombre d'hommes de
théâtre ont prétendu ne faire appel qu'à sa facilité
et par suite à sa bassesse. Il s'agissait de plaire par
les moyens les plus communs et les plus vils ».

Il importe donc de restituer au théâtre sa noblesse,
son éminente dignité ; il importe, surtout à une
époque où, du fait de la journée de huit ou de
sept heures, le citoyen voit s'accroître son temps
de loisir, de lui assigner une haute mission historique
et sociale : « Le spectacle est la seule forme
d'éducation morale ou artistique d'une nation. Il
est le seul cours du soir valable pour adultes et
vieillards, le seul moyen par lequel le public, le
plus humble et le plus lettré, peut être mis en contact
avec les plus hauts conflits... Il y a des peuples qui
rêvent ; pour ceux qui ne rêvent pas, il reste le
théâtre » (Discours de Châteauroux).

Mais comment restituer à la scène la dignité qui
était la sienne dans la Grèce antique ou au siècle
de Louis XIV ? D'abord en rompant avec les formules
fausses ou dangereuses, consacrées par la routine,
et qui faisaient résider l'intérêt dramatique soit
dans l'agencement de l'intrigue (Bernstein), soit
dans une étude qui prétendait être fouillée de l'âme
des personnages (Porto-Riche, Paul Géraldy).

Jean Giraudoux accorde peu d'importance à l'action
et à l'invention dramatiques. L'intérêt que le
spectateur éprouve à voir se dérouler une intrigue, où

tout est minutieusement calculé en vue d'une tension progressive de la sensibilité ou plutôt de la nervosité, lui semblait de basse qualité, indigne du plus grand des arts. Sur ce point, Giraudoux était d'accord avec Molière, qui considérait comme artificiel et inutile un agencement compliqué de situations. Est-ce à dire que Molière et Giraudoux soient incapables de charpenter solidement une action ? Non certes, et, de même que Molière, au début de sa carrière, agençait habilement l'intrigue de *L'Etourdi*, de même Giraudoux, en prenant possession de la scène avec *Siegfried*, révélait une rare maîtrise dans la technique dramatique.

Il est également vain de perdre son temps à inventer des sujets. Giraudoux s'appuie en général sur des mythes anciens ou sur des légendes bibliques : il tient à préciser qu'il reprend, pour la trente-huitième fois, le sujet d'*Amphitryon ;* c'est Hebbel qui lui donne l'idée de *Judith* et Diderot celle du *Supplément au Voyage de Cook ;* il adapte dans *Tessa* un roman anglais de Margaret Kennedy, dans *Ondine* un conte allemand de Frédéric de la Mothe-Fouqué. Tel Molière encore, plus soucieux de vérité humaine que de nouveauté tapageuse et prenant son bien où il le trouvait : chez les Italiens, chez les Espagnols et chez les Latins. L'un et l'autre n'étaient pas, pour autant, à court d'invention : Molière sut prouver à l'occasion qu'il était capable de tout tirer de son propre fonds ; et, pareillement, Giraudoux en composant *Siegfried*, *Intermezzo* et *La Folle de Chaillot*.

Dédaigneux de l'action et de l'invention, Jean Giraudoux ne s'intéresse guère davantage à la psy-

Dominique BLANCHAR et Louis JOUVET dans *Ondine*

chologie des personnages. Sans doute ses héros
sont-ils doués d'une étonnante pénétration : ils semblent avoir hérité de leur créateur sa perception
aiguë des idées générales et des problèmes essentiels,
mais justement leur lucidité supprime en eux cette
complexité, où l'on a tendance à voir la caractéristique même de l'âme humaine.

De tels êtres répugnent le plus souvent à analyser
leur moi intime et ils ne cherchent pas davantage
à pénétrer le moi des autres. Comme le dit Hélène,
dans *La Guerre de Troie n'aura pas lieu* : « Je n'aime
pas beaucoup connaître le sentiment des autres. Rien
ne me gêne comme cela. C'est comme au jeu, quand
on voit le jeu de l'adversaire. On est sûr de perdre ».
Si parfois le protagoniste, Siegfried, Alcmène, Judith,
Hector ou Electre, a une existence en soi, ramenée
d'ailleurs à quelques traits sommaires, les autres
personnages de la pièce se contentent de leur servir
de réactifs. Certains même ne sont que les porte-
parole de l'auteur : ainsi le Droguiste dans *Intermezzo*, le Mendiant et le Jardinier dans *Electre*, le
Chiffonnier dans *La Folle de Chaillot*, ont pour rôle
essentiel de servir de guide aux spectateurs, en
dégageant la philosophie de la pièce.

Les personnages de Giraudoux sont aussi volontairement embellis : les tourmentés, les malades, les
traîtres ont été éliminés ; les vieillards sont rares,
parce que la vieillesse est disgracieuse ; les jeunes
sont légion, parce que la jeunesse représente la grâce
et l'éclat de la vie. Bien plus, si l'on met à part, dans
Electre, le couple criminel Egisthe-Clytemnestre —
et encore en faisant des réserves pour Egisthe qui,
d'abord coupable, se transforme en juste — il n'y a

pour ainsi dire pas d'être antipathiques : les rancunes sordides, les machinations tortueuses, les jalou-
sies féroces, qui constituent l'aliment essentiel de la
plupart des dramaturges, sont bannis de cet univers
de choix.

Jean Giraudoux se préoccupe donc peu de l'intrigue, de l'invention dramatique et des conflits psychologiques. Alors, quel but assigne-t-il au théâtre ?
Edouard Bourdet, dans un article consacré à Giraudoux peu de temps après sa mort, semblait traduire
l'opinion la plus générale, lorsqu'il écrivait : « Le
théâtre de Giraudoux est essentiellement un théâtre
d'idées ». Il convient pourtant de nuancer cette
affirmation.

L'auteur de *Siegfried* ne se proposait pas d'utiliser la scène, à la manière d'un François de Curel,
comme une tribune pour l'expression ou plutôt la
confrontation des idées, et il a eu l'intention de
faire de ses personnages autre chose que des allégories, des symboles ou des entités. Il a répondu
par avance au reproche d'excès d'intellectualisme
dans un passage de *L'Impromptu de Paris* : « Le mot
comprendre n'existe pas au théâtre... Le vrai public
ne comprend pas, il ressent... Le théâtre n'est pas
un théorème, mais un spectacle, pas une leçon, mais
un philtre. Il a moins à entrer dans notre esprit que
dans notre imagination et dans nos sens ».

Ainsi donc, l'auteur dramatique doit, en utilisant
savamment tous les privilèges et tous les prestiges
que lui offre la dramaturgie, s'insinuer dans l'âme
et dans le cœur du spectateur, atteindre ce qu'il y
a de plus profond dans son imagination et dans sa
sensibilité. Il y parviendra en réveillant chez lui, en

revivifiant avec le maximum d'intensité ce goût des
grands problèmes et des vérités éternelles que chaque
être sent, plus ou moins confusément, sourdre au
fond de lui-même.

Il convient donc d'abord de partir de quelque
grand thème. Sans doute n'est-il pas interdit à
l'auteur dramatique de participer aux préoccupations
de ses contemporains et de faire leur part aux problèmes posés par l'actualité (ainsi, dans *Siegfried*,
les rapports de la France et de l'Allemagne, et les
possibilités d'accord entre ces deux pays au lendemain de la première guerre mondiale), mais ce ne
sera que dans la mesure où ces problèmes permettent
de rejoindre des thèmes éternels.

La fidélité, la pureté, la recherche de l'absolu, les
métamorphoses de la personnalité, l'homme et la
femme, la vie et la mort, la liberté et le destin, la
paix et la guerre, tels sont les thèmes majeurs qui
parcourent, comme des leitmotiv, le théâtre de
Jean Giraudoux : évoquons brièvement quelques-uns
d'entre eux.

Pour Giraudoux, comme pour les poètes et philo-
sophes allemands dont il a subi l'influence, chaque
être est doué du pouvoir absolu de construire l'univers et sa propre personnalité selon son bon plaisir.
« Je détermine le monde », s'écriait Novalis et
Giraudoux affirme de son côté, dans son *Soliloque
sur la Colonne de Juillet :* « Rien n'est vrai de ce
que vous acceptez pour tel ; la logique seule est
absurde et, puisque je suis homme, je suis dieu
dans mon arbitraire souverain ». Et de fait, les personnages de Giraudoux n'admettent comme vérité
que ce qui est décrété par eux : « il suffit, écrit

un critique contemporain, qu'Alcmène se considère comme innocente pour le rester. Le fait réel de son infidélité n'a pas d'importance. De même, Judith est pure, car elle croit l'être ».

Et pourtant, il est curieux de constater que, dans cette dramaturgie de l'individualisme et de la liberté les hommes sont en fait constamment soumis à la pesée du destin. Dans *Amphitryon 38, La Guerre de Troie, Electre, Judith,* ce sont les dieux — ou Dieu — qui dirigent tout ; ce sont toujours eux — ou lui — qui, dans leur lutte inégale avec les hommes, gagnent la partie : Judith a beau regimber, elle est prise au piège de Dieu ; Hector et Ulysse ont beau unir leurs efforts pour empêcher par tous les moyens une nouvelle guerre, leur volonté pacifique trébuche contre la Fatalité transcendante, concrétisée par les dieux de l'Olympe et par Zeus.

Qu'ils soient libres ou qu'ils aient seulement l'illusion de la liberté, les héros de Giraudoux, et davantage encore ses héroïnes, sont assoiffés d'absolu. Tel est le cas d'Electre ; à Egisthe, pour qui la vie, « dans ce qu'elle a de plus beau, n'est qu'un accommodement, un renoncement », elle réplique que « la vie, c'est ce qui nous a été donné pour ne pas transiger ». La mission qu'elle s'est fixée est de faire éclater la justice — une justice dont la justesse soit totale — dans un monde vicié par le crime et de transmettre à ses semblables son exigence de vérité.

Tel est encore le cas de l'orgueilleuse vierge de Béthulée, Judith. Une prophétie ayant fait savoir que le peuple juif serait sauvé si la plus pure des jeunes filles d'Israël réussissait à séduire le général

ennemi, Judith part sans hésiter vers le camp d'Holopherne, non point, comme dans la Bible, pour
sauver son peuple, mais pour triompher, elle une
faible femme, là où tant d'hommes ont échoué. Et
lorsqu'elle tranche la tête d'Holopherne, à qui elle
s'est donnée par amour, c'est encore par exigence
d'absolu, c'est parce que l'intransigeance de sa
passion pour cet homme ne saurait pactiser avec
les contingences d'une liaison banale et fatalement
éphémère.

S'il est un thème que Giraudoux a exploité dans
son théâtre, c'est bien celui de la guerre : il apparaît
dans *Siegfried, Amphitryon 38, Electre ;* il est au
centre de *La Guerre de Troie n'aura pas lieu.* Giraudoux abomine la guerre et il déploie toutes les
ressources de son esprit négateur pour réduire à
néant les faux prestiges, dont la folie des hommes
l'a stupidement parée : la guerre flatte en nous le
besoin d'égalité, le goût de l'imprévu et même le
goût du danger, qui nous change du bonheur quiet,
mais monotone, de la vie quotidienne ; elle nous
promet « la bonté, la générosité, le mépris des bassesses », mais comme elle « sonne faux », quand on
la dépouille de son clinquant ! Alors, elle montre
« son mufle » : elle n'est plus que laideur, mensonge,
absurdité, escroquerie. Aussi Giraudoux crible-t-il de
son ironie vengeresse les stupides boutefeux de
l'arrière, qui font fermenter la guerre en empoisonnant les esprits par leurs harangues emphatiques et
creuses.

En revanche, il rend hommage, en dépit de tous
les préjugés, à un pacifiste comme Hector qui, au
nom d'une conception rationnelle de la dignité

humaine, renonce à toutes les notions dangereuses
de susceptibilité nationale.

Pour que les spectateurs vibrent de toute leur
sensibilité à l'évocation de ces problèmes éternels,
il importe que l'auteur dramatique établisse un
contact direct, une sorte de complicité entre la scène
et le public. Le débat sera engagé moins entre les
divers personnages qui occupent le plateau qu'entre
un de ces personnages et l'auditoire : dans *Sodome
et Gomorrhe*, dans *Judith*, Lia et Judith s'adressent
en principe à Jean et à Holopherne, en fait au spectateur du balcon, qui est soudain pris à témoin et
invité à s'engager dans la discussion. Ainsi s'explique cette tendance au monologue, qui caractérise le
théâtre de Giraudoux et qu'on lui a d'ailleurs si
souvent reprochée.

Mais, pour absorber toute notre puissance d'attention et surtout d'émotion, il faut aussi que l'auteur
nous isole de la réalité ambiante, où le contingent
a trop de part, et nous fasse pénétrer dans un
registre de vie différent du nôtre. Le débat se déroule,
non dans un décor vulgaire, mais dans un cadre
solennel. Giraudoux nous hausse sur un plan supérieur, entre ciel et terre, sur quelque haut plateau
d'heureuse lumière. L'air qu'on y respire est plus
rare, mais aussi plus pur, plus diaphane, et surtout
plus calme ; tout ce qui est fragile ou en grisaille
n'y saurait subsister.

Débarrassé des limitations et des tracas médiocres
de la vie quotidienne, l'homme accède librement,
dans une sorte de rêve ou d'extase, au monde des
idées, des formes substantielles ; il tend d'instinct
vers l'absolu. Les phrases qu'il prononce sont sim-

Romain Bouquet et Madeleine Ozeray dans *Electre*

ples, mais pleines ; elles rendent un son définitif. La scène de *La Guerre de Troie* qui met en présence Ulysse et Hector, deux chefs également désireux d'éviter la guerre, mais conscients, à des degrés divers, des menaces qui pèsent sur leurs peuples, fournit un exemple de ces hauts moments où Giraudoux atteint l'essence des choses à travers une poétique irréalité : « A la veille de toute guerre, il est courant que deux enfants des peuples en conflit se rencontrent dans quelque innocent village, sur la terrasse au bord d'un lac, dans l'angle d'un jardin. Et ils conviennent que la guerre est le pire fléau du monde ; et tous deux, à suivre du regard ces reflets sur les eaux, à recevoir sur l'épaule ces pétales de magnolia qui s'effeuillent, ils sont pacifiques, modestes, loyaux. Et ils s'étudient. Ils se regardent. Et, tiédis par le soleil, attendris par un vin clairet, ils ne trouvent dans le visage d'en face aucun trait qui justifie la haine, aucun trait qui n'appelle l'amour humain. Et ils sont vraiment comblés de paix, de désirs de paix. Et ils se quittent en se serrant les mains, en se sentant des frères. Et ils se retournent de leur calèche pour se sourire. Et le lendemain, pourtant, éclate la guerre ».

B. *LES SORTILÈGES DU STYLE*

Dans une dramaturgie d'une conception aussi élevée, le langage devait avoir un rôle primordial, la prééminence du style étant le complément indispensable de la prééminence de la pensée. Le style, en effet, « ce secret dont l'écrivain est le seul dépositaire », sera l'instrument magique qui, par l'effet de ses sortilèges, mettra en branle l'imagination et la sensibilité du spectateur. « Le talent de l'écriture est indispensable au théâtre, car c'est le style qui renvoie, sur l'âme des spectateurs, mille reflets, mille irisations qu'ils n'ont pas plus besoin de comprendre que la tache de soleil envoyée par la glace ».

Sur ce point, Giraudoux opéra une véritable révolution. En un temps où le metteur en scène, de jour en jour plus despotique, tendait à faire prédominer les éléments visuels du spectacle, et où la majorité des auteurs, au nom d'une conception réaliste mesquine et fausse, menaient campagne contre la pièce « écrite », Giraudoux eut le courage d'affirmer que le Verbe est « la noblesse » du théâtre et que l'art dramatique ne mérite d'appartenir à la littérature, au même titre que les autres genres, qu'à la condition d'avoir lui-même une valeur littéraire. Giraudoux se plaisait d'ailleurs à constater la vénération du public pour le style et le vocabulaire. N'en voit-on pas une preuve dans son goût persistant

17

pour le théâtre en vers, où il apprécie « le travail
bien fait », celui qui révèle la conscience de l'artiste ? Remplaçons donc la vulgaire monnaie-papier
du langage théâtral habituel par la valeur-or d'un
« texte » digne de ce nom.

En fait, la prose de Giraudoux est bien un phénomène inédit et unique sur la scène française. Si elle
est fondamentalement et volontairement distincte de
la prose parlée, ce n'est pas parce qu'elle est plus
travaillée : Giraudoux rédigeait avec une étonnante
facilité, presque sans ratures, de sa petite écriture
fine, et ses phrases, limpides, coulent de source, sans
jamais donner la sensation de l'effort.

La qualité distinctive de cette prose est l'euphonie.
Plus que quiconque, Jean Giraudoux est sensible
à l'harmonie des mots, à la sonorité et à la souple
cadence de la phrase, à la chantante progression des
couplets. A mesure que ce langage inhabituel frappe
ses oreilles, l'auditeur sent peu à peu s'éveiller en
lui un émoi d'une qualité particulière, subtil et discrètement sensuel. Pour confirmer cette impression,
il suffit de citer l'admirable discours aux morts —
déjà morceau d'anthologie — prononcé par Hector,
lorsque, au retour d'une guerre qu'il espérait être
la dernière, il apprend que l'enlèvement d'Hélène
fait de nouveau peser une menace de conflit sur la
cité troyenne : « O vous qui ne nous entendez pas, qui
ne nous voyez pas, écoutez ces paroles, voyez ce
cortège. Nous sommes les vainqueurs. Cela vous est
bien égal, n'est-ce pas ? Vous aussi, vous l'êtes. Mais
nous, nous sommes les vainqueurs vivants. C'est ici
que commence la différence. C'est ici que j'ai honte.
Je ne sais si, dans la foule des morts, on distingue

les morts vainqueurs par une cocarde. Les vivants, vainqueurs ou non, ont la vraie cocarde. Ce sont leurs yeux. Nous, nous avons deux yeux, mes pauvres amis. Nous voyons le soleil. Nous faisons tout ce qui se fait dans le soleil...

Puisque enfin c'est un général sincère qui vous parle, apprenez que je n'ai pas une tendresse égale, un respect égal pour vous tous. Tout morts que vous êtes, il y a chez vous la même proportion de braves et de lâches que chez nous qui avons survécu, et vous ne me ferez pas confondre, à la faveur d'une cérémonie, les morts que j'admire avec les morts que je n'admire pas. Mais, ce que je tiens à vous dire aujourd'hui, c'est que la guerre me paraît la recette la plus sordide et la plus hypocrite pour égaliser les humains et que je n'admets pas plus la

ne scène de *La Guerre de Troie n'aura pas lieu* à l'Athénée

Photo Lipnitzki

mort comme purification et expiation au lâche que comme récompense au héros ; et qui que vous soyez, vous absents, vous inexistants, vous oubliés, vous sans occupation, sans repos, sans être, je comprends qu'il faille en fermant ces portes excuser près de vous ces déserteurs que sont les survivants et ressentir comme un double vol et une double flétrissure ces deux biens qui s'appellent, de deux noms dont j'espère que l'éclat et la résonance ne vous atteignent plus, la chaleur et le ciel ». Le style de ce discours est parfaitement adapté à la gravité du sujet. Les phrases, d'abord brèves et sèches, prennent progressivement plus d'ampleur jusqu'à l'apostrophe finale, en même temps qu'elles rendent un son plus plein.

Cette prose euphonique s'oriente naturellement vers la fantaisie, l'humour (1), la subtilité, disons d'un mot vers la préciosité. L'esprit sur le qui-vive et comme en état d'alerte, Jean Giraudoux déverse à une cadence rapide ses prestigieux artifices : bons mots, concetti, pirouettes de langage. Le spectateur est ébloui, un peu humilié aussi, car il ne se sent

---

(1) Le rôle essentiel de l'humour est, pour Jean Giraudoux, de redonner à la grisaille monotone des jours un peu des couleurs de l'Eden. L'homme n'a que trop tendance à réduire l'existence à des préoccupations sordides. La sagesse consiste — et c'est ce qu'a compris le Contrôleur d'*Intermezzo* — à transformer la vie, par la magie de la poésie et de l'humour, en un beau voyage. L'humour ne nous aide-t-il pas aussi à éviter tout ce qui est ennuyeux : le dogmatisme pontifiant, les grands mots ? Contre l'esprit de sérieux en littérature, la période de l'entre-deux guerres a trouvé en Giraudoux son antidote.

pas assez vif pour saisir au vol cette pluie d'étoiles filantes.

Oui, Giraudoux est un auteur précieux, mais sa préciosité est autre chose et mieux qu'une acrobatie de la pensée et un maniérisme du style : c'est le sortilège de prédilection qu'emploie ce sorcier de l'Eden pour hypnotiser son auditoire et s'insinuer en lui ; plus exactement peut-être, c'est la forme qui s'adapte le mieux à sa vision du monde, car elle consiste essentiellement à unir les choses par certains rapports inédits, qui désorientent, étonnent ou choquent au premier abord, puis qui frappent bientôt par leur évidence et leur logique, comme une vérité jusque-là ignorée.

Jean Giraudoux a défini un jour la préciosité comme « de la politesse envers la création ». C'est là, en effet, la suprême caractéristique et le miracle de son langage : une aptitude à synthétiser les richesses multiples des choses, à unir harmonieusement les contraires ; car ce style est complexe et, en même temps, il est simple ; il est papillotant et ondoyant, et, en même temps, il est rigoureux et dense. Seul, peut-être, La Fontaine, que Giraudoux a si bien compris, a su, comme lui, donner cette double impression d'indépendance et d'ordre, de diversité et d'unité.

C. *LE PRESTIGE D'UNE ŒUVRE*

Pour toute la jeunesse intellectuelle de France et, plus encore, pour le public de Paris, Jean Giraudoux a été un enchanteur, un magicien. Il n'a pas seulement exercé sur la littérature une influence contagieuse, il a littéralement charmé ses contemporains. Le succès considérable remporté par ses dernières pièces, pourtant inférieures, révèle à quel point il a pu être la coqueluche d'une société. Peut-être est-il encore trop proche de nous pour que nous puissions porter sur son œuvre un jugement équitable et faire sur ses chances de survie un pronostic plausible. Essayons cependant.

On peut déjà entrevoir ce qui ne subira pas sans dommage les atteintes du temps. Les faiblesses de Giraudoux sont la rançon de ses dons extraordinaires; son étonnante facilité lui a nui, car il s'y est adonné avec trop de complaisance. Son théâtre n'est, parfois, qu'une somptueuse fête de l'esprit, un exercice de haute école, où les acrobaties aériennes les plus audacieuses constituent le numéro de choix. Le programme gagnerait à être allégé ; les thèmes qui s'entrecroisent sont si nombreux que la vue en est brouillée ; il y a surabondance de festons et d'arabesques. L'esprit est séduit par ces jeux étincelants, mais le cœur n'est guère touché.

C'est là le défaut essentiel de cette œuvre. L'homme de lettres fêté et heureux, le mondain sans tourment masquent trop souvent l'homme réel, qui était le contraire d'un indifférent, car il a connu l'angoisse, il a porté en lui le poids de la fatalité. Par discrétion, par pudeur sans doute, Giraudoux évite tout ce qui peut éveiller chez le spectateur une émotion violente ou simplement un malaise ; il a comme un scrupule à participer de toute son âme, de toute sa chair, aux détresses communes des créatures mortelles ; alors, il joue avec l'univers au lieu de l'étreindre et il introduit un bon mot, un monologue brillant, au moment même où l'atmosphère est le plus chargée d'angoisse. L'abandon à la virtuosité n'a pas seulement pour effet de couper l'émotion du spectateur, elle donne fatalement une impression d'automatisme. Le prestidigitateur a beau être prestigieux, il a beau varier la présentation de ses tours, ménager entre chacun d'eux une savante gradation, le public, à la longue, se lasse de ses artifices.

Peut-être aussi reprochera-t-on à Giraudoux d'avoir transgressé avec trop de désinvolture les lois fondamentales de la discipline théâtrale ; d'avoir négligé l'action et la psychologie des personnages ; d'avoir fait du style, non le serviteur, mais le maître de l'auteur dramatique.

Il reste que le théâtre de Jean Giraudoux, d'une portée considérable, a de fortes chances de marquer une date importante dans l'évolution de la dramaturgie française. Giraudoux n'a pas seulement prodigué à travers ses pièces une intelligence souple, riche, pénétrante ; il n'a pas seulement séduit par son sens inné de la splendeur du langage, par sa façon toute personnelle de nous présenter un univers plus dense que le nôtre, plus capable de satisfaire le besoin d'absolu et de pureté qui sommeille chez beaucoup de spectateurs ; il a eu surtout le mérite de répondre aux préoccupations d'une époque tourmentée en restaurant sur notre scène l'essence et le climat de la tragédie.

De la tragédie, ses œuvres les plus fortes ont rassemblé les éléments majeurs : la simplification, la densité, l'immensité, et surtout le sentiment de l'inéluctable dans le déroulement des faits, la pesée

Madeleine RENAUD et Jean SERVAIS
dans *Pour Lucrèce* au Théâtre Marigny

Photo Lipnitzki

Marguerite MORENO dans *La Folle de Chaillot*

toujours présente des forces sombres du destin.
Ajoutons que cette tragédie, bien qu'en prose, a
tous les charmes de la poésie ; elle fuit la pompe,
la solennité, tout en se maintenant sur les hauteurs ;
elle nous administre la preuve, contre les tenants
d'un réalisme primaire, que le théâtre n'atteint une
réalité profonde qu'à travers d'inévitables et d'ailleurs gracieuses conventions ; elle nous rappelle
enfin que, en dépit des vulgaires trafiquants qui
avaient avili et discrédité le genre, le théâtre,
restauré dans sa dignité et son élégance, demeure le
plus noble plaisir des hommes assemblés.

II. JEAN COCTEAU
(1889-1963)

Notice biographique. — Né à Maisons-Laffitte en 1889, mais Parisien de cœur, Jean Cocteau partage son adolescence entre Edmond Rostand, Anna de Noailles, Marcel Proust, Charles Péguy et Serge de Diaghilev. Il conquiert, au lendemain de l'armistice, une grande renommée comme écrivain d'avant-garde. Il débute à la scène par des fantaisies : *Parade* (1917), *Les Mariés de la Tour Eiffel* (1921) et *Le Bœuf sur le Toit* (1920). Vers le même temps, il publie des recueils poétiques (*Le Cap de Bonne-Espérance*, 1919; *L'Ode à Picasso*, 1919; *Vocabulaire*, 1922; *Plain-Chant*, 1923) et des romans (*Le Potomak*, 1919 ; *Le Grand Ecart*, 1923). Il revient au théâtre et, de 1926 à 1934, il adapte des œuvres célèbres : *Roméo et Juliette, Orphée, Antigone, La Machine Infernale.*

En 1930, Jean Cocteau fait recevoir à la Comédie-Française un monologue en un acte : *La Voix Humaine.* En 1931, il tourne son premier film, *Le Sang d'un Poète.* En 1937, il met en scène au Théâtre de l'Œuvre une féerie, *Les Chevaliers de la Table ronde ;* l'année suivante, il provoque un scandale

Edwige **Feuillère** dans le rôle de la Reine de *L'Aigle à deux Têtes*

aux Ambassadeurs avec *Les Parents terribles* (neuf
ans plus tôt, il avait publié un roman intitulé *Les
Enfants terribles*). Il fait ensuite jouer : *Les Monstres
sacrés* (1940), *La Machine à écrire* (1941), *Renaud
et Armide* (1943), *L'Aigle à deux Têtes* (1945),
Bacchus (1952). Jean Cocteau a été reçu à l'Académie
française en 1955. Il est mort en 1963.

Toujours soucieux de créer la mode du lendemain,
Jean Cocteau a adopté pour principe, chaque fois
qu'il écrivait une pièce, « de tourner systématiquement le dos à l'ouvrage qui précédait » et de risquer
chaque fois sa chance sur un nouveau coup de dés.
Il est pratiquement impossible de ranger sous une
rubrique quelconque un auteur qui s'est essayé dans
tous les genres possibles : mimodrame, ballet, monologue au téléphone, fantaisie burlesque, tragédie
pseudo-classique, drame romantique, drame bourgeois, mélodrame, pièce policière, adaptation ou
plutôt « contraction » de Shakespeare et de Sophocle,
féerie médiévale, etc. Essayons pourtant de suivre
Cocteau dans ses principales métamorphoses.

Il a emprunté à Stravinsky sa définition de la
nouveauté : « la recherche d'une place fraîche sur
l'oreiller ». Or, lorsque Jean Cocteau fit ses débuts
dramatiques, le théâtre dit « du Boulevard » achevait
sa courbe : « il fallait donc passer à d'autres exercices. Nous le fîmes ». Fringant et cocasse, épris
d'outrance et d'humour percutant, le Cocteau première manière utilise la scène pour un « genre
nouveau, qui reste encore un monde inconnu », où
se combinent la féerie, la danse, l'acrobatie, la

pantomime, le drame, la satire, l'orchestre et la
parole. *Parade, Le Bœuf sur le Toit* et *Les Mariés
de la Tour Eiffel* illustrent cette formule inédite.
Parade, ballet « réaliste » — c'est-à-dire, précise
l'auteur, « plus vrai que le vrai » — fut représenté
en 1917 au Châtelet par les ballets russes de Serge
de Diaghilev, avec une partition d'Erik Satie, des
costumes et des décors de Picasso. Les « conserva-
teurs » furent scandalisés par ce spectacle, où la
poésie nostalgique du cirque se mêlait à une sorte
de parodie du vérisme italien et la foule, qui crut
à une farce, menaça les auteurs.

Trois ans plus tard, Jean Cocteau faisait représenter
à la Comédie des Champs-Elysées *Le Bœuf sur le
Toit*, une pantomime ou, plus exactement, un
« mimodrame », interprété par les clowns Fratellini,
avec musique de Darius Milhaud et décors de Raoul
Dufy : la tête des clowns était cachée sous des
masques en carton, car toute la force expressive du
spectacle devait résider dans les jeux de mains et
dans les mouvements du corps des interprètes. Après
les ballets russes, les ballets suédois : en 1921, *Les
Mariés de la Tour Eiffel*, « goutte de poésie au mi-
croscope », sont représentés au Théâtre des Champs-
Elysées par la Compagnie des ballets suédois de Rolf
de Maré, avec musique des « Six », costumes et
décors de Jean et Valentine Hugo.

A droite et à gauche de la scène, deux « phono-
graphes humains », remplissant le rôle du chœur
antique, commentaient la pièce, qui évoquait un
lunch de mariage sur la Tour Eiffel, et récitaient
les rôles des personnages ; on voyait, d'autre part,
un appareil photographique donner naissance à un

bébé, à une belle baigneuse, à une autruche et à un
lion, qui dévorait un général. L'auteur, toujours
pour faire « plus vrai que le vrai », avait accentué
le ridicule de l'action, qui se déroulait, se dansait
ou se mimait sur la scène : « Vide du Dimanche,
bétail humain, expressions toutes faites... voilà ma
pièce », déclarait Cocteau. Cette « construction de
l'esprit », qui avait la prétention de créer une architecture dramatique inédite, provoqua un nouveau
scandale, cette fois chez les « modernistes ».

La place fraîche sur l'oreiller ne tarde pas à se
réchauffer au contact de la tête ; il faut alors changer
de place. Après ses « exercices » de ballets, Jean
Cocteau a l'idée de « contracter » et de réinventer
« au rythme de notre époque » des textes illustres,
en particulier des légendes grecques : *Roméo et
Juliette, Orphée, Antigone, La Machine Infernale.*
Il resserre le tissu de la tragédie grecque : ainsi,
l'ample tragédie de Sophocle, *Antigone*, est compri-
mée en un petit acte, plus assimilable ; en même
temps, Jean Cocteau s'applique à faire revivre ces
vieux chefs-d'œuvre, que nous contemplons, selon
lui, trop distraitement, parce que leur thème, rebattu,
nous paraît défraîchi. Un des moyens les plus efficaces de renouveler l'intérêt consiste à déplacer l'axe
du mythe antique : ainsi, le couple idéal Orphée-
Eurydice se transformera en un ménage infernal :
Jocaste deviendra un sujet de choix pour psychanalyste : ce sera une femme chez qui le regret du
nourrisson jadis perdu se mêle à une très nette
attirance pour les beaux garçons. Autre procédé de
rajeunissement : ajouter à la légende des inventions
toutes personnelles. A la fin de *La Machine Infernale,*

qui fait revivre le thème d'Œdipe, Cocteau imagine un prolongement au mythe traditionnel: ce n'est plus seulement la petite Antigone qui conduit les pas d'Œdipe aveugle, mais aussi le fantôme de Jocaste, purifiée par la mort de son amour incestueux et retrouvant alors la tendre sollicitude d'une mère.

Un troisième Cocteau, assez proche du second, cherche « à trouver son style propre sur une base faites des hautes découvertes précédentes ». Ce Cocteau, pasticheur et original à la fois, a d'abord ressuscité les légendes médiévales en composant *Les Chevaliers de la Table ronde*, une féerie mystique assez ingénue, qui nous entraîne à la poursuite du Graal — le Graal n'est d'ailleurs rien d'autre, selon l'auteur, « que le très rare équilibre avec soi-même » — sur les pas de Galaad, le très pur chevalier à la blanche armure, vainqueur des pièges que lui tend le jeune démon Ginifer. Tout l'élément surnaturel du drame était mis en scène de manière à donner « l'impression de réalisme ».

Avec *Renaud et Armide*, représenté au Théâtre Français, Jean Cocteau tentait de rénover sur la plus officielle de nos scènes la plus surannée de nos formes dramatiques : la tragédie pseudo-classique en vers. Cet « opéra verbal » — le texte aux nombreuses variations de rythme était chanté par les acteurs — « nouait ensemble les styles classique et romantique »: de la tragédie classique, l'auteur conservait la règle des trois unités et un nombre très restreint de personnages ; du drame romantique, il gardait le goût du lyrisme et des morceaux de bravoure. Pour le fond, il revenait aux thèmes moyenâgeux: l'amour

du roi de France Renaud pour l'enchanteresse Armide
faisait penser à l'amour de Lancelot pour Guenièvre
et les sortilèges déployés par Armide et la fée Oriane
pour retenir Renaud rappelaient les « diableries »
des chevaliers de la Table ronde. Le cocktail était
plus complexe que savoureux ; l'œuvre sentait la
gageure, le fabriqué.

Treize ans plus tard, Jean Cocteau se lançait dans
un pastiche de Victor Hugo : *L'Aigle à deux Têtes*,
« tragédie romantique », qui s'inspirait de la fin
mystérieuse de Louis II de Bavière et d'Elisabeth
d'Autriche. Cocteau bâtissait sa pièce sur une antithèse typiquement hugolienne : une reine d'esprit
anarchiste affrontait un anarchiste d'esprit royal. A
la fin, l'anarchiste poignardait la reine avec un
couteau de chasse, puis expirait à ses pieds, foudroyé
par un poison, tandis que retentissaient les accents
de l'hymne royal : dénouement digne de *Ruy Blas !*
Cependant, Jean Cocteau apportait sa note personnelle : hostile au théâtre « de paroles », il voulait
ramener le public au théâtre « d'actes » : « c'est
une pièce où l'on bavarde peu, mais où l'action est
maîtresse ».

Tandis que la place fraîche sur l'oreiller se
réchauffe peu à peu, la place chaude retrouve sa
fraîcheur. Cocteau, qui s'est systématiquement appliqué à réagir contre les tendances littéraires en vogue,
même lorsque c'était lui-même qui avait lancé la
vogue, s'aperçut un jour que son « effort de contradiction » commençait sa fin de courbe. La place
chaude de jadis, c'est-à-dire le théâtre du Boulevard,
allait retrouver sa fraîcheur. Jean Cocteau amorça un

retour à la formule du Boulevard dès 1930, lorsqu'il fit recevoir à la Comédie-Française *La Voix Humaine*.

Cette « voix humaine », c'est la voix d'une femme qui, une heure durant, s'entretient au téléphone avec son amant, qui a décidé de rompre avec elle pour se marier. Cris du cœur, élans de sensualité, regrets et petites hypocrisies, bref tout l'arsenal des drames quotidiens de la rupture amoureuse s'entremêlaient dans cet acte « vériste », tour de force technique pour vedettes internationales. Jean Cocteau avait restauré sur scène le règne du cœur. Son adhésion à la formule du Boulevard était encore plus nette dans *Les Parents terribles*, drame bourgeois à la manière d'un Henry Bataille qui aurait lu Sigmund Freud. L'auteur déclarait qu'il lui avait plu « de faire un mélange tragi-comique et d'amener ses personnages, grâce à une intrigue de vaudeville, dans des situations comparables à une bousculade d'incendie, lorsque chacun s'écrase dans les portes ».

Ce « mélange » donnait trois actes habilement agencés autour d'une situation dramatique : une mère, rongée par la passion farouche qu'elle éprouve pour son fils, s'empoisonne avec de l'insuline, quand elle acquiert la certitude qu'il aime une jeune femme et qu'il va l'épouser. Une atmosphère délétère, faite de refoulements louches, pesait sur cette peinture « d'une société à la dérive ». Pour corser le tout, Jean Cocteau montrait « des rôles qui n'étaient pas d'une haleine : capables de retours, de détours, d'élans et de reprises ».

Les Monstres sacrés et *La Machine à écrire* se rattachent, avec des nuances différentes, à la même

18

veine. *Les Monstres sacrés* sont à la fois une comédie boulevardière, une comédie de caractères et un mélodrame. « Cette pièce, écrivait l'auteur, doit donner l'idée d'une Prima Donna, d'un monstre sacré, du style Réjane ou Sarah Bernhardt ». C'est la pathétique histoire d'un couple modèle de grands comédiens sur le retour, qui se séparent parce qu'une jeune actrice romanesque et mythomane s'est mise en travers de leur amour, puis renouent en « expédiant » l'intruse à Hollywood. Jean Cocteau mettait l'accent sur les déformations de la personnalité causées par le métier chez les acteurs : Esther, le monstre sacré, « se souvient de ses rôles » dans la vie courante et sa sincérité se teinte toujours d'un peu de théâtre.

La Machine à écrire est à mi-chemin entre la pièce policière et la comédie de caractères, entre le mélodrame et le théâtre d'idées. Le thème fut inspiré à Jean Cocteau par un scandale de lettres anonymes à Tulle : dans une ville de province, un juge d'instruction recherche l'auteur de lettres anonymes, qui ont causé toutes sortes de ravages. Certains s'accusent pour échapper à l'oisiveté étouffante de leur existence ; à la fin, on découvre la vraie coupable, une veuve qui, privée d'amour, cherchait un dérivatif dans la haine. « Dans *La Machine à écrire*, déclarait Cocteau en 1941, une fausse intrigue policière me permet de peindre la terrible province féodale d'avant la débâcle, province dont les vices et l'hypocrisie poussent les uns à se défendre mal, les autres — la jeunesse romanesque — à devenir mythomanes ».

⁎⁎*

Son étonnante faculté de mimétisme et son obsession de l'originalité ont nui à Jean Cocteau plus qu'elles ne l'ont servi. Elles l'ont fait passer pour un illusionniste rompu aux exercices de haute école, un funambule, un jongleur, voire un batteur d'estrade. Sa virtuosité est trop souvent faite de pastiches, de truquages ou de cocasseries assez saugrenues. Inconstant, instable, Jean Cocteau s'est laissé séduire par l'apparence des choses ; aussi n'arrive-t-il que très rarement à remuer notre sensibilité, bien que par moments on sente sourdre une certaine inquiétude dans ses œuvres. Enfin, Cocteau manifeste un goût trop prononcé pour tout ce qui est trouble et malsain : situations équivoques, sentiments incestueux ; il se complaît visiblement dans le morbide et le pollué. Son théâtre manque d'air pur, de libre respiration.

Pourtant, Jean Cocteau a le goût et le sens de la scène. Il est capable, à l'occasion, de faire preuve d'un métier très sûr : ainsi, dans *Les Parents terribles* ou dans *La Machine Infernale*, la tension dramatique est constante. Quant à son style de théâtre, si l'on veut bien oublier certaines arabesques et une tendance fâcheuse au calembour, il est le plus souvent ferme, nerveux, direct, d'une rigoureuse économie : « un prince du dialogue », disait de lui Robert Kemp. Mais ce qui est la marque propre de Cocteau dramaturge, c'est la poésie. Qu'il évoque la cour du roi Laïus ou celle du roi Arţus, les pièges des dieux de l'Olympe ou les enchantements de Merlin, qu'il fasse du Victor Hugo ou même de l'Henry Bataille, Jean Cocteau n'écrit pas des pièces de théâtre, il fait de « la poésie de théâtre » (1), car, selon lui, la poésie doit se manifester dans toutes les formes de l'activité artistique.

Or, la poésie est une intuition immédiate, qui nous révèle une réalité jusqu'alors insoupçonnée : « La poésie *dévoile* dans toute la force du terme. Elle montre nues les choses surprenantes qui nous environnent et que nos sens enregistraient machinalement ». Nul mieux que Cocteau ne fait sentir que l'homme est cerné par toutes sortes de forces inconnues, de maléfices mystérieux. Bien loin de suggérer de manière vague les aspects divers de l'angoisse humaine, il les formule avec une audacieuse précision, car, d'après lui, « le mystère n'existe que dans les choses précises ».

Certaines images qui peuplent l'univers dramatique de Cocteau : statues qui parlent ou qui tuent, torchères faites avec des bras qui s'agitent, chaises qui glissent ou qui tombent, portes qui s'ouvrent et se referment toutes seules, nous révèlent que le poète est « le médium naturel des forces inconnues ». Jean Cocteau « pétrifie de l'abstrait », rendant tangible et pour ainsi dire familier ce qui semble résister à toute matérialisation : une femme en robe du soir et manteau de fourrure, puis en blouse de chirurgien et traversant des miroirs comme de l'eau, est l'image de la descente au malheur et à la mort ; un ange,

---

(1) Il ne faut d'ailleurs pas confondre, selon Cocteau, la poésie *au* théâtre et la poésie *de* théâtre : « La poésie au théâtre est une dentelle délicate impossible à voir de loin. La poésie de théâtre serait une grosse dentelle ; une dentelle en cordages, un navire sur la mer ».

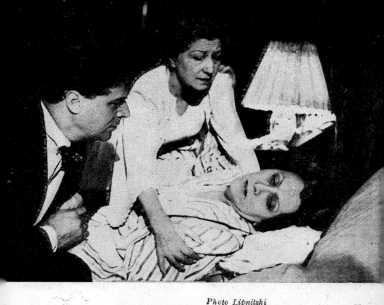

Photo Lipnitzki

Marcel ANDRÉ, Gabrielle DORZIAT et Germaine DERNOZ
dans *Les Parents terribles*

suspendu dans les airs, avec une hotte chargée de
vitres semblables à des ailes, concrétise l'inspiration
qui envahit l'âme du poète et l'embrase des flammes
du génie.

Enfin, le Cocteau des mythes antiques évolue avec
une aisance souveraine dans le monde surnaturel,
où la seconde vue est plus pénétrante que le regard
naturel et où les paroles des oracles sont chargées
d'un sens plus profond que celles des humains. Si
quelque chose est destiné à survivre dans la production dramatique de Jean Cocteau, ce sera peut-être
ce don de créer autour de ses personnages une
atmosphère mystérieuse et envoûtante, d'une rare
intensité poétique.

Photo Lipnitzki

IV. JEAN ANOUILH

Notice biographique. — Jean Anouilh est né à Bordeaux, en 1910, d'un père tailleur et d'une mère violoniste. Tout jeune, il vient à Paris avec sa famille ; il est élève au collège Chaptal, puis il fait du droit. Pendant deux ans, il occupe un emploi dans une maison de publicité. Après son service militaire, il est secrétaire de Jouvet, avec qui il se brouillera par la suite. Le *Siegfried* de Giraudoux, joué en 1928, l'enthousiasme et l'incite à écrire pour la scène. *L'Hermine* est montée par Fresnay au Théâtre de l'Œuvre en 1932 et provoque des discussions passionnées. Anouilh épouse Monelle Valentin, qui va devenir son interprète. *Mandarine* (Athénée, 1933) et *Y'avait un prisonnier* (Ambassadeurs, 1935) déconcertent le public mondain. Mais *Le Voyageur sans bagage*, mis en scène par Georges Pitoëff en 1937, au Théâtre des Mathurins, remporte d'emblée un succès considérable. *La Sauvage*, représentée l'année suivante sur la même scène, est également appréciée.

Cependant, à partir de 1937, Anouilh forme une « association » avec André Barsacq, auquel il confie *Le Bal des Voleurs* (1938) et *Le Rendez-vous de*

Une scène du *Voyageur sans bagage.*
...uche, Michel VITOLD ; à droite, Lucien NAT et Sylvia MONTFOR...

Photo Lipnitzki

Senlis (1941). *Léocadia* est jouée à la Michodière par Fresnay et Yvonne Printemps. Puis *Eurydice* (1942), *Antigone* (1943), *Roméo et Jeannette* (1945), *L'Invitation au Château* (1947) sont mis en scène par Barsacq à l'Atelier. En 1948, Anouilh donne à la Comédie des Champs-Elysées un impromptu, *Episode de la vie d'un auteur*, suivi d'*Ardèle ou la Marguerite*. En 1950, *La Répétition ou l'Amour puni* est interprété par la Compagnie Madeleine Renaud-Jean-Louis Barrault au Théâtre Marigny. Depuis 1950, Jean Anouilh a fait jouer : *Colombe* (1951), *La Valse des Toréadors* (1952), *L'Alouette* (1953), *Médée* (1953), *Cécile ou l'Ecole des Pères* (1954), *Ornifle ou le Courant d'air* (1955), *Pauvre Bitos ou le Dîner de Têtes* (1956), *L'Hurluberlu ou le Réactionnaire amoureux*, *La Petite Molière*, *Becket ou l'Honneur de Dieu* (1959), *La Grotte* (1961), *L'Orchestre*, *La Foire d'Empoigne* (1962). Le théâtre de Jean Anouilh a été publié aux Editions de la Table ronde.

Jean Anouilh a lui-même distingué deux inspirations essentielles dans son œuvre dramatique : l'inspiration tragique et l'inspiration comique ou plutôt fantaisiste ; les « pièces noires » et les « pièces roses ». En fait, ce Janus moderne a trois visages : un visage noir, un visage rose, un visage où le rose se mêle au noir.

A. *LE NOIR*

Dans l'univers noir d'Anouilh, deux races d'êtres s'affrontent en deux camps ennemis, voués à une incompréhension et à une haine éternelles : d'un

côté, « une race nombreuse..., une grosse pâte à
pétrir, qui mange son saucisson, fait des enfants,
pousse ses outils, compte ses sous, bon an mal an,
malgré les épidémies et les guerres, jusqu'à la limite
d'âge : des gens pour vivre, des gens pour tous les
jours, des gens qu'on n'imagine pas morts » ; de
l'autre, « les nobles, les héros, ceux qu'on imagine
très bien étendus, pâles, un trou rouge dans la tête,
une minute triomphants avec une garde d'honneur
ou entre deux gendarmes, selon : le gratin ». C'est
du conflit de ces deux races que naît le tragique
chez Jean Anouilh.

Les gens pour tous les jours. — Les gens pour
tous les jours, ce sont, au bas de l'échelle : les
fantoches ; à un niveau supérieur : les gens d'ordre.
Fantoches : le père de Marc dans *Jébazel*, le père
de Thérèse dans *La Sauvage*, le père d'Orphée dans
Eurydice, le père de Jeannette dans *Roméo et Jeannette ;* fantoches, presque toujours, leurs dignes
compagnes. Tous ces êtres ont des aspects bouffons
de personnages dostoïevskiens : ils sont vantards,
souvent ivrognes ou bassement paillards ; ils affec-
tionnent les discours emphatiques, les gestes théâ-
traux, les allures de grand seigneur.
Au milieu de leur misère, voire de leur crasse, ils
aspirent « à sentir la caresse d'une vie de luxe » :
ainsi, le père de Jeannette voudrait « écraser sous
le faste » la mère de Frédéric, qui est fiancé à sa
fille. Ils visent encore plus à la dignité et à la
noblesse, mots pompeux dont ils se gargarisent. Mais
ces fantoches ne sont pas seulement ridicules ; ils
sont foncièrement méprisables. Leur sordide égoïsme

les rend incapables de comprendre tout acte désintéressé et l'habitude qu'ils ont prise de courber
l'échine a annihilé en eux toute volonté et tout sens
moral : Tarde, le père de Thérèse, est prêt à toutes
les bassesses pourvu qu'on le laisse vivre confortablement chez Florent ; le père de Jeannette vit sans
vergogne des libéralités de l'amant de sa fille.

Sensiblement au-dessus de cette humanité équivoque à mi-chemin entre les fantoches et les gens
de la bonne race, il y a les gens d'ordre, « la race
d'Abel » : Philippe, l'ami de Frantz, dans *L'Hermine;*
Jacqueline, « la jeune fille aux grosses automobiles »,
dans *Jézabel ;* Florent, dans *La Sauvage ;* Frédéric
et sa mère dans *Roméo et Jeannette.* Riches et
intelligents pour la plupart, ce sont des êtres «clairs»,
raisonnables, faits pour une vie quiète, aux joies
sans complication.

Ils ne sont pas totalement incapables de souffrir,
mais leurs douleurs ne sont que « des douleurs
d'oiseaux ». « Elle est d'une race où l'on a mal plus
discrètement », dit Julia de sa future belle-mère dans
Roméo et Jeannette. L'ignorance de la véritable
douleur en fait « des exilés, des embusqués » sur
cette terre. Ils en arrivent à perdre leur caractère
d'humanité : « Tu ne sais rien d'humain », crie
Thérèse à Florent. Et Frédéric, bourgeois « tiré à
quatre épingles », ponctuel et méthodique, se sent
en marge des autres hommes, du jour où il se prend
de passion pour Jeannette, la fille des plages échevelée et désordonnée. Le malheur de tous ces personnages, qui semblaient destinés à un bonheur facile,
vient de ce qu'ils aiment des êtres du camp opposé :
tel est le cas notamment de Jason, homme d'ordre

et de mesure, rêvant d'un monde apaisé et lumineux, lorsque, par amour pour Médée, il pénètre avec elle dans le monde noir de la race de Caïn, qui se complaît dans la révolte, la connivence avec l'horreur et avec la mort.

Un peu à part est le cas de Créon, dans *Antigone* : homme d'ordre par excellence, il croit à la vertu de l'action et il empoigne la vie à pleines mains : il est honnête, sensible, affectueux même sous des apparences rugueuses ; mais, par besoin de stabilité et par souci de tranquillité personnelle, il a dit oui à la vie, il a pactisé ; cela suffit pour qu'il ne prenne pas rang parmi les gens de la bonne race.

Les gens de la bonne race. — Les gens de la bonne race, « les héros », « les conquérants », sont presque toujours des êtres jeunes. Orgueilleux, ivres de liberté et de pureté (qu'ils soient réellement purs ou qu'ils aspirent à se purifier), ils refusent de pactiser et tendent, avec une intraitable ténacité, à se hisser sur le plan de l'absolu. Mais les exigences de leur idéal se heurtent à chaque instant aux contraintes et aux laideurs du monde : la pauvreté, les contacts impurs, le poids du passé, l'enlisement dans l'habitude, l'inévitable hypocrisie ; d'où le drame au milieu duquel ils se débattent et leur recours au désespoir.

L'être humain dépend des conditions matérielles de son existence. L'argent est un dieu redoutable qui, à l'origine, préside au départ entre les gens de la bonne et de la mauvaise race. Les héros d'Anouilh sont en général des enfants de pauvres : Frantz dans *L'Hermine*, Nathalie dans *Ardèle* ont été élevés par charité ; Thérèse, la sauvage, est « pauvre comme un petit rat » et le « pauvre Bitos » est fils d'une blanchisseuse : il a déchargé des camions aux Halles pour pouvoir poursuivre ses études.

Les humiliations subies dans leur enfance et le spectacle de la déchéance de leurs parents — due en partie à la misère de leur existence matérielle — leur ont appris que la pauvreté asservit l'homme et contribue à sa dégradation. Il arrive pourtant que la pauvreté soit, pour les gens de la bonne race, un ferment de révolte, qui entretient leur exigence d'absolu, car ils savent que la richesse ne donne droit qu'à un bonheur indigne d'eux, un bonheur facile et factice, fragile aussi, puisqu'il s'écroule quand la richesse disparaît.

L'être humain est aussi dans la dépendance des conditions sociales. Il se sent à chaque instant solidaire de son entourage, en particulier de ses parents, dont les tares ont imprimé en lui une marque indélébile. Thérèse, Jeannette, Orphée et Eurydice ont conscience d'expier la faute d'avoir eu des parents lamentables : « Je suis ta fille, dit Thérèse à son père. Je suis la fille du petit monsieur aux ongles noirs et aux pellicules ; du petit monsieur qui fait de belles phrases, mais qui a essayé de me vendre un peu partout, depuis qui je suis en âge de plaire ».

D'autre part, les héros d'Anouilh sont en butte aux interprétations mesquines que leur entourage donne de leurs paroles et de leurs actes : Antigone souffre lorsque sa nourrice se figure qu'elle a été à un rendez-vous d'amour, alors qu'elle a voulu, au péril de sa vie, rendre à son frère les honneurs funèbres; Thérèse souffre quand elle constate que les siens ne voient, dans son amour si pur pour Florent, qu'« une affaire inespérée ». Et, par manque de confiance en soi, le personnage en arrive à se demander douloureusement si ces interprétations ne correspondent pas à la réalité, de sorte que l'opinion des autres à son endroit finit par faire partie de sa personnalité réelle.

L'être humain est enfin tributaire de son passé. Ivre de liberté, le héros d'Anouilh souffre de la contrainte que fait peser sur lui la chaîne continue de sa vie antérieure ; contrainte en ce sens que, loin de révéler notre moi profond, original et autonome, le souvenir du passé marque le plus souvent notre dépendance par rapport à notre entourage.

D'autre part, certains héros, avides de se purifier, gardent la hantise d'un passé impur, dont ils veulent, mais ne peuvent se débarrasser : Eurydice, amoureuse d'Orphée, se repent d'avoir été la maîtresse d'un régisseur ignoble et elle tente, par un aveu, de se libérer du poids de cette pensée ; Jeannette, amoureuse de Frédéric, éprouve le désir de se laver de ses souillures, d'effacer « les traces des mains de ses amants » sur elle, mais la souillure résiste et colle à sa peau. Un seul personnage d'Anouilh, Jacques Renaud, le héros du *Voyageur sans bagage*, a la possibilité de brûler la politesse à un passé très lourd. A la suite d'une blessure de guerre, il a perdu la mémoire ; il vit plusieurs années dans l'insouciance, mais un jour il retrouve sa famille et il apprend qu'il a été dans son enfance une sorte de monstre, aux instincts malfaisants. Cette prise de contact avec un être qui lui semble complètement étranger le terrîle et le révolte : il « refuse » alors son passé, renie sa famille et se choisit une origine sans rapport avec son destin natal. Ainsi, son amnésie est devenue un instrument de libération, mais il s'agit là d'un cas exceptionnel.

Le héros de Jean Anouilh aspire à un bonheur qui serait un état de continuelle exaltation. Mais le bonheur s'use et s'altère au contact de la vie ; il aboutit fatalement à la médiocrité. Or, la médiocrité est le contraire même de la pureté. Ainsi Antigone, profondément amoureuse d'Hémon, conçoit un bonheur enivrant avec lui, mais elle se demande avec angoisse si ce bonheur pourrait durer : « J'aime un Hémon dur et jeune, un Hémon exigeant et fidèle, comme moi... Mais si votre vie, votre bonheur doivent passer sur lui avec leur usure... alors je n'aime plus Hémon ».

De toute façon, elle refuse avec une joie mauvaise le bonheur médiocre de ceux qui ont abdiqué : « Moi, je veux tout, tout de suite, ou alors je refuse. Je ne veux pas être modeste, moi, et me contenter d'un petit morceau si j'ai été bien sage. Je veux être sûre de tout aujourd'hui et que cela soit aussi beau que quand j'étais petite ou mourir ». Jeannette s'écrie de même : « Je n'aime pas la patience, je n'aime pas me résigner, ni accepter ».

Le héros d'Anouilh est aussi avide de vérité, de cette sincérité absolue qui, seule, donne un sens au monde et à la vie. Or, l'hypocrisie est la loi fatale des rapports humains : elle souille tout et entraîne, en particulier, la faillite de l'amour. Les amants éprouvent intensément le besoin de communier dans une confiance qui aurait la transparence de la fraternité des soldats ; ils voudraient « jouer le jeu sans tricher », être « deux complices devant la vie devenue dure, deux petits frères portant leurs sacs côte à côte, tout pareils, à la vie, à la mort ».

Hélas, plus un être, par désir de communion, tente de connaître son partenaire, plus il s'aperçoit que son effort est vain. Les amants ressemblent non à deux soldats côte à côte, mais à « deux prisonniers qui tapent contre le mur du fond de leur cellule ». Une apparence d'union, incomplète et précaire, est à la rigueur possible dans le mensonge et dans la tricherie ; la vérité, elle, tue l'amour.

En présence de toutes ces contraintes et de toutes ces laideurs, les gens de la bonne race souffrent atrocement ; il y a, en particulier, chez eux un sentiment d'affreuse solitude morale. Cependant, le malheur est « un privilège qui n'est pas donné à tout le monde » ; il a non seulement sa beauté, une beauté désolée et hautaine, mais sa richesse et son efficacité.

D'abord, il suscite chez le héros une pitié grave et généreuse pour la misère humaine en général, « pour tout ce qui est mal fichu sur cette terre » et pour la misère des fantoches en particulir : « Je ne pourrai pas vivre, si je sais que tu crèves quelque part », dit Orphée à son père et Thérèse, à la veille de ses noces, voit défiler, comme des fantômes, tous les êtres misérables avec qui elle a vécu jusqu'alors et qui ont besoin du réconfort de sa présence. Elle n'en peut plus de les porter dans son cœur et son

Photo Lipnitzki

Jean ANOUILH discute
avec son interprète de *L'Hurluberlu*, Paul MEURISSE

mot d'adieu à son fiancé Florent est un mot de fraternelle pitié : « Tu comprends, j'aurai beau tricher
et fermer les yeux de toutes mes forces. Il y aura
toujours un chien perdu quelque part qui m'empê-
chera d'être heureuse ».

Ensuite, le désespoir est, pour le héros, la condition essentielle de son ascension vers la pureté libé-
ratrice. Plus les échecs s'accumulent et ravagent sa
destinée, plus les laideurs de l'existence le marquent
de leur flétrissure, plus il aspire à forger sa pureté
et plus il accroît sa valeur humaine, qui n'atteint au
sommet que par l'épreuve de la souffrance. Mais le
désespoir, que le héros entretient en lui avec un
orgueil farouche, peut-il lui apporter la purification
suprême ? Jean Anouilh répond par la négative.

Parmi ses héros, les uns croient trouver une délivrance dans la fuite : Jacques Renaud disparaît dans
un dénouement pirouette ; Thérèse s'enfonce dans la
nuit ; « L'Hurluberlu », nouvel Alceste en guerre
lui aussi contre les hommes, cherche un refuge, non
dans un désert, mais dans l'affection qu'il porte à
son petit garçon.

Les autres, plus nombreux peut-être, n'envisagent
qu'une issue pour sauvegarder la pureté de leur
idéal : la mort, mort accidentelle pour Orphée et
Eurydice, mort plus ou moins volontaire pour Antigone, Jeannette, Médée. D'où, chez ces héros, une
étrange attirance vers le tombeau, vers le néant libérateur : « La mort est douce... ; elle est bonne, elle
est effroyablement bonne... ; la mort seule est une
amie... Avec elle, tout devient pur, lumineux,
limpide ».

19

B. *LE ROSE*

Jean Anouilh possède un tempérament essentielle-ment tragique, mais à l'exemple de devanciers illus-tres, il s'est plu à faire des incursions et à chercher une détente dans l'univers plus fantasque et plus léger de la comédie. Son inspiration comique oscille volontiers entre deux pôles : le ballet bouffon et la féerie.

Le ballet bouffon. — Dans *Le Bal des Voleurs* et dans *L'Invitation au Château*, Anouilh se laisse aller à la fantaisie la plus débridée. Avec une légèreté aérienne, une grâce un peu moqueuse, un goût marqué pour le cocasse et même le saugrenu, il fait évoluer, dans un climat irréel, tout un monde bigarré de marionnettes dont, en bon meneur de jeu, il tire prestement les ficelles.

Le charmant *Bal des Voleurs* commence comme une entrée de cirque, puis, sur un rythme disloqué, s'ébroue dans la farce, avec la dansante liberté de la Comedia dell'Arte et des spectacles de la foire ; les situations bouffonnes s'enchaînent suivant la logique de l'absurde ; le dialogue fuse en répliques irrésis-tibles, cependant qu'un clarinettiste narquois ponctue par une ritournelle les entrées et les mouvements des marionnettes, qui semblent cligner, d'un œil complice, en direction des spectateurs. On pense tour à tour au Molière du *Bourgeois gentilhomme*, à Labiche, à Bernard Shaw, à Charlot ou à René Clair.

Dans ce genre de comédies bouffonnes, Anouilh semble se moquer de tout. Il parodie lui-même ses

ne scène du *Bal des voleurs* au Théâtre de l'Atelier

personnages. Ainsi, dans *L'Invitation au Château* où les entrées et les sorties dansantes sont réglées avec une étourdissante virtuosité, on voit évoluer, ou plutôt pirouetter, par groupes de deux opposés ou parallèles, les marionnettes-types de l'univers comique anouilhien : la pure jeune fille pauvre et l'altière jeune fille riche ; les deux frères jumeaux, dont l'un est ordonné, mais cynique, l'autre lunaire, mais sensible ; la vieille fille refoulée, un peu folle, et le vieux barbon, habitué des coulisses de l'Opéra.

De même, Anouilh reprend, avec un détachement ironique, ses thèmes favoris : l'argent est vaincu et l'amour triomphe. Dans *L'Invitation au Château*, deux êtres, que tout sépare, un vieux financier juif, qui règne sur le marché des sulfates, et un petit rat d'Opéra aussi pauvre que fier, communient dans un commun dégoût de l'or et rageusement, à genoux tous les deux, lacèrent de grosses liasses de billets de banque.

Dans *Le Bal des Voleurs*, l'amour apparaît comme un dieu malicieux et charmant, qui se plaît à rapprocher des êtres que tout semblait devoir séparer : à la faveur d'un mensonge, la romanesque et tendre Juliette, nièce de Lady Hurf, unit sa destinée à celle du jeune apache Gustave. Comme Musset, et un peu aussi comme Molière, Jean Anouilh distingue dans son univers rose d'un côté les automates, vieux pour la plupart, ridicules et inconsistants ; de l'autre, les amoureux, jeunes et sincères, qui vivent dans la mesure même où ils croient à l'amour : « Tu vois bien, dit Eva à Juliette amoureuse du jeune apache, qu'il n'y a que toi qui es vivante ici. Il n'y a peut-être que toi à Vichy, que toi au monde ».

La féerie. — Dans *Le Rendez-vous de Senlis* et
dans *Léocadia*, Anouilh quitte le ton bouffon pour
nous faire pénétrer dans un univers de rêve, d'une
gracieuse irréalité poétique. Cet Anouilh rose fait
penser à un Charles Perrault qui aurait lu Pirandello.
Le thème du *Rendez-vous de Senlis* est tout entier
résumé dans cette réflexion du protagoniste : « Quel
étrange plaisir de réaliser ses rêves ! ». Georges a
épousé une femme qu'il n'aime pas ; il a mené une
existence morne entre des parents prodigues et des
amis cyniques. Mais un jour il a rencontré une charmante jeune fille, Isabelle, et, pour ne pas la décevoir, il lui a dépeint des parents et des amis tout
différents de ceux de la réalité. Comme Isabelle a
exprimé le vœu de faire leur connaissance, Georges,
pour donner un corps à ses rêves, loue à Senlis
une vieille demeure provinciale et il engage de vieux
cabotins pour jouer le rôle des parents imaginaires,
braves bourgeois dont les veillées se passent au coin
du feu. Or, au dernier moment, un incident détruit
l'illusion de cette mise en scène minutieusement
réglée et Isabelle découvre la supercherie. Mais,
tandis que, dans le noir, l'amour ne résiste pas au
mensonge, dans le rose il triomphe par la seule force
de sa foi. Non seulement Isabelle n'en veut pas à
Georges d'avoir menti en construisant pour elle un
monde selon son cœur, mais elle entre elle-même
dans le jeu et contribue ainsi à la victoire finale
du rêve sur la réalité.

Léocadia brode quelques variations pirandelliennes sur les illusions du souvenir. Un jeune prince a conçu une passion violente pour une cantatrice, Léocadia, qui est morte subitement ; depuis ce temps, il se consume, absorbé par le souvenir de la défunte. Pour adoucir sa peine, sa tante reconstitue dans son parc le décor des anciennes amours et elle engage, pour jouer le rôle de la morte, une modiste, Amanda, portrait vivant de Léocadia. Tandis qu'Amanda s'applique à évoquer le fantôme de « la divine », elle s'aperçoit, par des confidences du prince, qu'il n'a pas réellement aimé Léocadia : il a seulement entretenu en lui un amour imaginaire, pour donner un sens à son existence de désœuvré.

Et, par un matin ensoleillé, parmi les premières senteurs du jour, le prince sent sourdre en lui toutes les puissances de la nature : il cesse de se débattre dans son rêve et il cède aux charmes réels d'Amanda. Ainsi le conte s'achève sur cette moralité inattendue que la réalité est préférable au rêve : c'est à peu près l'inverse de ce que l'auteur suggérait dans *Le Rendez-vous de Senlis*. Peu importe ! Dans l'univers rose d'Anouilh, les contraires se fondent en une aimable harmonie.

C. *LE ROSE ET LE NOIR*

Dès le début de sa carrière dramatique, Jean Anouilh semble avoir été attiré par le mélange des tons. Il convient, à ce sujet, de distinguer mélange et alternance ou juxtaposition des tons. Victor Hugo

est, pour une bonne part, responsable de cette confusion, assez fréquente ; car, après avoir déclaré
péremptoirement, dans sa *Préface de Cromwell*, que
le drame, à l'imitation de la vie, devait unir intimement le sublime et le grotesque, le terrible et le
bouffon, la tragédie et la comédie, il s'est contenté
le plus souvent de les faire alterner sans vraiment les
mêler. Ainsi, les scènes du quatrième acte de *Ruy
Blas*, où se donne libre cours l'étourdissante fantaisie
de don César de Bazan, constituent un intermède
rose, qui s'enclave entre des épisodes noirs. Les deux
couleurs apparaissent successivement, non simulta-
nément.

Jean Anouilh se montre plus nuancé dans le
dosage des tons. Parfois, il glisse insensiblement du
rose au noir : cette évolution apparaît notamment
dans *Ardèle ou la Marguerite* et dans *La Répétition
ou l'Amour puni*. *Ardèle* débute par un enchaînement de situations bouffonnes, à la manière d'un
vaudeville de Feydeau ; puis, de proche en proche,
le burlesque cède la place à un humour à froid assez
strident, jusqu'au moment où le double suicide du
troisième acte met à nu un fond d'âpreté désolante.
La Répétition commence dans le ton de la Comédie
italienne ; la pièce s'infléchit ensuite un moment
dans le sens d'une comédie policière et elle se termine en mélodrame du Boulevard du Crime avec
l'intervention d'un traître qui persécute une pure
jeune fille.

Si le rose tourne ainsi quelquefois au noir, il arrive
aussi que rose et noir se mélangent. Dans *Mandarine*
et dans *L'Hermine*, les deux premières pièces jouées
d'Anouilh, la bouffonnerie et l'amertume s'allient si

intimement qu'il est difficile de les dissocier. *Le Voyageur sans bagage* est une sorte de vaudeville noir qui transpose, le plus souvent avec humour, la légende, entre toutes tragique, d'Œdipe.

Mais la plus remarquable réussite d'Anouilh, dans le mélange du comique et du tragique, est, sans contestation, la scène d'*Antigone* où la jeune fille, condamnée à mort pour avoir enfreint les prescriptions de Créon, se trouve seule en présence d'un garde, en attendant d'être emmurée vivante dans un trou. Bien qu'elle ait voulu cette mort, elle a peur malgré tout, une peur physique, qui donne froid ; et elle aurait besoin, pour ses derniers instants sur terre, de réconfort humain, de chaleur humaine. Mais le garde, dans son inconscience stupide, lui parle, tout en mâchant sa chique, de promotion, de rivalité entre garde et sergent d'active et il ne voit dans la mise à mort d'Antigone qu' « une drôle de corvée » pour ceux qui seront de faction. Grotesques en elles-mêmes, les remarques de cet imbécile deviennent odieuses et sinistres dans la mesure où elles accentuent la détresse et la solitude morale d'Antigone. Cette intrusion du grotesque au moment où l'intensité dramatique est à son comble peut provoquer le rire du spectateur, mais un rire crispé et douloureux, tout proche des larmes.

***

Depuis la mort de Jean Giraudoux, Jean Anouilh est considéré comme l'auteur dramatique le plus remarquable de la génération actuelle. Il est choisi

Louis Salou et Ludmilla Pitoeff
dans *La Sauvage*, au Théâtre des Mathurins

avec prédilection par les candidats au Conservatoire pour leur concours d'entrée ; il figure dans les ouvrages scolaires ; il est traduit dans toutes les langues et il semble même que sa renommée soit plus éclatante à l'étranger que chez nous.

Un tel succès s'explique par l'humanité de son œuvre, par l'action directe qu'elle exerce sur le public. Une conviction pathétique anime le théâtre d'Anouilh : le besoin de pureté de ses personnages, leurs révoltes, leur sentiment obsédant de la détresse humaine ont un accent poignant, rauque, qui éveille chez le spectateur une émotion presque insoutenable, mais d'une rare qualité humaine.

Ce tempérament dramatique exceptionnel est servi par une technique ingénieuse et souple, également à l'aise dans la loufoquerie aérienne du *Bal des Voleurs* et dans l'intensité dramatique d'*Antigone*. La virtuosité d'Anouilh est parfois si prestigieuse qu'elle se joue avec désinvolture des difficultés scéniques : ainsi, loin de s'ingénier à faire oublier au public qu'il est au théâtre, il met une sorte de coquetterie à lui rappeler que tout ce qu'il voit est truqué, que tout ce qu'il entend est faux, et pourtant, quelques minutes plus tard, l'illusion est créée et le spectateur a pénétré de plain-pied dans un univers de chair et de sang.

Enfin, Jean Anouilh fait sonner un langage dru, mordant et en même temps racé : dès à présent, certains morceaux, comme la tirade du Prologue sur la tragédie et le drame dans *Antigone* ou l'analyse de *La Double Inconstance* de Marivaux dans *La Répétition* semblent destinés aux anthologies.

Les critiques nuancent pourtant leurs éloges de quelques griefs. On reproche volontiers à Jean Anouilh sa tendance à tout pousser au noir, son goût du dégoût : « Il est regrettable, estime Gabriel Marcel, de mettre un tel talent au service d'une pensée aussi négative ». Mais Anouilh pourrait répondre comme François Mauriac à ceux qui accusaient notre romancier de se complaire dans un univers intensément sombre et pénible : « Quelle drôle d'idée de reprocher à un écrivain sa manière ! Il ne viendrait à l'idée de personne de faire grief à un peintre de sa vision ».

Et d'ailleurs, est-il exact qu'Anouilh soit le dramaturge du refus, de la démission devant la vie ? Il est possible d'extraire de son œuvre un message d'une haute portée : ne jamais pactiser avec la médiocrité, éviter la tentation du bonheur facile, préserver sa pureté et s'efforcer d'atteindre la plénitude de l'absolu. Quelques griefs sont plus valables : il y a, surtout dans les premières pièces d'Anouilh, des relents de Dostoïevski, d'Ibsen ou même de Bernstein ; des couplets romantiques aux effets un peu faciles et usés ; un goût trop marqué pour la provocation et le sarcasme ; parfois, au contraire, une tendance au sentimentalisme, voire à la mièvrerie. Mais ce ne sont là que critiques de détail.

Le reproche le plus grave que l'on puisse adresser à cette œuvre touche à la relative monotonie de ses sujets : depuis ses débuts à la scène, Jean Anouilh a tendance à creuser, avec une étonnante persévérance, les mêmes problèmes ; il redonne, inlassablement, les morceaux qui ont fait son succès : il nous a tout dit, semble-t-il, sur ses fantoches et sur ses héros ;

sur l'importance de la question d'argent ; sur l'inévitable faillite de l'amour... Aussi a-t-on l'impression qu'il évolue dans un univers un peu étriqué : comme, à chaque pièce nouvelle, sa technique gagne en maîtrise, il arrive à donner le change en brodant de brillantes variations sur des thèmes connus ; mais l'abandon à la pure virtuosité risquerait fort de scléroser son œuvre. Jean Anouilh, dont la carrière dramatique est loin, espérons-le, d'être terminée, se doit d'avoir, à l'égard de son art, une exigence d'absolu égale à celle qui dévore ses héros les plus intransigeants.

DEUXIÈME PARTIE

(de 1940 à nos jours)

Mis en veilleuse durant les quatre années d'occupation de notre territoire national, le mouvement théâtral a connu de nouveau une grande animation depuis la Libération ; le public parisien, en particulier, renoua comme d'instinct avec la communion chaleureuse des spectacles dramatiques. Ce renouveau fut favorisé par une assistance éclairée de l'Etat aux auteurs débutants et aux jeunes compagnies théâtrales, ainsi que par une opportune initiative de la direction des Arts et des Lettres, instaurant en province des centres dramatiques, qui assurèrent une plus large diffusion des spectacles à travers toute la France. Cependant, à Paris, la relève de Copeau et du Cartel des Quatre était assurée par Jean-Louis Barrault, associé à sa femme Madeleine Renaud, et par Jean Vilar, fondateur du Théâtre National Populaire.

Le théâtre comique est assez nettement en régression depuis la Libération. En une époque aussi troublée, il a quelque peine à trouver son rythme et à fixer ses tendances. La comédie boulevardière se survit tant bien que mal avec André Roussin, à l'invention un peu banale et vulgaire. Plus original, Marcel Aymé a écrit des farces hautes en couleur ; Félicien Marceau s'est révélé un observateur lucide, d'une légèreté cruelle.

Le drame, qui tend de plus en plus à absorber les diverses formes dramatiques, est mieux accordé à une époque marquée par l'angoisse. A l'image du plus prestigieux dramaturge de l'entre-deux guerres, Jean Giraudoux, disparu l'année même de la Libération, des auteurs célèbres, qui avaient derrière eux une carrière de romanciers, ont abordé le théâtre et créé, chacun selon son tempérament, un type nouveau de drame moderne : François Mauriac peint, à un moment de crise, des êtres démoniaques, ravagés par la passion ; Henry de Montherlant a une prédilection pour les personnages d'une rare envergure, qu'animent des sentiments nobles ou intenses ; Jean-Paul Sartre aborde, avec un mépris total de la convention, les problèmes angoissants qui sont nés au milieu de la confusion du monde actuel ; Albert Camus illustre dans ses pièces une métaphysique de l'absurde et de la révolte.

Enfin, depuis 1950 environ, une certain nombre d'auteurs dramatiques ont remis en question la structure théâtrale traditionnelle, au moment même où de jeunes romanciers élaboraient une technique romanesque originale. Le théâtre nouveau ou anti-théâtre présente un tableau de la condition humaine soustrait aux catégories du temps et du lieu, de l'action et de la psychologie, ainsi qu'aux conventions du langage ; il insiste en revanche sur les aspects visuels du spectacle. Il a pour principaux représentants : Samuel Beckett, dont les pièces statiques sont peuplées de créatures larvaires, qui analysent lucidement leur lamentable condition ; Arthur Adamov, qui peint, à travers un dialogue volontairement aride et plat, la détresse de l'homme, voué à la solitude et à la persécution : Jean Genet, créateur d'une dramaturgie qui sanctifie le mal dans une langue d'un lyrisme somptueux ; enfin et surtout Eugène Ionesco, qui exprime, avec un humour et une exubérance souvent extravagants, les angoisses et la sottise éternelles de l'homme.

CHAPITRE PREMIER

LES NOUVEAUX ANIMATEURS

Sous l'occupation, le régime de Vichy avait accordé des subventions à quelques jeunes animateurs. A la Libération, on assiste, pour la première fois en France, à une organisation méthodique de l'activité dramatique. Les metteurs en scène se groupent en un syndicat, qui étudie tous les problèmes posés par leur profession ; la condition des comédiens est fixée et protégée par des règlements. D'autre part, un organisme officiel, la direction des Arts et des Lettres, sous l'impulsion de Pierre Bourdan et de Mlle Jeanne Laurent, apporte au théâtre nouveau une assistance éclairée et efficace : diverses commissions sont créées, en particulier une commission d'aide à la première pièce, qui eut pendant quelques années Charles Dullin comme secrétaire général, et une commission d'aide aux jeunes compagnies dramatiques, qui attribue des subventions aux entreprises théâtrales les plus méritantes et qui institue un concours annuel, doté de prix assez substantiels

Cependant l'initiative la plus importante et la plus heureuse de la direction des Arts et des Lettres fut la création de centres dramatiques en province : en quelques années, des compagnies semi-permanentes, ayant à leur tête un ou deux animateurs, se multi-

plièrent aux quatre coins de la France et contribuèrent, par leur rayonnement, à décentraliser
l'activité théâtrale. Citons les principales formations
     Le centre dramatique de l'Ouest — le C.D.O. —
créé par Hubert Gignoux, puis dirigé par Georges
Goubert et Guy Parigot, rayonne à travers quatorze
départements, jouant un répertoire qui va de Racine
à Claudel et de Feydeau à Ghelderode. Le centre
dramatique de l'Est, créé par André Clavé, a été
dirigé ensuite par Michel Saint-Denis ; il est actuellement animé par Hubert Gignoux. Après quelques
tentatives à Paris au Vieux-Colombier et aux Noctambules, André Reybaz a pris la direction de la
compagnie du Nord, qui joue de vastes fresques
dramatiques (*Peer Gynt, Boulevard Durand*, de
Salacrou). La Comédie de Provence ou Centre Dramatique du Sud-Est, a été dirigée successivement par
Gaston Baty, Douking, R. Lafforgue. La Compagnie
de Saint-Etienne, animée par un ancien disciple
de Jacques Copeau, Jean Dasté, joue des pièces
étrangères — Synge, O'Casey, Bertold Brecht — et
s'adresse spécialement à un public ouvrier. Le
dynamique Grenier de Toulouse, créé en 1946 par
Maurice Sarrazin, Daniel Sorano et Jacques Duby, est
marqué par l'influence de Charles Dullin ; il se
signale par le faste de ses mises en scène (*Le
Carthaginois, Roméo et Juliette, Mère Courage*).
     Enfin, le Théâtre de Villeurbanne, fondé et animé
par Roger Planchon, joue des classiques — Shakespeare, Molière, Marivaux — mais aussi des auteurs
d'avant-garde — Bertold Brecht, Arthur Adamov,
Michel Vinaver — dans des mises en scène spectaculaires. Sous l'influence de Brecht, Roger Planchon

insiste moins sur la psychologie des personnages que sur leur comportement social ou politique. A l'imitation de Vilar, il organise à chaque week-end des spectacles, avec service de cars, pour faciliter l'accès au théâtre.

Cependant, à Paris, la succession de Jacques Copeau et du Cartel des Quatre fut assurée par de nouveaux animateurs, qui travaillèrent souvent dans le même sens que leurs aînés. André Barsacq succède à Charles Dullin à l'Atelier : il y monte, dans un style schématique et poétique à la fois, des œuvres russes (Dostoïevski, Gogol, Tchekhov), italiennes (Pirandello) et françaises (Regnard, Henri Monnier, Georges Neveux, Marcel Aymé, Félicien Marceau et surtout Jean Anouilh). Le « cartellien » Marcel Herrand s'intéresse particulièrement au théâtre espagnol (*Noces de Sang*, de Federico Garcia Lorca, *Divines Paroles*, de Valle Inclan) ; il monte aussi *Le Malentendu*, d'Albert Camus, *Montserrat*, d'Emmanuel Robles, *Le Roi pêcheur*, de Julien Gracq.

Georges Vitaly, s'inspirant du style du cabaret, suscite une vogue du vaudeville : il représente avec brio *La Quadrature du Cercle*, de Kataiev, *La Farce des Ténébreux*, de Ghelderode, *La Puce à l'oreille*, de Feydeau, *Si jamais je te pince*, de Labiche. Il joue aussi *Le Mal court* et *Pucelle* d'Audiberti et fait connaître Henri Pichette (*Les Epiphanies*). Raymond Hermantier, acteur et animateur plein de fougue, a une prédilection marquée pour les dramaturges étrangers, Schiller (*Marie Stuart, Don Carlos*), Gœthe (*Egmont*), Sherwood (*Si je vis*), Synge (*La Fontaine aux Saints*), Lorca (*La Savetière prodigieuse*).

La compagnie Grenier-Hussenot, formée à l'école de Léon Chancerel et de ses « comédiens routiers », joue d'abord la farce en tournées, puis monte à Paris à la fin de la guerre. Elle joue *Les Gueux au Paradis*, du flamand Martens, *Orion le Tueur*, de Jean-Pierre Grenier et Maurice Fombeure, *Liliom*, du Hongrois Molnar, *Philippe et Jonas*, de l'américain Irwin Shaw, *L'Amour des Quatre colonels* de Peter Ustinov, *Les Gaietés de l'Escadron*, *Les Trois Mousquetaires*. En 1956, la compagnie Grenier-Hussenot prend la succession de Jean-Louis Barrault au théâtre Marigny. Elle monte *L'Hôtel du Libre-Echange* de Feydeau, *Romanoff et Juliette*, de Peter Ustinov, *La Visite de la Vieille Dame*, du Suisse alémanique Dürrenmatt. Jean-Pierre Grenier et Olivier Hussenot se sont séparés il y a quelques années. Ces deux animateurs, pleins de gentillesse et de bonhomie, excellaient à créer un climat d'humour fantasque et poétique.

Plus près de nous encore, **Jacques Fabbri est** marqué par la double influence du cabaret et de son maître, Charles Dullin. Plein d'exubérance et de rondeur comique, il joue surtout des farces de forme traditionnelle : *Les Hussards* et *Jules* de P.-A. Bréal, *Le Fantôme*, adapté de Plaute, *La Famille Arlequin*, de Claude Santelli, *Misère et Noblesse*, d'après Scarpetta. Antoine Bourseiller, partisan d'une mise en scène qui « se voit », a un goût marqué pour l'étrange et le provocant : il est influencé par le surréalisme, par Bertold Brecht et par le cinéaste **Alain Resnais.**

Les dépositaires les plus remarquables de la tradition de Jacques Copeau et du Cartel demeurent Jean-Louis Barrault et Jean Vilar.

JEAN-LOUIS BARRAULT
(né en 1910)

Photo Lipnitzki

Etude biographique. — Né au Vésinet, en 1910, Jean-Louis Barrault appartient à une famille bourguignonne. Son père, pharmacien, souhaitait faire de lui un ingénieur agronome. Mais Jean-Louis a d'autres aspirations. Il commence par exercer tous les métiers : fleuriste, employé chez Ripolin, pion au collège Chaptal. La passion du théâtre couve en lui : un jour, il sollicite de Dullin une entrevue ; sa foi ardente et son désintéressement séduisent le maître, qui lui donne des cours gratuits. Jean-Louis s'installe « dans » le théâtre : il couche sur les fauteuils ou même sur la scène et dîne souvent d'un quignon de pain. Il fait ses débuts d'acteur dans *Volpone* et, quelques années plus tard, ses débuts de metteur en scène (*Numance, Autour d'une mère*, adapté du roman de Faulkner *Tandis que j'agonise*, *La Faim*, tiré du roman de Knut Hamsun). Remarqué par les producteurs de films, il commence une brillante carrière au cinéma (*Les Beaux Jours, Les Enfants du Paradis, Drôle de Drame, La Symphonie Fantastique*). En 1936, il épouse Madeleine Renaud, sociétaire de la Comédie-Française, une artiste aussi talentueuse que cultivée. En 1940, Jean-Louis Barrault entre lui-même à la Comédie-Française, où il va faire un stage de six années ; il monte pendant la guerre de beaux spectacles : *La Reine morte, Phèdre, Le Cid, Le Soulier de Satin.*

En 1946, il quitte le Français et réalise son désir le plus cher : il s'installe, avec sa femme, au théâtre Marigny et fonde la Compagnie Madeleine Renaud-Jean-Louis Barrault. Le couple réunit quelques camarades, transfuges de la Comédie-Française comme eux (Pierre Bertin, Jean Dessailly) ou du Boulevard (Simone Valère) : ils sont dix-sept, techniciens compris, qui désormais ne se quitteront pas. En octobre 1946, le rideau se lève sur le premier spectacle de la Compagnie, *Hamlet,* joué dans une traduction de Gide, admirateur enthousiaste de Barrault. Celui-ci mène « une action simultanée sur trois chemins » : classiques (Racine, Molière, Marivaux, Musset), modernes (Feydeau, Paul Féval, Claudel, Giraudoux, Romains, Achard, **Sartre**), créations (*OEdipe,* de Gide, *Partage de Midi,* puis *Christophe Colomb,* de Claudel, *La Répétition ou l'Amour puni,* d'Anouilh , *Pour Lucrèce* de Giraudoux, *Lazare* d'Obey, *Bacchus* de Cocteau, *Les Nuits de la Colère* de Salacrou, *Malatesta* de Montherlant, *Le Procès* de Kafka, *Elisabeth d'Angleterre* de Bruckner, *Irène innocente* d'Ugo Betti, *Le Songe des Prisonniers* de Christopher Fry). En même temps, dès 1947, la Compagnie fait de fréquentes tournées en province et à l'étranger : à Montevideo, Sao Paulo ou Santiago du Chili, elle triomphe, comme naguère Louis Jouvet.

Cependant, en 1956, les accords que la Compagnie avait, depuis dix ans, avec la direction du Théâtre Marigny ne sont pas renouvelés. Jean-Louis Barrault ne peut plus se produire qu'en province ou à l'étranger. C'est alors l' « époque errante » de la Compagnie, qui entreprend une vaste tournée internationale au Canada et aux Etats-Unis : pour la première fois, une troupe théâtrale se produit dans la grande salle de l'Assemblée générale des Nations Unies. M. Dag Hammarskjoeld remercie « les ambassadeurs Madeleine Renaud et Jean-Louis Barrault ». Après une tournée en Europe, la Compagnie se retrouve à Paris, sans domicile fixe. Elle obtient de A.-M. Julien, directeur du Théâtre Sarah-Bernhardt, un contrat de participation de cinq mois. Barrault monte *Histoire de Vasco*, de Schéhadé (1956), *La Voleuse de Londres*, de Georges Neveux, *Madame Sans-Gêne*, de Sardou et *Le Château*, de Kafka.

Enfin, après une nouvelle pause au Théâtre du Palais-Royal, où ils triomphent avec *La Vie Parisienne*, de Meilhac et Halévy, les « baladins » peuvent s'installer à l'Odéon, « lieu d'audace placé au cœur du quartier des étudiants ». Débarrassé de son caractère de seconde scène nationale, l'Odéon avait retrouvé son autonomie. La concession de « l'Odéon-Théâtre de France » est confiée par M. Malraux à Jean-Louis Barrault pour une période de six ans. Barrault annonce que, fidèle à l'esprit de ses prédécesseurs, il a l'intention de faire de l'Odéon « un théâtre vivant, centré sur la jeunesse et sur tout ce qui a l'esprit de création ». Pour débuter, il donne en alternance un drame, *Tête d'Or*, de Paul Claudel ; une comédie, *La Petite Molière*, de Jean Anouilh ; une farce,

Rhinocéros, de Ionesco. Il monte ensuite *L'Orestie*, d'Eschyle ; *Jules César*, *Hamlet* et *Le Marchand de Venise*, de Shakespeare ; des pièces de Marivaux, Feydeau, Claudel, Obey, Giraudoux, Kafka, Tchekhov ; il crée *Un Otage*, de l'Irlandais Brendan Behan, *La Nuit a sa clarté*, de l'Anglais Christopher Fry, *Le Piéton de l'Air*, de Ionesco. Jean-Louis Barrault donne aussi des soirées poétiques : *L'Ame et la Danse*, de Paul Valéry, *Les Noces d'Hérodiade*, de Mallarmé.

Il continue à faire des tournées à l'étranger, en Russie notamment. Il invite les jeunes animateurs de province à venir jouer leurs pièces sur son théâtre : c'est ainsi qu'il a accueilli le Théâtre de la Cité de Villeurbanne ; le Théâtre nouveau, dirigé par J.-M. Serreau et Aldo Bruzzichelli ; le Grenier de Toulouse. Parfois même Jean-Louis Barrault fait appel à des invités d'honneur parisiens : Alain Cuny, Laurent Terzieff. Jacques Charon est pressenti pour faire des mises en scène au Théâtre de France, tandis que J.-L. Barrault ira prodiguer ses conseils aux acteurs de la Comédie-Française : l'accord entre les deux salles n'aura jamais été si complet que depuis leur séparation (1).

---

(1) Jean-Louis Barrault publie régulièrement des *Cahiers Renaud-Barrault*, chaque Cahier groupant des documents, commentaires ou études critiques sur des problèmes dramatiques ou sur les principaux auteurs joués par la Compagnie. Ces Cahiers suscitent des vues neuves, des prises de position fécondes. J.-L. Barrault a aussi publié, chez Vautrain, des *Réflexions sur le Théâtre*, un livre brûlant de sincérité, et, aux Editions du Seuil, une édition de *Phèdre* de Racine.

Tout en nerfs, les yeux pleins d'ardeur, le nez impérial, le menton volontaire, la voix métallique, Jean-Louis Barrault a l'allure d'un chevalier ou de quelque athlète racé. De tous les animateurs du siècle, c'est celui qui est possédé par la foi la plus brûlante, la plus absolue. Il a choisi son métier de metteur en scène et d'acteur — « ce métier magnifique et absurde » — pour pouvoir « communiquer avec ses semblables, partager avec eux ses solitudes, ses angoisses, ses joies, ses pleurs et ses rires ». Il a repris à son compte la déclaration d'Antoine : « Sans l'audace, le risque et la bataille, ce métier est assommant ». Aussi proclamait-il, dès son entrée au Théâtre de France : « Pas de concessions ! ni dans le sens de la facilité, ni dans le sens de l'imposture intellectuelle ».

Comme ses devanciers, Jean-Louis Barrault a des idées personnelles sur le jeu de l'acteur, sur la mise en scène et sur le théâtre en général.

Dans ses *Réflexions sur le Théâtre*, il critique Diderot et son *Paradoxe sur le Comédien :* « Je ne crois pas qu'un comédien véritable ait jamais eu l'idée de situer son métier sous le signe du paradoxe». Selon lui, le théâtre utilise la dualité de l'homme, chez qui il y a une présence visible et une présence invisible. La présence visible est celle des personnages ; la présence invisible est celle de l'acteur, qui dirige de l'intérieur la partie que le personnage extérieurement présent a vraiment l'air de jouer : « pour que la crédibilité soit parfaite, il est indispensable que le personnage soit sincère, mais il n'est

pas obligatoire que l'acteur, à l'intérieur, le soit ».
Le jeu personnel de Jean-Louis Barrault est très
intellectuel, cérébral et, d'autre part, nettement
influencé par la pantomime et la Comédie italienne.

Disciple de Charles Dullin en ce qui concerne la
mise en scène, J.-L. Barrault considère une représentation comme un ensemble où s'harmonisent
toutes les formes d'expression dramatique : dialogue,
monologue, pantomime, chorégraphie. Il attribue
une importance particulière à la plastique : « L'art de
l'acteur est composé à la fois de l'art du geste et de
l'art du verbe... Quand on ne distingue plus ce que
l'on entend de ce que l'on voit, le phénomène théâtral est alors *présent*... L'acteur a rempli son rôle ».
Horloger de précision de l'attitude et du geste, Jean-
Louis Barrault estime que la légèreté des pas, la
souplesse et la vivacité des mouvements corporels
allègent la prose et donnent des ailes au vers.

Jean-Louis Barrault fait preuve de beaucoup d'éclectisme dans le choix de ses spectacles : n'est-ce pas
le meilleur moyen de montrer qu'il n'y a aucune
solution de continuité entre les genres et les époques
de notre patrimoine théâtral ? Aussi fait-il alterner
la bouffonnerie d'*On purge Bébé*, l'insouciance gracieuse d'*Amphitryon* et le tragique hagard du *Procès*,
les classiques français et étrangers, la reprise de
pièces savoureusement démodées, la création d'œuvres
d'avant-garde. Influencé par Antonin Artaud, J.-L.
Barrault appelle de ses vœux la création d'un théâtre
total. A la base, selon lui, le théâtre est réaliste :
c'est un art de sensualité, fait de chair. Le texte de
la pièce représente cet élément de réalité, mais c'est
l'élément le moins important : « un texte de théâtre,

écrit-il, c'est comme la partie supérieure et visible
d'un iceberg, qui représente un huitième ; les sept
huitièmes sont les racines invisibles, c'est-à-dire ce
qui fait la poésie ou la signification de la réalité ».
Ainsi, par le chemin de la réalité, le théâtre doit
chercher à atteindre « les régions de la véritable et
grande tradition, dont les sommets sont Eschyle,
Shakespeare, Molière ». De nos jours, des auteurs
comme Paul Claudel ou Jean Giraudoux nous ont
donné des exemples de ce réalisme poétique.

Ce théâtre total doit être aussi un **théâtre international**. Un spectacle dramatique est le miroir de notre
existence ; or, le rythme de notre vie est de plus en
plus accéléré, les déplacements sont de plus en plus
rapides : le théâtre doit donc trouver sa voie à
l'échelle mondiale. L'équivalent de ce que fut le
Cartel des Quatre à Paris, c'est le Old Vic de Londres, le Piccolo de Milan, le Burgtheater de Vienne,
le Berliner Ensemble, le Théâtre du Nouveau-Monde
de Montréal, le Théâtre expérimental de Santiago-du-
Chili. « Quand nous rendons visite à ces gens-là,
écrit Jean-Louis Barrault, nous retrouvons la même
mentalité, les mêmes préoccupations, la même **imagination** ». C'est que « le théâtre a le pouvoir de
rejeter les différences, de faire apparaître ce que les
gens ont de commun, et, à ce moment-là, l'homme
se reconnaît en face de l'homme, qu'il soit Indien,
qu'il soit noir, qu'il soit blanc, qu'il soit jaune,
qu'il soit un vieil aristocrate péruvien ou un viril
mexicain, ou encore un businessmann de Caracas ».

Des ambitions aussi vastes imposent le respect,
mais prêtent le flanc à la critique. Jean-Louis
Barrault est un génie excessif, qui veut toujours

aller à fond, qui aime d'un amour sans réserve : de là son culte, parfois maladroit, pour les avalanches lyriques de Paul Claudel ; son attrait discutable pour l'atmosphère de cauchemar d'un Kafka et, d'une manière générale, pour les ouvrages d'une haute intellectualité. D'autre part, si les réalisations de Barrault sont toujours d'une rare perfection technique, son désir de faire rendre à un texte toutes ses possibilités l'entraîne parfois à accumuler trop d'intentions ; on peut lui reprocher aussi de donner trop rarement libre cours à sa sensibilité, pourtant frémissante.

Par une curieuse ironie du sort, Jean-Louis Barrault, féru de haute intellectualité, passionné d'Eschyle, de Claudel et de Kafka, a obtenu ses plus éblouissants succès en offrant au public un mélodrame comme *Le Bossu*, un vaudeville comme *Occupe-toi d'Amélie* ou un opéra-bouffe comme *La Vie Parisienne*, dont les joyeux flonflons et le rythme endiablé plongeaient les spectateurs, habitués à supporter des spectacles moroses, dans un bain d'insouciance et d'euphorique frivolité.

II. *JEAN VILAR*
(né en 1912)

Photo Lipnitzki

Etude biographique. — Né à Sète d'un père com-
merçant, Jean Vilar fut bouleversé par l'émotion le
jour où, âgé de dix ans, il vit le Palais des Papes,
à Avignon : « Ce fut peut-être ma minute de vérité »,
écrit-il. Il fait ses études secondaires au collège de
sa ville natale. Dès l'âge de douze ans, il gagne sa
vie comme violoniste de jazz. Après avoir passé son
baccalauréat, il décide de « monter » à Paris. En
1932, il est pion au collège Sainte-Barbe ; il suit les
cours d'Alain et prépare une licence de lettres, mais
il se fait recaler au certificat de littérature française.

Un jour de 1933, Jean Vilar assiste chez Charles
Dullin, à l'Atelier, à une répétition de *Richard III* de
Shakespeare ; enthousiasmé, il s'inscrit au cours. Il
a pour camarade Jean-Louis Barrault ; comme lui,
il couche « dans » le théâtre, sur les fauteuils ou
sur la scène, et joue de petits rôles. Quelques années
plus tard, Jean Vilar fait partie d'une troupe de
jeunes comédiens qui joue dans des villages. « Jouer
dans une cour d'auberge, dans une salle de bal,
dans un théâtre de patronage, dans un hall d'hôtel,
quelles servitudes excitantes ! ». En 1943, associé

avec André Clavé, il monte, au Théâtre Lancry, *La Fontaine aux Saints*, de l'Irlandais **Synge ; puis il** crée une petite troupe, qui joue dans le théâtre le plus minuscule de Paris, le Théâtre de Poche, *Orage*, de Strindberg et *Césaire*, de Schlumberger. Il fonde une société d'abonnés, *La Compagnie des Sept*, qui recueille des souscriptions. Sur diverses petites scènes, il offre à un public restreint des spectacles très intellectuels, qu'il monte avec le souci de dégager l'essentiel de chaque œuvre : *Un Voyage dans la Nuit*, de Christiansen, *Meurtre dans la Cathédrale*, de T.-S. Eliot, *La Danse de Mort*, de Strindberg. Cependant Vilar reste encore ignoré du grand public.

Brusquement, Jean Vilar va passer du Théâtre de Poche au Palais des Papes, de cinquante à trois mille spectateurs. Il est, en effet, chargé en 1947 d'organiser, en Avignon, le premier Festival d'art dramatique de France. Le Palais des Papes, comme le théâtre d'Orange, avait jusque là servi de cadre à des **représentations théâtrales, mais** d'un caractère souvent désuet (*L'Arlésienne*, *La Fille de Roland*, *Severo Torelli*). Jean Vilar estime que ce décor unique, en plein air, où les acteurs sont en contact direct avec les spectateurs — car il a décidé de jouer *devant* le mur du Palais — doit permettre de donner aux spectacles un relief nouveau. Plus de poussiéreux drames en vers, mais du Shakespeare inédit (*Richard II*), du Claudel réputé injouable (*Histoire de Tobie et de Sara*), du Büchner (*La Mort de Danton*), du Supervielle (*Shéhérazade*), de jeunes auteurs (*Terrasse de Midi*, de Maurice Clavel). Dans *Le Cid*, puis dans *Le Prince de Hombourg*, de l'Allemand Heinrich von Kleist, on voit apparaître un

jeune premier, Gérard Philipe, dont le charme subjugue le public. Vilar organise aussi des tournées
à travers la France et des conférences à l'étranger.

En 1951, M. André Cornu, secrétaire d'Etat aux
Beaux-Arts, désigne Jean Vilar comme directeur,
pour trois ans, du Théâtre National Populaire (1).
On lui accordait cinquante deux millions de subvention, grâce à quoi il devait offrir au public parisien des places à bas tarif et organiser un minimum
de cent cinquante représentations dans les quartiers
populaires de la banlieue. Vilar hésite deux jours,
puis il accepte. L'immense vaisseau du Palais de
Chaillot, où l'on jouait *Primerose* et *Les Cloches de
Corneville*, va bénéficier de l'expérience d'Avignon
et devenir un théâtre d'audace. Pourtant Jean Vilar
prend un mauvais départ : ses deux premiers spectacles, *L'Avare* et *Nucléa*, d'Henri Pichette, sont
deux échecs. Le secrétaire d'Etat aux Beaux-Arts est
sur le point de signer la révocation. D'autre part,
sa gestion financière est critiquée : on l'accuse de
gaspiller les deniers publics et les Finances ramènent
sa subvention à quarante millions.

----

(1) Dès 1912, Paul Boncour avait exprimé le vœu de voir, créé
à Paris, un théâtre populaire, qui offrirait des spectacles à
bon marché à un large public. En 1920, il déposa une proposition de loi à la Chambre, qui vota des crédits pour la
création d'un théâtre populaire au Trocadéro. Firmin
Gémier en est nommé directeur ; à sa mort, en 1933,
Alfred Fourtier lui succède, mais, deux ans plus tard, on
détruit le Trocadéro ; sur son emplacement, on construit
le Palais de Chaillot, dont Paul Abram devient le directeur en 1938. Il est remplacé par Pierre Aldebert en 1940.
C'est au moment où les pouvoirs de Pierre Aldebert
arrivaient à expiration que M. Cornu, sur proposition de
Mlle Jeanne Laurent, sous-directrice des théâtres aux
Beaux-Arts, nomma Jean Vilar directeur du Théâtre
National Populaire.

Mais, peu à peu, le public s'engoue pour le T.N.P. ;
le chiffre des spectateurs augmente chaque année.
La troupe s'est organisée : elle comprend, outre la
super-vedette Gérard Philipe, Daniel Sorano, Georges Wilson, Jean Topart, J.-P. Moulinot, J.-P. Darras,
Philippe Noiret, Lucien Arnaud, Roger Mollien,
Georges Riquier, Jean Deschamps, Maria Casarès,
Christiane Minazzoli, Monique Chaumette, Catherine
Le Couey. Jean Vilar instaure, principalement à
Noël et au jour de l'An, des week-ends, au cours
desquels, durant deux jours, des ouvriers, des em-
ployés, des étudiants et des professeurs se rencontrent
à une matinée musicale, à un spectacle de théâtre,
suivi d'un débat public entre comédiens et spectateurs, à un apéritif-concert, à table ou au bal. Le
théâtre devient le plus noble plaisir des hommes
assemblés.

Quant au répertoire de Jean Vilar, il est presque
aussi éclectique que celui de J.-L. Barrault : il
comprend, en proportions à peu près égales, des au-
teurs français (Molière, Marivaux, Hugo, Musset,
Claudel) et des auteurs étrangers, Shakespeare
(*Richard II, Macbeth, Le Songe d'une Nuit d'Eté*),
Pirandello (*Henri IV*). Tchekhov (*Ce fou de Platonov*),
Bertold Brecht (*Mère Courage, La Résistible Ascen-
sion d'Arturo Ui, La Vie de Galilée*), Sean O 'Casey
(*Roses rouges pour moi*).

Après douze ans de direction du T.N.P., Jean Vilar
a fait part à M. André Malraux, ministre des Affaires
Culturelles, de son intention de ne pas demander le
renouvellement de son contrat, qui arrivait à expiration le 1er septembre 1963. Il a justifié sa décision
par des arguments d'ordre personnel.

*
*

Héritier de Jacques Copeau, Jean Vilar partage sa conception dépouillée et presque jansénis'e de la mise en scène : « Je suis venu au théâtre, déclare-t-il, pour tenter de lui rendre, en dépit des techniques modernes, son aridité, sa sécheresse et, ce faisant, son efficacité », et il ajoute : « Cela n'est pas seulement un style. C'est une morale ». Condamnant le traditionnel décor en carton-pâte, Vilar a pour principe de jouer, chaque fois que cela est possible, avec un tréteau nu, de manière à donner au texte et par suite au jeu de l'acteur toute leur plénitude. Un simple velours noir tendu encadre la mise en scène ; un proscenium remplace la rampe et met l'acteur en contact avec le public. Deux projecteurs permettent de susciter tel décor imaginaire. Les trois coups sont supprimés : à leur place, des « chocs musicaux ». Plus d'artificiels changements de décors : des valets traversent la scène en déplaçant quelques objets ou bien un acteur suggère, par un mouvement, le changement du décor : ainsi, dans *Lorenzaccio*, Gérard Philipe tournait légèrement la tête, en gravissant une marche, pour faire comprendre qu'il passait d'une place publique au palais d'Alexandre. Parfois, cependant, Jean Vilar se trouve dans la nécessité de planter un décor : par exemple, pour *Les Caprices de Marianne*, son décorateur Léon Gischia dessinait une petite place plantée d'arbres, au fond de laquelle apparaissait le jardin de Marianne.

Le rôle du théâtre, telle est la préoccupation essentielle de Jean Vilar. Il estime, en premier lieu, que le théâtre doit être un élément important de culture des masses : « Si l'on ne peut plus concevoir une éducation qui ne soit pas nationale, on ne peut plus imaginer une forme de théâtre contemporain qui ne soit pas populaire ». Pendant des siècles, le théâtre, comme d'ailleurs l'art en général, a été un domaine clos, réservé à la bourgeoisie. Or, il importe que le théâtre devienne, au même titre que le cinéma ou le sport, un élément de la vie quotidienne pour l'ouvrier de Belleville ou de Suresnes. Nommé par un ministre directeur d'un Théâtre National Populaire, Jean Vilar estime qu'il est chargé d'assurer un service public, comme les transports ou les ponts et chaussées. Mais Vilar se plaint qu'il n'y ait pas chez nous, comme en Russie, une véritable politique d'expansion de la culture dans les masses : « Le patronat et les syndicats français négligent tout ce qui touche à la

Photo Lipnitzki

Gérard PHILIPE
dans *Le Cid*

culture » (1). En dépit de ces difficultés, la collaboration entre Vilar et les organisations syndicales a
porté ses fruits : ses spectacles organisés en banlieue
ont toujours eu du succès.

En second lieu, le théâtre doit avoir un rôle primordial dans le développement de la culture française
à l'étranger. Comme Louis Jouvet, comme J.-L.
Barrault, Jean Vilar, grâce en particulier à ses tournées en Amérique latine, a contribué au renom des
troupes françaises à l'étranger. L'accueil, partout
chaleureux, a eu pour effet, entre autres, de diffuser
notre langue : c'est ainsi qu'au Chili, le français

---

(1) Il y a d'autres raisons au peu d'empressement des classes
ouvrière et rurale à fréquenter les théâtres. Le Centre
Dramatique de l'Ouest a mené, en 1953, une enquête sur
cette question ; voici les principales réponses enregistrées :
« La plupart des salles de spectacles sont des lieux inti-
midants, où l'ouvrier ne se sent pas chez lui, où il se sent
minoritaire parmi des favorisés de la culture ou de la
fortune ». D'autre part, « la propagande en faveur du
théâtre est mal faite dans les milieux salariés » ; pourquoi
par exemple les journaux ne consacrent pas la même
place à l'art dramatique qu'aux matches de football ou
au Tour de France cycliste ? Mais l'obstacle le plus
sérieux est peut-être ailleurs : « De quoi parlait le grand
théâtre grec au peuple grec ? De la victoire qu'il avait
remportée sur les Perses à Salamine ou d'une mythologie
qui était article de foi. De quoi parlaient les mystères
du Moyen Age à nos pères ? Du Paradis, de l'Enfer, de
la Création, de la religion chrétienne où tous communiaient.
Il est possible que les auteurs dramatiques contemporains ne sachent plus traiter des sujets capables, par leur
actualité ou leur vigueur, de passionner des auditoires
populaires. La production des Montherlant, Anouilh,
Giraudoux, Claudel, paraît aux militants syndicalistes
hermétique dans sa forme et inintéressante dans son fond.
Ou ils ne la comprennent pas ou ils trouvent qu'elle traite
des anecdotes dérisoires sans aucun rapport avec les
réalités où ils vivent, et les problèmes qu'ils jugent essentiels. C'est pour eux une espèce de luxe de mandarin ».

est devenu obligatoire dans les écoles. D'autre part, grâce en partie à une subvention du gouvernement français, Jean Vilar a pu organiser, à l'étranger comme chez nous, des séances à prix réduits et attirer ainsi les éléments les plus modestes de la population.

Enfin, inversement, le théâtre doit avoir un rôle dans le développement de la culture étrangère en France. Aussi Vilar s'est-il révélé comme l'un des serviteurs les plus éclairés du théâtre étranger en France : il a fait connaître en particulier l'Anglais T.-S. Eliot, l'Irlandais Sean O ' Casey et l'Allemand Bertold Brecht, à peu près inconnu chez nous, en dépit de la fécondité de sa production, jusqu'aux représentations de *Mère Courage* en 1951, qui sont à l'origine de la vogue extraordinaire de ce dramaturge (1).

---

(1) Seul, Gaston Baty avait fait jouer en 1930 *L'Opéra de quat'sous* de Brecht, qui dut d'ailleurs sa popularité au film de Pabst. Anarchiste, puis marxiste, Bertold Brecht fut condamné à l'exil par les nazis : il erra en Europe durant plusieurs années, puis il se fixa en Californie. Il regagna l'Allemagne en 1948, créa et dirigea à Berlin-Est le groupe théâtral du « Berliner Ensemble »; il est mort en 1956. Bertold Brecht est encore plus connu comme théoricien que comme auteur dramatique. Ses théories sont une illustration de la dialectique marxiste. Tandis que la philosophie essentialiste postule une nature humaine universelle et immuable, la philosophie matérialiste envisage l'homme comme un être perpétuellement mouvant, puisque soumis à la pression du devenir historique. Le théâtre — qui a pour mission de seconder la science dans l'amélioration de l'existence humaine — proposera donc non plus l'image d'un monde fixe, mais celle d'une société vouée à la métamorphose. La célèbre théorie brechtienne de la *distanciation* (en allemand Verfremdungseffekt = effet d'éloignement) s'oppose à la vieille doctrine de l'*illusion*. Du fait même qu'elle tend à supprimer la distance qui sépare la fiction de la réalité, l'esthétique traditionnelle de

Les reproches n'ont pas été épargnés à Jean Vilar, au cours de ses vingt ans de théâtre. On a critiqué l'homme, orgueilleux, têtu et misanthrope ; son jeu scénique, trop monocorde et mécanique, avec des gestes étroits et une étrange façon de concasser le texte ; la lenteur de certains de ses spectacles ; une option politique trop nettement — ou lourdement — définie ; une incapacité à créer un théâtre vraiment populaire, ses spectacles étant tantôt trop intellectuels, tantôt trop puérilement didactiques (*La Vie de Galilée*, par exemple). Saluons plutôt la probité de cet animateur, son dynamisme, sa volonté de ne pas se laisser emporter par la routine et d'aller toujours de l'avant, quitte à lutter contre lui-même ; remercions-le d'avoir révélé au grand public tant d'auteurs dramatiques dont les œuvres sommeillaient et surtout d'avoir fait comprendre que le théâtre n'est pas un simple jeu d'esthètes, réservé à quelques mandarins, mais un divertissement largement ouvert à tous et capable de s'intéresser à tous les courants de pensée qui circulent à travers le monde.

---

l'illusion supprime chez le spectateur toute liberté de jugement. Il convient donc de rétablir cette « distanciation », qui seule est constructive, car elle stimule une attitude critique du public et confère ainsi au théâtre une valeur didactique. L'influence de Bertold Brecht est considérable chez nous depuis 1951 : elle s'est exercée en particulier sur Adamov ; en revanche, Ionesco a critiqué avec véhémence le théâtre et les théories de Brecht.

CHAPITRE II

LE THÉATRE COMIQUE

Le théâtre comique de « la belle époque » 1900 ne songeait qu'à être un aimable passe-temps : brillant et léger, il était centré sur la vie parisienne de ce temps, ses amourettes, ses cercles, la vie insouciante de ses boulevards ; peu sensible à la poésie, il rasait la terre. Ce théâtre de pur divertissement avait eu, nous l'avons constaté, quelque peine à s'imposer à nouveau après 1918 : la nouvelle génération d'auteurs comiques, éprouvée par la guerre, teintait son rire d'amertume ou cherchait une évasion dans le rêve. La seconde guerre mondiale devait porter un coup plus rude à la comédie gaie et surtout à la comédie boulevardière : sans doute, celle-ci existe-t-elle encore, mais les successeurs d'Yves Mirande ou de Jean de Létraz sont de moins en moins appréciés d'un public qui leur préfère les films comiques ; d'autre part, la nouvelle génération des critiques dramatiques a contribué à ce discrédit de la comédie boulevardière par la sévérité dédaigneuse de ses jugements (ce qui a eu pour résultat assez curieux que les théâtres des boulevards se mettent à jouer des pièces d'avant-garde et même, depuis quelque temps, les chefs-d'œuvre classiques).

On comprend que, dans ces conditions, il n'y ait pas, de nos jours, un théâtre comique nettement fixé dans ses tendances et dans ses goûts, comme à l'époque 1900. Nous sommes, semble-t-il, dans une période d'évolution, avec tout ce que cela comporte de tâtonnements et d'hésitations. Plus exactement, si l'on voit assez bien ce qui, dans le théâtre comique, n'est plus valable, on discerne plus confusément ce qui serait adapté au rythme actuel de notre vie.

Certaines formules du théâtre de « la belle époque » sont périmées : les mots d'auteur, l'esprit de *L'Habit vert*, de Flers et Caillavet ne font plus guère rire ; d'une manière plus générale, le comique de Courteline, de Tristan Bernard ou d'Alfred Capus date, car, comme le remarquait un critique, « nous ne sommes plus ce peuple à moustaches et à barbiches, qui circulait en fiacre et mettait des housses sur ses fauteuils ». De plus, certains types traditionnels du répertoire comique d'antan ont veilli : tel est le cas du notaire gâteux, de l'adjudant et même du mari trompé, car il y a eu trop de drames de l'abandon au foyer des prisonniers revenus des stalags pour que l'on s'esclaffe d'aussi bon cœur que jadis à la vue des infortunes conjugales.

Quelques caractéristiques générales du théâtre comique actuel se font jour. L'influence des films sur ce théâtre est indiscutable. Les gags du cinéma, qui sont souvent dans la tradition de la Comedia dell'arte, son comique burlesque, qui est plus anglo-saxon que français, se retrouvent dans maintes comédies actuelles. Le théâtre comique tend aussi à rivaliser avec le film sur le terrain du merveilleux et du fantastique. Le cinéma semblait pourtant, grâce à une technique

qui lui est propre, être seul capable de rendre vraisemblable et possible l'invraisemblable et l'impossible : comme le remarquait André Roussin, au cinéma, « l'éléphant pénètre dans une salle à manger,
les convives s'envolent au plafond » ; or, un jeune
auteur dramatique, Alexandre Rivemale, a fait jouer
il y a quelques années *Azouk ou l'Eléphant dans la
maison ;* Marcel Aymé nous a montré sur scène des
policiers métamorphosés en oiseaux et Eugène Ionesco
un homme se transformant peu à peu en rhinocéros
sous les yeux des spectateurs, un autre qui marche,
s'assied et couche dans l'air, puis s'envole dans les
cintres jusqu'à la limite de l'anti-monde.

Le mélange et même la confusion des genres, déjà
sensible chez maints dramaturges de l'entre deux-
guerres (Marcel Achard et Jacques Deval en particulier), s'affirme de plus en plus chez nos auteurs
comiques actuels. Cette tendance, caractéristique
d'une époque trop troublée pour adopter un rythme
franchement comique, est assez fâcheuse : il serait
temps que les auteurs comprennent que, s'il n'est
plus question de revenir à la stricte distinction des
genres comme au XVIIᵉ siècle, il est un peu ridicule
de pratiquer volontairement cette confusion, ce tohu-
bohu de tous les genres possibles, qui crispe le
spectateur et disperse son attention.

Enfin, la comédie semble se désintéresser dangereusement de l'observation psychologique. Les personnages manquent presque toujours d'épaisseur, de
consistance ; ce sont des fantoches, non des êtres de
chair et de sang. Quelques pièces font de timides
incursions dans la comédie de mœurs, mais nous
n'avons plus de comédie de caractères. Aussi ne

saurait-on trop recommander aux jeunes auteurs dramatiques de créer un nouveau répertoire comique en observant autour d'eux les personnages de la vie courante du monde actuel, autrement dit de revenir au grand genre de la comédie de Molière.

De la production comique des dernières années, nous nous bornerons à retenir trois noms : André Roussin, un des rares survivants de la comédie boulevardière ; Marcel Aymé et Félicien Marceau, qui ont créé des formules originales, le premier de farce fantastique, le second de burlesque cruel.

I. ANDRÉ ROUSSIN
(né en 1911)

Notice biographique. — D'origine marseillaise, André Roussin, après avoir passé ses baccalauréats, s'inscrivit à la Faculté de droit de Marseille, mais seul le théâtre l'attirait : il écrit une comédie, *La Coqueluche*, puis une parodie du Misanthrope, *Les Fureurs d'Alceste*. Il abandonne la Faculté de Droit pour la Faculté des Lettres, mais il n'obtient qu'un certificat de licence. Au début de 1931, il monte à Paris, se présente à Paul Géraldy et à Pierre Fresnay, puis il revient à Marseille, où il se fait engager comme acteur au *Rideau gris*, compagnie théâtrale dirigée par son ami Louis Ducreux. Il compose *La Vie pour rire*, qui sera rebaptisée *Am-Stram-Gram*. Il essaie, mais en vain, de percer comme acteur. A l'armistice, on le retrouve à Marseille, où il écrit *Une Grande Fille toute simple* pour Madeleine Robinson.

En 1941, un héritage lui permet de monter à ses frais *Am-Stram-Gram* à Cannes : c'est un triomphe. Dès lors, André Roussin est lancé. Il échoue pourtant avec *Le Tombeau d'Achille* et *Jean-Baptiste*, mais il renoue avec le succès en faisant jouer *La Sainte Famille* (1946), *La Petite Hutte* (1947), *Les*

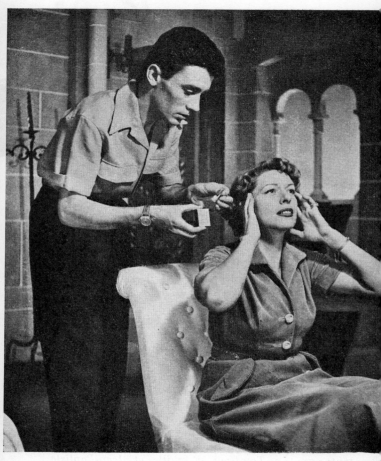

Madeleine ROBINSON dans
Une Grande Fille toute simple
au Théâtre de la Madeleine

Œufs de l'Autruche (1948), *Bobosse* (1949). Depuis
1950, André Roussin a fait représenter avec des fortunes diverses : *Lorsque l'enfant paraît*, *Hélène ou
la Joie de vivre*, *L'Amour fou*, *Le Mari*, *La Femme
et la Mort*, *La Mamma*, *Les Glorieuses*, *Un Amour
qui ne finit pas*, *La Voyante*.

En proposant pour sa première comédie le titre
Am-Stram-Gram, André Roussin invitait les spectateurs, comme l'avait fait Marcel Achard quelques
années auparavant dans *Voulez-vous jouer avec môa?*,
à jouer (1) avec lui une sorte de partie de cache-
cache entre un mari trop crédule d'une part, son
épouse et un camarade férus de mystifications d'autre
part. On retombe en enfance ; on joue à se mentir ;
on joue à faire les fous : un des protagonistes se
déchausse pour dessiner avec son pied ; un faux
rajah oublie des éléphants dans l'escalier ; un canari
répond au téléphone. Gags et loufoqueries se succèdent à un rythme étourdissant tandis que les
personnages pirouettent et virevoltent, comme au
cirque. Et pourtant, il suffirait de peu de chose pour
que ce jeu farfelu et burlesque sombre dans un
drame à la Bernstein, mais l'auteur est là, qui

---

(1) André Roussin a une prédilection pour le jeu : il se joue de
lui, du spectateur, du théâtre et des comédiens qui jouent
des pièces, mais qui jouent aussi leur vie. Ainsi, *Une
Grande Fille toute simple* peint la déformation des sentiments, lorsqu'ils passent dans l'âme des comédiens ; et,
dans *Bobosse*, Roussin se plaît à évoquer les interférences
des douleurs feintes de la scène et des douleurs réelles
de la vie, la situation fictive du personnage de théâtre
Bobosse, abandonné par sa maîtresse, se trouvant transposée dans la vie réelle de son interprète, Tony Varlet.

veille : « Une farce est un drame que l'on empêche d'éclater » ; le tout est de rester dans le ton de la blague, et par exemple de ne parler de l'amour qu'avec humour. Il y avait, dans *Am-Stram-Gram*, un cocktail de canulars, de gags inspirés des Marx Brothers, de farce surréaliste et de farce tout court, car Roussin a voulu remettre en honneur ce vieux genre gaulois injustement discrédité.

Après avoir fait du Marcel Achard, André Roussin fit du Feydeau en écrivant *La Petite Hutte* et *Nina*, deux pièces où une situation initiale cocasse est poussée jusqu'à ses conséquences les plus extrêmes par le moyen de déductions et d'enchaînements inspirés par la logique de l'absurde. Ainsi, dans *La Petite Hutte*, le triangle classique, mari, femme et amant, échoue sur une île déserte (le sujet avait d'ailleurs été ébauché jadis par Feydeau) ; cette situation insolite modifie l'ordonnance habituelle des rapports entre les éléments du ménage à trois, car le pacte tacite ou l'aveuglement, qui favorise le partage dans la vie de société, n'est plus de mise sur une île déserte ; les deux hommes courent donc leur chance à égalité et celui qui est trompé n'est plus forcément le mari. Dans *Nina*, un mari surgit chez l'amant de sa femme, bien décidé à le tuer ; or, il se trouve que l'amant, un séducteur excédé par ses innombrables conquêtes, a, au même moment, l'intention de se suicider ; aussitôt, la fureur homicide du mari tombe à zéro ; bien mieux, en apprenant à connaître ce séducteur-né, le mari se prend pour lui d'une admiration enthousiaste ; il décide alors de le débarrasser de sa propre femme en empoisonnant celle-ci, mais, comme sa tentative d'empoisonnement échoue, il pense à se suicider de manière à favoriser les amours de l'amant, son grand ami. Au terme de nombreuses péripéties, la femme, triomphante, couchera les deux hommes, fort mal en point, dans le même lit.

Après avoir rivalisé avec Marcel Achard, puis avec Feydeau, André Roussin semble avoir voulu administrer la preuve qu'il était capable d'égaler Bourdet ou Salacrou dans la peinture satirique des milieux bourgeois. Dans *Le Tombeau d'Achille*, *Les Œufs de l'Autruche*, *Lorsque l'Enfant paraît*, *La Sainte Famille*, André Roussin laisse percer ses sentiments de révolte contre tous les préjugés et tous les mensonges, qui permettent à la redoutable et « sainte famille » de maintenir son besoin d'ordre. Une fois même, Roussin a tenté une incursion dans la haute comédie : *Une Grande Fille toute simple* propose au spectateur des thèmes de méditation sur la question de savoir combien d'êtres éprouveraient le besoin d'aimer, s'ils n'avaient jamais entendu parler de l'amour.

Dans toutes ces comédies, qu'elles soient roses ou qu'elles virent au noir, l'homme est représenté comme un être faible et tourmenté, se heurtant à l'éternel féminin, à ses ruses, à ses caprices, à ses réactions imprévisibles, et tentant, mais en vain, de bâtir avec un tel partenaire un accord fondé sur la confiance.

Un certain public, épris de paisible « théâtre de digestion », porte aux nues André Roussin (et Marcel Achard) : il voit dans ces deux auteurs le fin du fin de l'art dramatique. Un autre public, et plus encore une certaine critique, entichés de haute intellectualité, criblent de leurs sarcasmes ces faibles cerveaux, que n'habite aucune angoisse métaphysique. Est-il donc si difficile de porter un jugement pondéré ?

André Roussin n'est pas dénué de qualités. Intelligent et habile, il est aussi apte à faire une pièce avec rien qu'à nouer, dénouer et renouer une intrigue. Ses personnages entrent et sortent à point nommé, prodiguant des mots drôles ou des traits de mœurs d'une aimable sûreté. Son comique est en général sans prétention, mais agile et d'une verve toute boulevardière, ce qui n'empêche pas Roussin de marquer un certain goût pour les morceaux de bravoure : ainsi, dans Bobosse, le monologue fleuve du protagoniste, véritable exercice acrobatique destiné à monter en épingle la virtuosité d'un comédien. Le dialogue enfin a certaines qualités de souplesse et de brio.

Mais, que de défaillances aussi ! La construction des pièces manque souvent de vigueur ; il y a presque toujours des longueurs, des piétinements, Roussin ne nous ménageant pas des éclaircissements superflus ; et l'épilogue donne parfois l'impression du bâclé : n'ayant plus rien à dire, l'auteur renvoie comme il peut tout son monde.

D'autre part, André Roussin n'échappe pas aux défauts les plus fréquents chez les auteurs comiques du temps présent. Il cultive avec une fâcheuse prédilection le mélange des genres le moins homogène. *Nina* part sur une donnée de vaudeville, s'infléchit un moment vers la comédie de caractères, puis verse dans le mélodrame, avant de se terminer par une pirouette. *La Mamma* tient à la fois de la comédie de caractères (?), de la comédie d'intrigue,

François PÉRIER

ne TONIETTI
ns *Bobosse*,
la Michodière

Photo Lipnitzki

de l'étude clinique et de la bouffonnerie, le cocktail donnant une pièce boulevardière. Dans *Le Mari, la Femme et la Mort*, André Roussin semble avoir voulu soutenir la gageure de traiter sur le mode comique le sujet atroce que voici : une jeune femme, qui a épousé un rustre riche et malade dans l'espoir de devenir veuve, décide de hâter son trépas trop lent à venir. L'auteur s'applique à travestir en cocasseries bouffonnes les plus affreuses cruautés ; le comique prétend naître de l'outrance même du tragique, mais le résultat est loin d'être convaincant.

Enfin et surtout, les personnages de Roussin ne sont pas nés d'une observation attentive de la vie quotidienne : ce ne sont que d'aimables fantoches, qui s'évanouissent dès qu'ils ont franchi les portants de la scène.

22

Une scène de *Cléranbard* :
à gauche, Jacques DUMESNIL

Photo Lipnitzki

II. *MARCEL AYMÉ*
(né en 1902)

Notice biographique. — Fils d'un maréchal-ferrant,
Marcel Aymé est né en 1902 à Joigny, dans le Jura.
Il perdit sa mère à deux ans et fut élevé par ses
grands-parents, puis par une tante. Après ses études
secondaires au collège de Dole, il s'inscrivit à la
Faculté de Médecine de Paris. Il exerça tous les métiers : rédacteur de faits divers, employé de banque,
chef de rayon, manœuvre, camelot et figurant de
cinéma. Pourtant, en 1926, Marcel Aymé réussit à
faire publier par Gallimard un roman, *Brûlebois*,
puis il travaille dans une maison d'exportation. En
1929, il écrit *La Table aux crevés*, qui lui vaut le
prix Théophraste Renaudot.

Il pense alors au théâtre, mais sa première pièce,
Lucienne et le Boucher, rédigée en 1932, n'intéresse aucun directeur. Il publie en 1933 son chef-
d'œuvre romanesque, *La Jument verte*, dont le
succès va lui permettre de se consacrer uniquement
aux lettres. En 1936, il compose une nouvelle pièce, *Vogue la Galère*. Suivent deux romans,
Travelingue (1941) et *Le Chemin des Ecoliers* (1946) ;
deux recueils de nouvelles : *Contes du Chat perché*

(1939) et *Le Passe-Muraille* (1946). Un metteur en scène, Douking, se décide à faire jouer en 1948 *Lucienne et le Boucher* au Vieux-Colombier : c'est un succès. Dès lors, Marcel Aymé se consacre surtout au théâtre : il y donne *Clérambard* (1950), *La Tête des Autres* (1951), *Les Quatre Vérités* (1954), *Les Oiseaux de Lune* (1955), *La Mouche bleue* (1957), *Louisiane* (1961), *Les Maxibules* (1962), *Le Minotaure* (1963). Ajoutons deux adaptations d'Arthur Miller : *Les Sorcières de Salem* (1954) et *Vu du Pont* (1958), une adaptation d'Arthur Kopit : *Le Placard* (1963), plus une nouvelle version de *La Tête des Autres* (1959). Marcel Aymé est aussi l'auteur d'un essai, *Le Confort intellectuel*.

Marcel Aymé a déclaré un jour : « Ma matière, ce n'est ni le merveilleux, ni la réalité. Mais ce qui change de la vie. L'auteur a bien le droit de s'amuser un peu. Les fées sont bien agréables à fréquenter. Les hommes aussi ». Cette matière, on la trouve dans ses farces, comme dans ses romans et nouvelles.

Ce qui frappe d'abord, c'est le caractère insolite de la donnée initiale. Tantôt, Marcel Aymé part d'un postulat cocasse ou invraisemblable. Ainsi, l'incandescente épouse d'un horloger timide noue une intrigue amoureuse avec un athlétique tueur de bœufs (*Lucienne et le Boucher*). Un condamné à mort s'évade en se cachant dans l'auto du procureur qui a requis contre lui et obtenu la peine de mort ; il surgit au domicile du procureur et il reconnaît dans sa maîtresse la femme avec qui il a passé la soirée, au moment même où était commis le crime qu'on lui a imputé (*La Tête des Autres*). Tantôt, Marcel Aymé choisit un point de départ surnaturel. Par exemple, un hobereau provincial, qui se complaît à terroriser son entourage et à massacrer les animaux reçoit un jour la visite de saint François d'Assise (*Clérambard*). Un surveillant général de collège possède le don miraculeux de transformer ses semblables en oiseaux (*Les Oiseaux de Lune*).

Comme dans ses contes et nouvelles, Marcel Aymé pousse à fond sa donnée initiale, allant, avec ce flegme imperturbable, qui est un caractère constant de son humour, jusqu'au bout de l'invraisemblable et de l'absurde. Ainsi, dans *Lucienne et le Boucher*, l'ardente Lucienne fait tuer son mari, l'horloger, par son amant, le boucher, puis elle fait endosser le meurtre par ce dernier et elle lui réclame alors des dommages et intérêts. Dans *La Tête des Autres*, comme on ne peut établir l'innocence du condamné à mort qu'au prix d'un scandale, deux tueurs sont chargés de faire disparaître ce gêneur, acharné à réclamer que les vrais coupables soient punis. Dans *Clérambard*, le hobereau sadique découvre, grâce à saint François d'Assise, les hautes joies de la charité et de l'humilité : il entoure d'une tendre sollicitude les bêtes les plus disgraciées et il décide d'aller prêcher l'Evangile par les routes. Enfin, dans *Les Oiseaux de Lune*, la suprême logique de l'absurde pousse le surveillant général magicien à transformer en oiseaux tous les policiers ou procureurs, qui viennent au collège pour faire une enquête sur des disparitions précédentes, si bien que, de métamorphose en métamorphose, les oiseaux constituent toute la population de la ville.

Sous leur apparence cocasse ou saugrenue, la plupart des farces de Marcel Aymé cachent une satire mordante de la société. *La Tête des Autres*, dans la ligne d'une tradition théâtrale qui se plaît à représenter des juges stupides et cruels, est une charge à fond de train, débordante de verve et de férocité outrancière contre la magistrature (malheureusement, l'excès même de la satire la rend peu probante). *Clérambard* flagelle l'hypocrisie sociale et, en contrepartie, lance un pathétique appel vers la communion universelle, jadis prêchée par le Fils de l'Homme. *Les Oiseaux de Lune* fustigent sous forme symbolique, avant *Rhinocéros* d'Eugène Ionesco, les dictateurs qui, sous couleur de faire le bonheur des individus, dégradent leur personnalité humaine, en annihilant chez eux la pensée. Enfin, *La Mouche bleue*, qui représente un Américain moyen placé un beau jour à la tête du Bureau des Idées, est une satire de l'Amérique, obsédée par le souci du rendement qui, poussé à l'extrême, fait danser sous les crânes « la mouche bleue » bien connue des psychiatres.

Marcel Aymé possède une *vis comica* irrésistible, faite d'un curieux mélange de gaillardise insolite, de grandeur bouffonne, d'humour féroce et en même temps placide. D'autre part, le fantastique le plus insensé s'insère chez lui dans le réel le plus exact et le plus minutieux ; Aymé décolle avec un parfait naturel de l'univers tangible, de ses habitudes et de son prosaïsme quotidien et il nous invite à partir avec lui, sur son tapis volant, en pleine féerie. En contrepartie, ce magicien sait mieux que quiconque, dans ses farces comme dans ses contes, restituer avec une fidélité scrupuleuse les conversations journalières entendues chez le boulanger ou chez le boucher : lieux communs gigantesques, monstrueuses idioties qui, débitées sur un ton solennel, ont une saveur réjouissante. Et pourtant, cette féerie humaine drolatique qu'est le théâtre de Marcel Aymé cache sous ses flots de rire une émotion sincère, la pudique chaleur d'âme d'un être possédé par un amour inavoué de ses semblables. Car, contrairement à la plupart de nos contemporains, Marcel Aymé n'a pas une vision pessimiste de l'humanité et de l'univers. En dépit de ses médiocrités et même de ses bassesses, l'homme est pour lui un être exceptionnel ; en dépit de ses ratés, la création est une réussite extraordinaire, qu'on ne se lasse pas d'admirer.

Les dons dramatiques de Marcel Aymé sont malheureusement gâtés par quelques défaillances sensibles. D'abord, Aymé n'échappe pas au défaut commun à la majorité des dramaturges contemporains : ses pièces, mêlant des genres discordants, sont tiraillées en tous sens. Ainsi, *La Tête des Autres* se présente comme une pièce à tiroirs, tour à tour farce, satire, vaudeville noir, comédie de mœurs, comédie policière à suspense ; *Les Oiseaux de Lune* font alterner le lyrisme et la bouffonnerie : *Les Quatre Vérités* traitent en farce un sujet tragique ; *Clérambard* plaque du burlesque sur un thème presque larmoyant. D'autre part, le comique de Marcel Aymé manque de légèreté et de mesure : les effets vaudevillesques s'accumulent ; le trait a tendance à s'épaissir. D'inutiles vulgarités, à peine dignes de l'ancien

Palais-Royal, entachent nombre de scènes. On sent trop aussi chez cet anti-conformiste un malin désir de scandaliser à tout prix : ainsi, dans *La Tête des Autres*, Marcel Aymé s'acharne à montrer la vertu victime du vice, sur lequel repose, selon lui, notre société.

Un autre défaut est sensible dans presque toutes ses pièces : il commence très bien ; il finit médiocrement ou mal. Son premier acte démarre avec brio ; les situations sont imprévues, les répliques drôles, les scènes enlevées ; dans la salle, les rires fusent. Puis, au bout de quelque temps, en dépit des efforts de l'auteur pour maintenir le rythme du début, le spectateur sent nettement une chute de tension : les effets se répètent sans se renouveler ; le dialogue s'essouffle ; la pièce piétine et s'étire laborieusement jusqu'à la limite des quatre actes.

Enfin, Marcel Aymé ne semble s'être rendu compte qu'il est infiniment plus délicat d'introduire du merveilleux ou du fantastique sur une scène que dans un conte. Ainsi dans *Le Passe-Muraille*, les éléments féeriques sont postulés ; le conte commence ainsi : « Il y avait à Montmartre, au troisième étage du 75 *bis* de la rue Orchamps, un excellent homme nommé Dutilleul, qui possédait le don singulier de passer à travers les murs sans en être incommodé ». Et on lit, un peu plus loin : « Il y avait à Montmar-

Deux scènes de *La Tête des Autres*. On reconnaît en haut, au centre, Raymond Souplex et Marcel Pérès ; en bas, Yves Robert, Jean Martinelli et Monique Mélinand

→

tre, dans la rue de l'Abreuvoir, une jeune femme prénommé Sabine, qui possédait le don d'ubiquité ». D'entrée de jeu, le lecteur, redevenant l'enfant qui croit aux contes de fées, laisse vagabonder son imagination, quitte la terre et pénètre de fort bonne grâce dans un univers merveilleux : il est entendu pour lui que M. Dutilleul passe à travers les murailles, que Sabine a le don d'ubiquité, que les juments sont vertes et que les bœufs apprennent à lire dans leurs mangeoires. Mais le spectateur de théâtre, qui ne peut guère laisser vagabonder son imagination, du fait que sa vue est constamment soumise à un décor et à des personnages tangibles, admet assez difficilement qu'un surveillant de collège ait le pouvoir de transformer ses semblables en oiseaux ou que le fondateur de l'ordre des Franciscains ressuscite pour rendre visite à un hobereau du XX⁰ siècle et pour lui révéler les joies de la charité. Cette brusque intrusion, sur une scène, du miracle dans la vie quotidienne risque de donner au spectateur l'irritante impression qu'on a voulu le mystifier.

II. FÉLICIEN MARCEAU
(né en 1913)

Photo Lipnitzki

Notice biographique. — Né en 1913 à Cortenberg, près de Louvain, en Belgique, mais naturalisé français, Félicien Marceau est licencié en droit. Il a été fonctionnaire à la Radiodiffusion nationale belge jusqu'en 1942, puis il partit pour l'Italie et devint bibliothécaire au Vatican. Il a eu une carrière de romancier (*Capri, petite île*, 1951 ; *Chair et Cuir*, 1951 ; *L'Homme du Roi*, 1952 ; *Bergère légère*, 1953 ; *Les Elans du Cœur*, prix Interallié 1955), de nouvelliste (*En de secrètes noces*, 1953 ; *Les Belles natures*, 1957) et d'essayiste (*Casanova ou l'Anti-Don Juan*, 1949 ; *Balzac et son Monde*, 1955). Il fait ses premières armes au théâtre en 1954 : *Caterina*, montée à l'Atelier par Barsacq, se heurte à l'indifférence du grand public. Mais *L'Œuf*, inspiré du roman *Chair et Cuir*, part en flèche en 1956, est joué trois années consécutives à l'Atelier et vaut à son auteur une renommée mondiale. *La Bonne Soupe* obtient un succès presque égal, en 1959, au Gymnase. En revanche, *L'Etouffe-Chrétien*, joué à la Renaissance en 1961, est un échec et *Les Cailloux* ne réussissent guère mieux l'année suivante à l'Atelier. Mais *La Preuve par Quatre* triomphe à la Michodière en 1964.

Les deux Marie-Paule de *La Bonne Soupe*
au Gymnase : Marie BELL et Jeanne MOREAU

La première pièce de Félicien Marceau, *Caterina*, était une assez froide imitation du théâtre élisa- béthain ; il y avait là trop de beaux sentiments, un dialogue trop empreint de noblesse. Les critiques eurent raison de conseiller au jeune dramaturge de s'affranchir de toute sujétion et de se laisser aller aux impulsions d'un talent plus authentique. Ils furent comblés : *L'OEuf* et *La Bonne Soupe* révé- lèrent un homme de théâtre particulièrement doué.

La technique de ces deux pièces, à peu près iden- tique, était de nature à surprendre les spectateurs. *L'OEuf* et *La Bonne Soupe* se présentent comme les confidences d'un seul personnage, qui, à aucun mo- ment, ne quitte le plateau. Magis, héros de *L'OEuf*, et Marie-Paule, héroïne de *La Bonne Soupe*, ont, au début de la pièce, vécu l'essentiel de leur destinée. Magis a stabilisé son existence ; c'est un homme mûr et triomphant ; si Marie-Paule a la même matu- rité, elle n'a pas le même équilibre.

Tous deux, à ce stade avancé de leur carrière, éprouvent le besoin de raconter tout le détail de leur vie privée, leurs multiples aventures ou mésaventures, le fruit de leurs méditations et de leur expérience ; la seule différence est que Magis s'adresse directe- ment au public, tandis que Marie-Paule se confie à un croupier de casino. En même temps, défilent sous nos yeux les personnages et les décors qui ont cons- titué les étapes marquantes de leurs existences ; au début, les deux personnages revivent les plus loin- tains de leurs souvenirs, puis, progressivement, l'action les « rattrape à la course ».

Magis est d'abord un timide et misérable apprenti, rejeté par la société : il a l'impression d'être « un néant, une virgule ». Il aspire à une grande aventure amoureuse : or, sa première maîtresse est une vieille fille disgrâciée ; puis, il devient l'amant d'une prostituée ; il épouse enfin la fille d'un bureaucrate, qui le trompe. Ces infortunes le font méditer sur la condition humaine : il découvre alors que le monde est régi par un « système », c'est-à-dire par des idées toutes faites, qui donnent de tout ce qui est l'homme, de l'amour, de l'amitié, de l'honneur, une image où lui, Magis, l'homme acharné à découvrir la vérité, ne se retrouve pas. C'est donc, raisonne-t-il, que ce système est faux : l'homme épris du vrai est solitaire devant le monde, comme devant « un œuf lisse, clos, fermé ».

Pour pénétrer à l'intérieur de l'œuf, pour le gober, il n'est qu'une arme : le mensonge. En bon logicien, Magis se sert du mensonge pour se libérer ; du « système », qui lui était hostile, il se fait un allié ; il devient criminel et alors la société, qui le repoussait, s'ouvre à lui : il casse l'œuf et le gobe goulûment. Le malheureux, mais honnête apprenti est devenu un criminel et un grand homme triomphant ; et, au terme de son expérience humaine, notre héros contemple à ses pieds les débris de la coquille d'œuf en mille morceaux.

Marie-Paule représente une expérience humaine assez différente. Elle a été marquée, toute jeune, par les jérémiades de sa mère, épouse modèle et ménagère toujours dans le besoin. Tout au long de son aventureuse existence, elle a ressenti une peur secrète et misérable, la « peur de manquer », particulièrement tragique dans un univers où, seule, la fortune confère l'existence. Pour échapper à la misère, elle a tout

François Périer et Madeleine Barbulée
dans *La Preuve par Quatre*, à la Michodière

mis en œuvre, elle a misé sur tous les tableaux. De bonne heure, elle a trafiqué de ses charmes et nous voyons défiler tous les hommes, tous les « clients », qui ont marqué sa carrière de courtisane. Puis, elle s'est mariée, mais elle a été contrainte de se séparer de son époux ; et, comme ce dernier ne lui alloue qu'une maigre pension, elle s'est mise à fréquenter assidûment les casinos, en quête de quelque protecteur fortuné, qui assurera le confort de ses vieux jours, maintenant assez proches.

La dernière pièce de Marceau, *La Preuve par Quatre*, nous présente les confidences d'un industriel à un de ses amis, académicien et homme d'esprit. Ecrasé, « dévoré » par la vie moderne, Arthur Darras a fait une découverte qui doit permettre à l'homme de redevenir maître de son destin. Il ne faut pas tout vouloir dans sa totalité ; il faut isoler les différents éléments des choses. Par exemple, il ne faut pas prétendre condenser en un seul être la perfection de l'amour. Arthur aura une femme, Lulu, pour la tendresse ; une autre, Jacqueline, pour la luxure ; une troisième, sa propre femme, pour « la chère présence » : il aura ainsi, fractionné en trois personnes, l'amour au grand complet. Mais les exigences de ses compagnes vont bousculer cet harmonieux arrangement, car les êtres demandent surtout ce qu'on ne leur a pas encore donné : Lulu est avide de luxure, Jacqueline de tendresse. Qu'à cela ne tienne ! Il suffit de changer l'ordre des facteurs.

**

Les comédies de Félicien Marceau contiennent d'indiscutables éléments de nouveauté. L'auteur

s'évade, par parti pris, des conventions de l'art dramatique. Non content de jongler avec les notions de
temps et d'espace — sur ce point, il avait été devancé
par Armand Salacrou et quelques autres — il écrit
ses pièces à la première personne, ce qui est anti-
dramatique au possible, le génie théâtral consistant,
selon une expression célèbre, à « être les autres » ;
aussi comprend-on qu'André Barsacq, metteur en
scène de Félicien Marceau, ait insisté sur le caractère
insolite du procédé : « Monter une pièce à la première
personne, voilà qui, à ma connaissance, n'est jamais
arrivé à un homme de théâtre ». D'autre part, Magis
Marie-Paule et Arthur n'ont que le souci de dire
l'exacte **vérité**, si inquiétante que soit cette vérité
et si rassurant que soit le mensonge : Magis, en
particulier, gratte son âme jusqu'à l'os avec quelque
invisible scalpel et, possédé par une rage furibonde,
il saccage toutes les idées reçues, tous les lieux
communs faciles de l'existence.

Le dialogue est adapté à cette exigence de vérité,
qui est à la base du théâtre de Félicien Marceau : il
est concentré, percutant ; il utilise le trait saillant,
qui campe un personnage ; il est cocasse aussi, un
tantinet insolent, presque toujours insolite ; il a le
goût âpre et râpeux des vérités qui ne sont pas **bonnes**
à dire (« Les gens, dit Magis, ce qu'ils cherchent,
ce n'est pas du travail, c'est un emploi, une situation,
un endroit où aller tous les matins »). Plus encore
que Marcel Aymé, Félicien Marceau s'amuse à prêter
à ses personnages ces phrases toutes faites, plates et
impersonnelles, qui, transportées sur une scène,
prennent une force comique étonnante, car elles nous
renvoient une sorte d'image bouffonne de ce que **nous**

sommes, **tournant en dérision la nullité ou** l'effarante
bêtise de notre comportement social (« Après tout, on
ne vit qu'une fois... Il vaut mieux entendre ça que
d'être sourd »). Enfin, si Félicien Marceau, comme
la plupart de nos auteurs comiques contemporains,
pratique le mélange des tons, il le fait avec beaucoup
d'adresse dans le dosage, sans **créer de disparates**
choquants ; il a beau faire alterner le rose et noir,
le plaisant et l'horrible, le banal et l'insolite, le
ricanement et la familiarité ; il a beau métamorphoser
un petit bourgeois minable en une sorte de héros
hallucinant : on a toujours l'impression qu'une
implacable logique nous achemine vers le dénouement.

CHAPITRE III

LE DRAME

Comme le roman, le théâtre français depuis la Libération reflète le pathétique de notre époque. La défaite de 1940, l'occupation du territoire national, les dévastations, les déportations, la détresse économique avaient créé un désarroi moral, qui n'est pas encore totalement dissipé. Loin d'apaiser nos inquiétudes en **recherchant les raisons** de vivre et d'espérer que doit conserver l'homme d'aujourd'hui, les dramaturges actuels nous présentent le plus souvent une image pessimiste de la condition humaine ; ils insistent, avec une clairvoyance cruelle, sur la fatalité de nos épreuves et sur la précarité de nos espoirs : ainsi Mauriac peint les instincts inavouables qui sommeillent au fond des cœurs ; Montherlant est persuadé de la vanité de nos entreprises et de nos efforts ; Sartre évoque avec âpreté la solitude de l'homme et dénonce l'inconsistance des valeurs morales traditionnelles ; Camus souligne la féroce absurdité de nos destins.

Ce théâtre noir semble, à première vue, bien éloigné du théâtre de Giraudoux qui, résolument hostile aux pensées trop sombres et aux sentiments sordides, avait peint une humanité idéale, baignée dans une lumière miraculeuse. Pourtant l'influence de Girau-

doux sur le drame (1) du temps présent s'est exercée
sur plusieurs plans.

Suivant la voie tracée par l'auteur d'*Electre*, qui
avait voulu éveiller dans le public le goût des vérités
éternelles, les auteurs de drames actuels se plaisent
à donner une réponse aux questions angoissantes qui
se posent à la conscience moderne ; ils trouvent
d'ailleurs, en général, un accueil favorable auprès
de spectateurs que la réflexion philosophique rebute

---

(1) Doit-on dire drame ou tragédie ? On peut parfois hésiter.
Le drame est devenu de nos jours un genre Protée, qui
brouille tous les tons et tend à absorber toutes les formes
dramatiques. Il reste pourtant quelques distinctions fondamentales entre la tragédie et le drame. D'abord, la
tragédie évoque le sentiment de la fatalité, de l'inélu-
table : une action intérieure, concentrée, où l'on est enfer-
mé dans une impasse (« pris comme un rat », dit Anouilh)
se développe en vertu du jeu nécessaire des passions
humaines, avec des événements simples et peu nombreux
et sans qu'un de ces événements puisse changer les données de la crise, ni empêcher la chute dans l'abîme.
Ajoutons une tendance à la stylisation de la nature humaine : en même temps qu'elle nous éloigne de la vie
courante, la tragédie nous présente des aspects de l'homme
réduits à l'essentiel. Enfin, il y a une certaine pureté ou
gratuité de la tragédie, en ce sens qu'elle tend à refuser
les lieux communs rhétoriques ou idéologiques. Le drame
implique une nécessité nettement moins marquée ; il
n'y a pas d'impression d'inéluctable dans le déroulement
des faits. Un événement extérieur inattendu peut donner
la chance d' « en sortir » et c'est précisément cette contin-
gence de l'action qui fait naître le pathétique, caractéristique essentielle du drame. Il n'y a, d'autre part, guère
de stylisation dans le drame : les personnages subissent
les servitudes matérielles de la vie et s'expriment souvent
dans un langage proche de celui de tous les jours. Il est
rare aussi que la tristesse de l'ensemble ne soit pas traversée par quelques sourire ou quelque ironie. Enfin,
depuis sa création, le drame est profondément engagé
dans la société et l'histoire d'un temps ; il marque une
tendance au didactisme et à la philosophie : c'est par
là surtout qu'il s'oppose à la pureté tragique.

Le Profanateur de Thierry MAULNIER

de moins en moins : nous sommes loin de l'époque insouciante où un François de Curel, obstiné à transporter sur la scène de vastes débats idéologiques, se heurtait presque toujours à l'indifférence du public. Cependant, cet envahissement du théâtre par la philosophie n'est pas sans danger ; trop d'auteurs surchargent leurs pièces d'une idéologie tarabiscotée et Robert Kemp avait raison de dénoncer « l'encéphalite » comme l'une des maladies graves qui menaçaient notre jeune théâtre.

Giraudoux a aussi contribué à réintégrer sur la scène le style et la poésie. Le Verbe, estimait-il, est la noblesse du théâtre et l'art dramatique ne mérite d'appartenir à la littérature qu'à la condition de s'imposer par la qualité du langage. La plupart de nos auteurs dramatiques actuels — nous ferons quelques réserves pour Jean-Paul Sartre — se sont efforcés, à la suite de Giraudoux, de rendre un style au théâtre et de lui conférer une dimension poétique : tel est, en particulier, le cas de Montherlant, écrivain de race.

Enfin Giraudoux, précédé d'ailleurs sur ce point par André Gide (1) et Jean Cocteau, a répandu la mode qui consiste à évoquer le destin des contem-

---

(1) André Gide a été le premier à deviner le parti qu'un dramaturge pouvait tirer des légendes bibliques ou des fictions antiques pour exprimer son éthique personnelle ou des préoccupations toutes modernes. *Saül* (1896), écrit vers la même époque que *Les Nourritures Terrestres*, laisse entendre que, si l'homme doit assouvir ses désirs, il ne s'épanouit vraiment qu'en les refrénant pour vivre dans un état de ferveur. *Le Roi Candaule* (1901) montre les dangers d'une générosité qui pousse jusqu'au vice ; *Œdipe* (1932) les dangers d'un bonheur quiet, qui détourne

porains sous le couvert de mythes anciens ou étrangers. Il ne s'agit pas d'un retour à quelque classicisme érudit, mais d'un procédé habile qui permet aux dramaturges, grâce aux prestiges de l'éloignement dans le temps ou dans l'espace, grâce aussi à l'éclat des costumes, de donner plus de relief aux problèmes posés par l'actualité. Ainsi, l'histoire et la mythologie grecques ont été un terrain d'élection pour Maurice Druon dans *Mégarée* (1946) et pour Thierry Maulnier dans *La Course des Rois* (1946). J.-P. Sartre a eu recours aux péplos argiens (*Les Mouches*, 1943), Albert Camus aux toges romaines (*Caligula*, 1945), Claude-André Puget aux pourpoints des hommes de la Renaissance (*La Peine capitale*, 1948), Simone de Beauvoir aux tuniques bourgeoises des Flamands (*Les Bouches inutiles*, 1946).

De même, Emmanuel Roblès, dans *Montserrat* (1948), nous transporte au Vénézuéla, au début du siècle dernier, pour évoquer un drame de chantage à l'otage, comme il y en eut chez nous sous l'occupation ; Thierry Maulnier, dans *Le Profanateur* (1950), situe au siècle de saint Louis une tragédie qui représente l'individu en lutte contre les tyrannies sociales ; Jean Cocteau, dans *Bacchus* (1952). utilise le décor haut en couleurs du Moyen Age allemand comme toile de fond pour des thèses métaphysiques. Quant

---

l'homme de sa vocation de grandeur et de dépassement. Avant Cocteau, Gide démarque avec quelque désinvolture les mythes antiques et multiplie les anachronismes ; il a contribué pourtant à redonner une certaine pureté à la tragédie. Mais l'action de ses pièces est statique, le style elliptique et les personnages, schématiquement dessinés, ont la sécheresse des allégories. Le théâtre reste la partie mineure de l'œuvre gidienne.

à Henry de Montherlant, il choisit volontiers pour cadre de ses drames les pays latins : l'Espagne (*Le Maître de Santiago*, 1948 ; *Le Cardinal d'Espagne*, 1960), le Portugal (*La Reine morte*, 1942) ou l'Italie de la Renaissance (*Malatesta*, 1948).

Par un procédé opposé, Maurice Clavel a tenté de rénover en les transposant dans notre monde moderne, la tragédie racinienne et la tragédie shakespearienne. *Les Incendiaires* (1946) ont pour sujet un drame d'amour, d'une intensité de passion digne de l'auteur d'*Andromaque*, qui se déroule à Paris, au mois de mars 1944, alors que les troupes de la Résistance étaient durement touchées sur le territoire français. *Terrasse de Midi*, créé en Avignon par Jean Vilar (1948), reprend le thème de la vengeance légitime, qui est à la base d'*Hamlet :* « C'est, écrit Maurice Clavel, le drame du fils en présence du crime de sa mère que je développe, mais transposé au cœur de notre époque » : ainsi, les forces mauvaises, qui envahissent l'âme du protagoniste, symbolisent « l'inquiétude et les hésitations de notre propre génération, aux prises avec les difficultés de l'action ».

Cependant, quatre dramaturges dominent la production des dernières années. Tous les quatre ont tenté d'instaurer, chacun selon son tempérament, un type original de drame moderne ; tous les quatre ont été, comme Jean Giraudoux, des romanciers avant d'aborder le théâtre. Ce sont François Mauriac, Henry de Montherlant, Jean-Paul Sartre et Albert Camus.

Photo Lipnitzki

I. FRANÇOIS MAURIAC
(né en 1885)

Notice biographique. — François Mauriac est né
en 1885, à Bordeaux, dans une famille de riche
bourgeoisie. Il fait ses études d'abord chez les maria-
nites, puis au lycée de Bordeaux. Après son baccalauréat, il passe une licence ès-lettres et il vient
suivre à Paris les cours de l'Ecole des Chartes : il
est reçu au concours, mais donne sa démission. En
1909, il publie un recueil poétique, *Les Mains jointes*,
remarqué par Barrès et par Bourget. En 1913, il se
marie et fait paraître son premier roman, *L'Enfant
chargé de chaînes*, suivi en 1914 par *La Robe prétexte*. La guerre interrompt la production du jeune
auteur, mobilisé comme auxiliaire. En 1922, *Le
Baiser au Lépreux* l'impose au grand public. Dès
lors, c'est le succès (*Genitrix, Le Désert de l'Amour,
Thérèse Desqueyroux, Le Nœud de Vipères, Le Mystère Frontenac*).

Un jour, sur l'invitation pressante de son ami
Edouard Bourdet, Mauriac se décide à écrire pour
la scène : il débute brillamment à la Comédie-Française, en 1937, avec *Asmodée*, mis en scène par
Jacques Copeau. Sa seconde œuvre dramatique,

Les Mal-Aimés, écrite dès 1939, fut jouée aussi
à la Comédie-Française en 1945 et elle plut aux
connaisseurs. *Passage du Malin*, mis en scène d'abord
en Amérique par Jean-Louis Barrault, puis monté
au Théâtre de la Madeleine par André Brûlé en 1947
et *Le Feu sur la Terre ou le Pays sans chemin*, joué
au Théâtre Hébertot en 1950, n'ont pas connu le
même succès. Cependant, Mauriac avait poursuivi sa
carrière de romancier (*Les Chemins de la Mer*, *La
Pharisienne*, *Le Sagouin*, *Galigaï*, *l'Agneau*). Il a écrit
aussi de nombreux essais, des méditations spirituelles et des *Mémoires intérieurs*. François Mauriac
a été élu à l'Académie Française en 1933 et il a
obtenu le Prix Nobel, en 1952.

Les caractéristiques essentielles de certains romans
de Mauriac : nombre restreint de personnages ; récit
bref, d'un rythme ascendant, sans concession à l'ac-
cessoire ; action intérieure, où tout se déduit par
le seul jeu des sentiments et des passions ; style âpre
et haletant sont aussi les caractéristiques du théâtre
tragique et plus particulièrement de la tragédie de
Racine, dont Mauriac a écrit une biographie en 1928.
Il n'est donc pas étonnant que notre romancier ait
été un jour tenté — ce fut, paraît-il, après l'audition
du *Don Juan* de Mozart à Salzbourg — par l'expression théâtrale et que son œuvre dramatique se situe
dans le prolongement de son œuvre romanesque.

Ici comme là, François Mauriac plante son décor
en pays landais. Ce décor enclôt le spectateur, comme
le lecteur, dans un univers très particulier : c'est,
en général, un domaine campagnard au milieu d'immenses étendues de pins, qui répandent leur senteur

de résine ; le ciel est inaltérable et l'été, torride,
« fait peser son délire » sur la terre sèche. A l'intérieur de ce domaine, vit une famille à l'ancienne
mode, emmurée dans un silence qui semble se
solidifier autour de la maison — on pense au « silence
d'Argelouse », dans *Thérèse Desqueyroux* — ; parfois,
l'incendie crépite et se propage à travers les forêts
envahies de brandes, incendie à l'image des passions
brûlantes qui dévorent les personnages (*Le Feu sur
la Terre*).

En effet, les héros de Mauriac sont, à la scène
comme dans ses romans, des êtres démoniaques, des
« anges noirs », à la fois maléfiques et douloureux,
bourreaux de leurs proches et bourreaux d'eux-mêmes. Tout particulièrement, François Mauriac se
plaît à peindre « des âmes dominatrices (1) qui
règnent sur des âmes plus faibles et qui en sont en
même temps prisonnières » : à cet égard, l'héroïne
de son roman *Genitrix*, la vieille Félicité Cazenave,
mère dévorante, monstrueuse d'égoïsme et de cruauté,
semble avoir servi de modèle à Mauriac pour plusieurs de ses personnages de théâtre. Ainsi, M. de
Virelade est un père dévorant, une sorte de Genitrix
mâle, qui exige pour lui seul la vie de sa fille
Elisabeth, dont il sacrifie le bonheur avec une cruauté
presque sadique, tout en feignant pour elle une
tendre sollicitude (*Les Mal-Aimés*). Blaise Couture

---

(1) Selon l'épigraphe de *Passage du Malin*, que Mauriac a
    empruntée aux *Mémoires* de Lancelot : « M. de Saint-
    Cyran disait qu'il fallait bien se donner de garde de cette
    ambition secrète, qui porte insensiblement à vouloir do-
    miner sur les âmes ».

s'est institué le directeur de conscience tyrannique de Mme de Barthas, qu'il entend garder pure et sans tache pour lui seul, car toute influence étrangère à la sienne lui est odieuse (*Asmodée*) (1). Laure éprouve pour son frère cadet Maurice une passion torturante et exclusive, à un point tel qu'elle poursuit de sa haine quiconque est susceptible de capter la moindre part de ses pensées ou de son affection (*Le Feu sur la Terre*). Enfin, dans *Passage du Malin*, François Mauriac nous présente deux dominateurs qui s'affairent à triompher l'un de l'autre : Emilie Tavernas, l'éducatrice chrétienne, « dont l'esprit de domination ne s'est jamais exercé que dans l'ordre des âmes », affronte un beau jour Bernard Lecêtre, un don Juan professionnel, « qui ne vit que pour la possession des êtres et pour l'assouvissement ».

Tous ces personnages s'aiment et se déchirent mutuellement ; plus exactement, ils n'aiment pas assez les autres pour aimer leur bonheur. Ici réapparaît un des thèmes essentiels de Mauriac romancier : l'amour, qui n'est qu'amour de soi et impérieux désir de domination, ne connaît ni apaisement, ni issue ; c'est un leurre, c'est un « désert ». Le cœur humain aspire à une plénitude de tendresse qu'il est

---

(1) Le jeune anglais Harry Fanning, qui est venu passer ses vacances comme précepteur auprès des enfants de Mme de Barthas, explique en ces termes le choix du titre : « J'aurais voulu être le démon Asmodée, vous savez, celui qui soulève le toit des maisons. Rien au monde ne m'a jamais paru aussi mystérieux qu'une vieille demeure de chez vous, portes et volets clos, sous les étoiles. J'imaginais des drames inconnus, des passions funestes et cachées. Toujours, je m'étais promis de m'introduire dans l'une d'elles ».

vain de chercher dans une passion purement terrestre, car fatale est l'incompréhension des êtres, fatale aussi leur solitude morale, tant que l'amour est dénué de lumière intérieure, de charité surnaturelle. François Mauriac se plaît d'ailleurs à mêler, de manière assez morbide, les élans de la foi aux exigences de la chair : la divinité est plus ou moins associée aux jeux coupables de ses personnages, car « aussi étouffant que soit le cachot où la passion enfonce la créature, elle trouve toujours une clé pour en ouvrir les portes ». Mauriac semble même s'intéresser avec une particulière sollicitude aux incroyants qui se révoltent contre la grâce divine, sans réussir à lui échapper totalement : tel est le cas de l'athée Bernard Lecêtre, qui avoue avoir « parfois mesuré la puissance de la grâce mieux que le chrétien le plus fervent ».

Cependant, en fin de compte, les personnages de François Mauriac se résignent : ils traînent leur boulet, esclaves de leur destin, car, sans Dieu ou dans l'oubli de Dieu, la créature est incapable de s'évader longtemps de sa propre nature. Mme de Barthas, bien qu'amoureuse d'Harry Fanning, consent finalement au mariage de sa fille avec ce jeune homme ; elle finira ses jours sous la tortueuse autorité de Blaise Couture, sentant rôder autour d'elle son désir, qu'elle ne satisfera jamais (*Asmodée*). Elisabeth, après avoir accepté de se laisser enlever par Alain, qui a épousé sa sœur, n'a pas la force de fuir : elle reprendra son esclavage auprès de son bourreau de père (*Les Mal-Aimés*). Emilie Tavernas, tourmentée de sombres ardeurs, a cédé à Bernard Lecêtre, mais sa chute est sans lendemain : elle

rebrousse chemin (*Passage du Malin*). Laure, dévorée
de tendresse pour son frère, s'est acharnée à rompre
son mariage et à faire le vide autour de lui ; elle
a même eu la tentation du suicide, pensant que,
morte, elle occuperait davantage le cœur de Maurice ;
or, elle continuera à vivre, brisée et sans espoir, et
le mariage de son frère ne sera pas rompu (*Le Feu
sur la Terre*).

Pourtant, ces personnages ne rentrent pas dans
leur ancienne existence tels qu'ils en étaient sortis,
car les concessions faites au péché ont mis à jour le
fond trouble de leurs âmes. Mme de Barthas vivra
plus qu'auparavant courbée sous le joug tyrannique
de Blaise Couture, maintenant qu'elle est liée à lui
par le lourd secret de son amour pour Harry Fanning
(*Asmodée*). Elisabeth vivra apparemment comme avant
avec son père, mais elle ne cessera de penser à Alain
et Alain vivra apparemment comme avant avec
Marianne, mais il ne cessera de penser à Elisabeth
(*Les Mal-Aimés*). Quant à Emilie Tavernas, après sa
brève aventure avec Bernard Lecêtre, elle sait de quoi
elle est désormais capable et elle se regarde avec
horreur : « Le péché de la chair démasque d'autres
abîmes plus secrets, qu'elle ne connaissait pas. La
grâce trouvera peut-être une fissure pour s'introduire
chez cette orgueilleuse », note Mauriac, qui ajoute :
« Bernard Lecêtre, lui aussi, lui surtout, sortira
changé de sa rencontre avec Emilie, car il restera
sous le charme de ce qu'il avait cru haïr... La conscience chrétienne peut être un mal à ses yeux ; elle
donne pourtant tout son prix à Emilie, la première
femme qu'il n'aura pas rejetée après avoir obtenu ce

qu'il attendait d'elle, parce qu'elle est une âme et
que cette âme, il ne l'a pas possédée ; et c'est pourquoi il ne l'oubliera jamais ; il sera hanté par elle
jusqu'à son dernier jour » (*Passage du Malin*).

Ainsi donc, le théâtre de François Mauriac pro-
longe son œuvre romanesque ; cependant, ses pièces
diffèrent de ses romans dans la mesure même où la
technique dramatique lui a imposé certaines de ses
contraintes. D'abord, Mauriac a dû faire un effort
dans le sens du resserrement et du dépouillement de
l'action : « Après *Asmodée*, écrit-il, j'avais formé le
projet d'écrire une pièce où je ne m'aiderais d'aucun
enjolivement, où je renoncerais même à la com-
modité des domestiques, où enfin je me conforme-
rais au dessein de Racine dans la préface de *Britannicus* de s'en tenir à une action qui, s'avançant par
degrés vers sa fin, n'est soutenue que par les intérêts, les sentiments des personnages ». Selon le principe racinien, en effet, un seul incident ou la seule
intrusion d'un élément étranger suffit à Mauriac pour
faire éclater la crise intérieure, brève et intense :
projet de mariage dans *Les Mal-Aimés* et *Le Feu sur
la Terre* ; arrivée d'Harry Fanning dans *Asmodée*.
de Bernard Lecêtre dans *Passage du Malin*.

L'optique théâtrale a aussi contraint François Mauriac à adopter un langage spécial. Le dramaturge
doit, selon lui, triompher de deux difficultés : d'abord.
comme une pièce vise à révéler des êtres humains dans
un temps strictement limité, il faut que le dialogue
soit direct, qu'il aille toujours à l'essentiel : « Chaque

réplique compte et la difficulté à la scène réside précisément dans cette apparente aisance du dialogue ».
Et Mauriac ajoute, à propos d'Emilie Tavernas :
« Eclairer un personnage aussi complexe, le faire s'exprimer tout entier en un nombre restreint de répliques,
voilà le tour de force qu'exige de nous le théâtre, lorsque nous l'abordons avec nos habitudes de romancier ». D'autre part, l'auteur dramatique doit substi-
tuer à son style propre, à son accent personnel, un
langage parlé commun : « Une grande difficulté au
théâtre, c'est que le public doit entendre une conversation ordinaire ». Toutefois, pour ne pas décevoir ceux
qui lui « font honneur de (le) considérer comme un
écrivain », Mauriac a tenté d'user « d'un langage parlé
qui garde ce qu'un artiste recherche d'abord : le
style ».

*
* *

François Mauriac a eu le grand mérite de restaurer sur notre scène, en un temps où la mode semble
délaisser cette formule, le théâtre psychologique pur.
Ses tragédies bourgeoises n'ont pas seulement l'élégance et la simplicité de lignes de la tragédie racinienne ; elles en ont souvent l'intérêt pathétique
et la richesse psychologique ; certaines scènes sont
même conduites jusqu'à l'extrême limite de l'intensité dramatique, avec une sorte de férocité rageuse.
D'autre part, quelques personnages de forte trempe
s'imposent d'emblée à l'attention du spectateur et
donnent matière à réflexion. Tel est Monsieur de
Virelade, le sénile hobereau girondin, usé par l'al-
cool et par la débauche, incapable de renoncer à la

moindre de ses convoitises et mettant tout son
sadisme à faire régner autour de lui la terreur et
le désespoir. Tel est surtout Blaise Couture, singulier mélange de Tartuffe, de Vautrin et de Julien
Sorel. Ce roturier tortueux, ancien séminariste sans
amour et sans foi, écarté du sacerdoce pour mauvais
esprit, est possédé par un tenace désir de revanche
et par un besoin de domination, nés de ses rancœurs et de ses désirs refoulés. Pour arriver à ses
fins, il s'introduit comme précepteur chez une
grande bourgeoise encore jeune et séduisante, qu'il
convoite en secret. Intelligent et volontaire, il
déploie une sûreté diabolique dans l'art de violer le
secret de cette conscience et de la courber sous sa
loi ; il pratique ses envoûtements avec des sortilèges
de sorcier, mêlant le respect à l'insolence, le scrupule à la vilenie, la pureté à la sensualité. Ce personnage luciférien, répugnant et fascinant à la fois,
a bien la carrure d'un héros tragique ; c'est aussi
un « type », d'une humanité profonde.

Il semble toutefois que l'art subtil de François
Mauriac soit plus à l'aise dans le roman que sur
une scène. Le roman, qui dispose à son gré de la
durée et qui a la possibilité — comme le remarque
Mauriac lui-même — de « dériver un peu » sans
risque grave, suit pas à pas le déroulement d'une
destinée. Transposée dans un récit romanesque,
l'affection passionnée de Laure pour son frère Maurice, dans *Le Feu sur la Terre*, nous aurait été mieux
expliquée ; nous aurions assisté à sa naissance, à
son développement lent, mais sûr, grâce à des analyses fouillées, à des dialogues d'enfants, à des let-

tres ou à ces monologues intérieurs que l'auteur
de *Thérèse Desqueyroux* reproduit avec prédilection ;
nous aurions ainsi parfaitement compris pourquoi,
arrivée à l'âge adulte, Laure restait imprégnée de
cette âme enfantine, où les sentiments sont mêlés
d'un érotisme diffus. Sur la scène, l'obligation de
révéler tout l'être humain en un nombre limité
de répliques a contraint François Mauriac à présenter cette passion exclusive comme une construction
de l'esprit, une entité assez arbitraire. De même,
Mauriac a dû concéder aux critiques que son personnage d'Emilie Tavernas est « ce qu'on appelle
un postulat, c'est-à-dire qu'il n'est ni démontré, ni

Jean MARTINELLI et Germaine ROUER
dans une scène d'*Asmodée* à la Comédie-Française
Photo Lipnitzki

évident ». De fait, la chute de cette femme si fière, si assoiffée de domination et chrétienne si fervente, nous paraît au théâtre peu vraisemblable ; dans un roman, l'auteur aurait eu tout loisir de mettre au jour les passions secrètes qui, ayant lentement germé dans le cœur d'Emilie, l'ont préparée à la crise.

D'autre part, l'œuvre dramatique de François Mauriac pèche par égocentrisme : c'est lui-même, plus ou moins modifié, qu'on retrouve chez ses protagonistes ; n'a-t-il pas d'ailleurs reconnu que ses personnages « naissent du plus trouble » de lui ? De là un certain manque d'objectivité et d'universalité ; une impression de monotonie, car ce sont toujours, chez des êtres aussi proches les uns des autres, les mêmes obsessions, les mêmes tourments. De là aussi cette atmosphère malsaine et lourde, qui envoûte peut-être, mais qui irrite et qui suffoque : il y a vraiment trop de fiel dans les confrontations haineuses des personnages mauriaciens et l'on souhaiterait parfois qu'un vaste feu purificateur — ce même feu qui embrase les forêts landaises — vienne balayer tous ces miasmes et toute cette pestilence. Enfin, bien que le dialogue théâtral chez Mauriac soit direct et nerveux, bien que chaque mot porte avec une sûreté infaillible, on ne peut s'empêcher de regretter la baguette magique du romancier : son verbe éblouissant, son style poétique, dont le frémissement laisse deviner l'âme sensible de l'homme, ses émois, ses déchirements et sa curiosité toujours anxieuse.

Une scène du *Maître de Santiago*

II. HENRY
DE MONTHERLANT
(né en 1896)

Notice biographique. — Henry de Montherlant est né à Paris en 1896. Il fait ses études secondaires au lycée Janson-de-Sailly et à Sainte-Croix de Neuilly. Sa jeunesse se résume en une suite d'expériences violentes : à quinze ans, il estoque des taureaux en Espagne ; à vingt-deux ans, il est grièvement blessé sur un champ de bataille ; à vingt-six ans, il pratique le foot-ball et la course à pied ; à trente et un ans, il reparaît dans l'arène et reçoit un coup de corne qui taillade la périphérie d'un de ses poumons. Dès l'adolescence, il avait écrit un essai dramatique, *L'Exil ;* mais il s'oriente d'abord vers le roman. Le goût de l'action et du danger inspire ses premières œuvres : *La Relève du Matin* (1920) et *Le Songe* (1922), dominées par l'image de la guerre ; *Olympiques* (1924), à la gloire du sport ; *Les Bestiaires* (1926), à la gloire de la tauromachie. Devenu inapte à l'effort physique, Montherlant cherche une diversion dans le voyage ; il séjourne en Espagne et en Afrique du Nord. Vers 1932, s'ouvre pour le romancier une période plus stable et particulièrement féconde : il publie en 1934 *Les Céliba-*

taires, puis, entre 1936 et 1939, le cycle des *Jeunes Filles*, en quatre volumes. Il revient au théâtre : en 1936, il fait éditer *Pasiphaé* ; en 1939, il compose *Fils des autres*.

Mais il ne s'impose à la scène qu'en 1942 avec une pièce inspirée de *Régner après sa mort*, de Guevara, *La Reine morte ou Comment on tue les femmes*, jouée à la Comédie-Française. *Fils de Personne* est représenté l'année suivante au Théâtre Saint-Georges. *Le Maître de Santiago*, monté en 1948 au Théâtre Hébertot, consacre la réputation dramatique de Montherlant. Il fait jouer ensuite *Malatesta* (1948), *Demain, il fera jour* (1949), qui sert de complément et d'épilogue à *Fils de Personne*, *Celles qu'on prend dans ses bras* (1951). Montherlant écrit et publie en 1951 *La Ville dont le Prince est un Enfant* : les autorités ecclésiastiques favorisent la diffusion de la pièce, mais l'auteur ne croit pas devoir la faire jouer (une scène seulement a été représentée en 1963 aux Mathurins). *Port-Royal* (1954), puis *Brocéliande* (1956) sont montés à la Comédie-Française. Suivent *Don Juan* (1958), *Le Cardinal d'Espagne* (1960), une petite scène, tirée des *Olympiques*, *L'Embroc* (1963) et une pièce encore non jouée, *La Guerre Civile* (1964). Cependant, Montherlant n'avait pas abandonné sa carrière de romancier (*L'Histoire d'amour de la rose de sable*, 1954 ; *Les Auligny*, 1956 ; *Le Chaos et la Nuit*, 1963). Il est aussi l'auteur de nombreux essais, dont *L'Equinoxe de Septembre* (1938). *Le Solstice de Juin* (1941), *Carnets* (1957), et d'un recueil de poèmes (*Encore un instant de bonheur*).

Henry de Montherlant est entré à l'Académie Française en 1960.

Une phrase de Montherlant, extraite de ses *Notes de Théâtre*, résume son idéal dramatique : « Une pièce de théâtre ne m'intéresse que si l'action extérieure, réduite à la plus grande simplicité, n'y est qu'un prétexte à l'exploration de l'homme ; si l'auteur s'y est donné pour tâche non d'imaginer et de construire mécaniquement une intrigue, mais d'exprimer avec le maximum de vérité, d'intensité et de profondeur un certain nombre de mouvements de l'âme humaine ». Il convient donc d'abord, selon la formule racinienne qui est aussi, nous l'avons vu, la formule mauriacienne, que l'action soit

La Reine Morte à la Comédie-Française :
au premier plan, Maurice ESCANDE et Jean YONNEL
Photo Lipnitzki

« simple et chargée de peu de matière ». Montherlant estime avoir été « à l'extrême limite du dépouillement » dans *Le Maître de Santiago* qui, en trois actes d'une ligne très pure, déroule une action unique dans un lieu unique. Cette simplicité linéaire de l'action extérieure doit aller de pair avec le resserrement, la densité : une scène condensera en quelques pages « ce que le roman dilue en plusieurs chapitres ». Le théâtre est en effet un art elliptique, qui « se prête à être un comprimé... Une pièce, par son resserré comme par ce qu'elle ne dit pas, exige bien davantage de l'intelligence et de l'imagination du lecteur que ne le fait le roman où tout lui est mâché ». C'est ainsi qu'après avoir écrit un roman de deux cents pages environ, intitulé *Père et Fils*, Montherlant en a extrait une pièce de soixante-quinze pages, *Fils de Personne*, tout aussi riche de substance : « il ne me restait plus qu'à jeter au feu *Père et Fils* » (1).

Une pièce de théâtre doit, d'autre part, exprimer « un certain nombre de mouvements de l'âme humaine ». On serait tenté de penser que, sur ce point aussi, Montherlant reste dans la ligne de nos

_____

(1) Montherlant reproche violemment aux chefs-d'œuvre classiques de n'avoir pas respecté ce principe de resserrement : « Ce que nous sommes forcés de tenir pour les plus hautes formes connues du théâtre se plaît, s'étale et se vautre dans une véritable fange de texte inutile. Il n'y a rien de plus verbeux, et jusqu'à l'insupportable, que la tragédie grecque ». A propos de Racine, il rappelle le jugement de Vigny sur le théâtre classique, « où il faut se résigner à entendre des vers dont le second est toujours faux à cause de la cheville, ce qui force l'esprit à en retrancher dix sur vingt ». Montherlant consent pourtant à reconnaître « la puissance pénétrante de certains traits de Racine ».

auteurs classiques du XVIIe siècle ; en fait, il s'en
écarte résolument. Il estime en effet que nos classiques — comme d'ailleurs, sauf de très rares excep-
tions, tous les dramaturges de tous les temps — ont
procédé à une simplification outrancière et conventionnelle des êtres humains : « Ce désir d'unifier et
d'accuser un caractère dramatique pour plaire à la
paresse d'esprit et aux idées fausses du public et des
professeurs, est une des raisons pourquoi presque tout
le théâtre, y compris nombre d'œuvres célèbres, reste
superficiel et dégoûte les esprits profonds ».

Ainsi donc, les « mouvements de l'âme » ne doivent pas être trop « nets et bien dessinés », mais,
comme dans la vie, complexes, ondoyants, instables,
inconsistants. En fait, presque tous les personnages
de Montherlant — et surtout les protagonistes — sont
surtout pétris de contradictions. Le vieux roi du
Portugal don Ferrante, héros de *La Reine morte*, est
tour à tour ou à la fois intransigeant et faible, hautain et tendre, sincère et fourbe, pareil aux lucioles
« alternativement obscures et lumineuses » ; il est
imbu de sa tâche royale et las de son trône ; il juge
sévèrement chez son fils une médiocrité dont il n'est
pas exempt ; il déclare qu'il fait exécuter la bâtarde,
que Pedro a épousée en secret, « pour préserver la
pureté de la succession au trône », quitte à s'avouer
à lui-même que cet acte est inutile et funeste :
« Pourquoi est-ce que je la tue ? Il y a sans doute
une raison, mais je ne la distingue pas ». Bref,
comme l'affirme Montherlant lui-même, « la cohérence de ce caractère est d'être incohérent ». Don
Alvaro, le héros du *Maître de Santiago*, est un colosse

aux pieds d'argile, un homme sans humanité, un monstre d'orgueil et de faiblesse, égoïstement préoccupé de son salut personnel et aspirant pourtant à entretenir en lui une intransigeante spiritualité. Malatesta, le condottiere, est un scélérat plein de candeur : il a la brutalité d'un reître et les nerfs d'une femmelette ; maniaque de la défiance, il se livre à chaque instant (*Malatesta*). Le cardinal Cisneros est saisi par la tentation du renoncement, alors qu'il règne en maître tout-puissant sur l'Espagne, mais il meurt de douleur quand on lui impose la retraite qu'il appelait de ses vœux (*Le Cardinal d'Espagne*). On comprend qu'en présence de telles contradictions, de telles incohérences, certains personnages de Montherlant soient les premiers à se demander ce qu'ils sont : « Oh ! mon Dieu, s'écrie le roi Ferrante à la fin de *La Reine morte*, faites que le sabre tranche ce nœud épouvantable de contradictions qui sont en moi, de sorte que, un instant au moins avant de cesser d'être, je sache enfin qui je suis ».

Si les héros de Montherlant sont instables et discordants à tel moment précis de leur existence, à plus forte raison présentent-ils ces caractères, si on les observe à des périodes différentes : dans *Fils de Personne*, « drame de l'amour paternel », dont l'action se situe au début de l'occupation, l'avocat Georges Carion apparaît comme un patriote sincère et un « père cornélien » (Gabriel Marcel), aux exigences sublimes ; ayant de l'homme en général et de lui-même en particulier une idée très haute, il souhaite avoir un fils digne de lui, mais lorsqu'il prend conscience que son enfant est futile et mou, il

n'hésite pas à l'abandonner à sa médiocrité (1) ;
dans la suite de *Fils de Personne : Demain il fera
jour*, dont l'action se déroule quatre ans plus tard,
au moment du débarquement allié, le patriote ulcéré
de 1940 n'est plus qu'un défaitiste, qui a plaidé
pour les collaborateurs et qui, non content de s'en-
foncer lui-même dans la bassesse, n'hésite pas, par
peur de représailles, à sacrifier son fils, en l'envoyant
se faire tuer dans la Résistance. En quelques années,
le père sublime est devenu un lâche tandis que
l'adolescent veule s'est métamorphosé en un héros
authentique.

Cette instabilité fondamentale des êtres humains,
qui s'oppose, pense Montherlant, aux caractères trop
linéaires de la plupart des dramaturges, illustre en
même temps la vanité des sentiments et de l'existence en général. Ce monde n'a aucun sens. Il ne
peut pas y avoir de communication, de communion
entre les hommes, car, semblables aux chevaux de
bois d'un manège forain, « les êtres se poursuivent
toujours sans se rejoindre jamais », et « on reste
toujours seul ». Les prétendues satisfactions de

---

(1) « Dans *Fils de Personne*, déclarait récemment Montherlant,
l'amour paternel a besoin pour vivre d'être lié à l'estime ;
dans *L'Embroc*, l'amitié se passe de l'estime. Dans *Fils de
Personne*, un personnage dit à l'autre : » Je ne peux pas
avoir d'estime pour toi. Pars ! ». Dans *L'Embroc*, un personnage dit à l'autre : « Je ne peux pas avoir d'estime
pour toi. Reste ! ». On me demande : « Qu'est-ce que vous
voulez prouver ? ». Je veux prouver que mes pièces ne
cherchent pas à prouver. Elles font voir ce qui se passe,
dans un cas donné ; c'est tout ». Et Montherlant cite le
mot de Flaubert « L'art ne conclut pas

l'amour — ou plutôt du « dérangement amoureux »,
pour s'exprimer comme l'Infante dans *La Reine morte*
— ne sont que des joies trompeuses et amères ; et
Montherlant évoque le conflit douloureux auquel on
assiste « quand les êtres qui savent aimer ne sont
physiquement plus aimables et quand ceux qui physiquement sont aimables ne méritent guère d'être
aimés ». (*Celles qu'on prend dans ses bras*). Le pouvoir et les honneurs sont vains ; l'histoire n'est
qu'un cimetière d'empires détruits, de travaux superflus, d'agitations stériles (*Le Cardinal d'Espagne*).
Enfin, la rapidité avec laquelle tourne « la Roue
de la Fortune » montre la vanité dérisoire de nos
efforts : si Malatesta, condamné à être brûlé vif par
le pape Pie II, reçoit deux ans plus tard une béné-
diction solennelle du même pape, inversement, lorsqu'il meurt après une existence de condottiere
menée à grand fracas, il ne possède pas plus de
pouvoir ni de richesse que lorsqu'il était un enfant
(*Malatesta*). Et que restera-t-il de tout ce que Ferrante le Magnanime aura fait et défait pendant plus
d'un quart de siècle ? Un portrait à l'Armeria de
Coïmbre, dont quelqu'un dira : « Celui-là a un nez
plus long que les autres » (*La Reine morte*).

En présence de cette misère des êtres et des choses, quelle attitude adopter ? Il convient de tirer
notre épingle du jeu, en choisissant un rôle qui
satisfasse notre amour-propre ou notre orgueil (on
pense aux engagements successifs de notre auteur :
athlétisme, tauromachie, culte du plaisir, passion

de la camaraderie, de la vie mondaine, de la guerre,
du théâtre enfin, où il trouva « un motif nouveau
d'ébrouement »). Ainsi, à l'image de leur créateur.
les héros du théâtre de Montherlant se fixent une
ligne de conduite librement consentie ; ils s'échauf-
fent sur des causes, sans avoir vraiment foi en elles.

Un certain nombre d'entre eux centrent leur existence sur la notion de qualité. Un style de vie fait
de noblesse et de rigueur commande tous leurs actes.
Plus que tout autre, don Alvaro cultive un idéal
inflexible ; il est hanté par une soif de pureté, par
la nostalgie de l'absolu. Cette exigence de grandeur
morale a pour contrepartie un sentiment de mépris
et même de répulsion à l'égard de la médiocrité et
de la bassesse. Dans ses drames comme dans ses
romans, Montherlant poursuit la même croisade
contre la veulerie de notre société « abâtardie et
molle », oublieuse des « valeurs nobles ». Ainsi,
Malatesta exprime son mépris pour les bassesses de
l'homme et de l'existence ; don Alvaro clame sa
répulsion pour ses pairs, les chevaliers de l'Ordre,
dont il est le dignitaire : « Mon pain est le dégoût.
Dieu m'a donné à profusion la vertu d'écœurement.
Mais vous, pleins d'indifférence ou d'indulgence
pour l'ignoble, vous pactisez avec lui, vous vous
faites ses complices ! Hommes de terre ! Chevaliers
de terre ! ». De même, don Ferrante lance à son
fils cette phrase cinglante : « Je vous reproche de
ne pas respirer à la hauteur où je respire ». Ce
thème de la désillusion paternelle réapparaît dans
Fils de Personne, où Georges Carrion, qui avait cru
engendrer un « fils de roi », rejette impitoyable-

ment Gillou, dont il ressent l'absence de qualité comme une injure faite à sa propre personne ; et il réplique à Marie, la mère de l'enfant, qui lui reproche de cultiver le mépris comme une maladie : « Que ne puis-je inoculer cette maladie à ma nation ! Je voudrais être pour elle un maître de mépris ».

Cette morale de la qualité est pourtant le plus souvent vouée à l'échec, car les héros de Montherlant ont trop de faiblesses pour la faire triompher. Ils aspirent alors parfois à la solitude ou au « néant sublime ». Cette complaisance dans le néant — c'est le thème du « nada » — s'est développée chez notre auteur sous l'influence de la poésie persane. En effet, le poète persan Firdousi fait parler en ces termes le roi Khosrau : « Je suis las de mon armée, de mon trône et de ma couronne ; je suis impatient de partir et j'ai fait mes bagages ». De même, don Ferrante s'écrie dans *La Reine morte :* « Je suis las de mon trône, de mon peuple... Je n'ai soif que d'un immense retirement » et, muré dans son orgueil, incapable de supporter le moindre contact humain, il s'abîme en Dieu comme dans le néant. c'est une sorte de nihiliste de la Croix. De même encore, le vieux cardinal Cisneros, longtemps épris du pouvoir qu'il exerce sur l'Espagne, se laisse persuader par la reine Jeanne la Folle — une folle pleine de sagesse — que « l'indifférence aux choses de ce monde est toujours une chose sainte » et, dès lors, absent de lui-même, il n'aspire plus qu'à la satisfaction dans le néant.

Cependant, à côté de ce nihilisme, il y a, dans l'univers dramatique de Henry de Montherlant, une

conception religieuse et même chrétienne du monde.
Sans doute Montherlant a-t-il affirmé qu'il n'avait
pas la foi et même, qu'en tant que Français, il souhaitait « qu'elle pût être arrachée de (son) pays ».
Mais il ne faut pas oublier qu'il a lui-même distingué dans sa production théâtrale, à côté de la
« veine profane », représentée par *Pasiphaé*, *La
Reine morte*, *Fils de Personne*, *Demain*, *il fera
jour*, *Malatesta* et *Celles qu'on prend dans ses bras*,
une « veine chrétienne », constituée par la trilogie
catholique : *Le Maître de Santiago*, *Port-Royal*, et
La Ville dont le Prince est un Enfant. *Le Maître de
Santiago*, en particulier, est une œuvre toute
vibrante d'amour divin ; Montherlant a beau prétendre qu'il n'a pas voulu « faire de don Alvaro
un chrétien modèle », il est hors de doute que les
plus hautes exigences de son héros : exigences de
sainteté et de renoncement, sont des vertus chré-
tiennes.

Il est difficile, d'autre part, de ne pas accorder
quelque importance aux paroles que Montherlant,
dans *La Ville dont le Prince est un Enfant* (1), met

---

(1) Montherlant a résumé ainsi le sujet de *La Ville* : « Dans un
collège catholique, un prêtre a eu vent d'une amitié entre
élèves de divisions différentes. Or ces amitiés d'un âge
à l'autre sont interdites, non sans rigueur. Cependant,
au lieu de sévir, le prêtre convoque l'aîné et lui confie le
plus jeune. L'aîné, ému par cet acte de confiance, y répond
avec générosité : il donne sa parole que son influence sur
son cadet ne sera plus que nettement et uniquement bonne,
et il tiendra cette parole. Ainsi nous assistons ici à une
formation de caractère, si l'on peut dire, à deux degrés.
Le prêtre confie à un garçon la formation d'un autre
garçon, mais ce faisant, il forme, et profondément, par cet
acte de confiance, le garçon à qui il fait confiance ».

dans la bouche du Supérieur d'un collège catholique, s'adressant au Préfet des Etudes, à qui il reproche de ne s'être intéressé à un élève qu'en raison de sa grâce et de sa gentillesse : « Il y a un autre amour, même envers la créature. Quand il atteint un certain degré dans l'absolu par l'intensité, la pérennité et l'oubli de soi, il est si proche de l'amour de Dieu qu'on dirait que la créature n'a été conçue que pour nous faire déboucher sur le Créateur ».

*
* *

Le théâtre de Henry de Montherlant mérite de survivre par ses qualités de densité et de dépouillement. Dans les meilleures pièces de cet auteur, il n'y a pas d'artifice de composition, très peu de mouvement extérieur, et pourtant l'action progresse en intensité à mesure que les psychologies individuelles s'accusent et se précisent, grâce à une acuité dans l'analyse qui est souvent d'une rare efficacité. *Fils de Personne*, tragédie en veston d'une sécheresse étudiée, atteint à un pathétique racinien en se concentrant sur trois personnages qui évoluent dans un même décor. De même, *Port-Royal*, conçu en un seul acte à la manière des tragédies grecques, est une œuvre d'une pureté sans défaut, volontairement austère et même aride.

Il convient également d'admirer dans cette dramaturgie une authentique volonté de grandeur : Montherlant se meut avec une aisance souveraine dans un univers d'où les mesquineries de l'existence ordinaire sont bannies et il atteint tout naturellement le

ton du sublime. Ainsi, *Le Maître de Santiago* se termine par une étonnante assomption, qui n'est pas
sans analogies avec l'ascension des âmes au cinquième acte de *Polyeucte* : Mariana, la fille de don
Alvaro, a refusé de se marier, faisant passer sa vénération pour son père avant son propre bonheur. Don
Alvaro reconnaît alors solennellement son enfant :
il détache du mur le grand manteau de l'Ordre de
Saint-Jacques, dont il est le dignitaire, et, après avoir
posé une main sur l'épaule de Mariana, il enveloppe
avec lui sa fille dans ce linceul blanc, tandis qu'au
dehors les flocons de neige ensevelissent le château
et la vieille ville. Le père et son enfant, s'étant accomplis dans le suprême dénuement, s'élèvent en une
ascension exaltée et font entendre une sorte de chant
alterné : « Partons pour mourir... Partons pour
vivre », tandis que Mariana aperçoit un Etre qui la
fixe d'un regard insoutenable.

Enfin, Henry de Montherlant, en passant du roman
au théâtre, n'a pas renoncé, comme Mauriac, aux
prestiges de son style. La critique, presque unanime,
a vanté l'exemplaire perfection de son verbe. Montherlant écrit dans une langue haute et claire, ferme
et large à la fois. Il est aussi à l'aise dans le dialogue direct et dépouillé, qui a la dureté du marbre,
que dans le lyrisme sonore et somptueux. Mais
il excelle surtout dans la formule altière ou inso-
lente, qui cingle comme un coup de cravache : « La
pitié est d'un magnifique rapport... Ce n'est pas tout
de mentir. On doit mentir efficacement... Il faut être
dans la mauvaise foi comme un poisson dans l'eau...
Il n'y a que les imbéciles pour savoir servir et se

dévouer... Je ne suis pas un père, je suis un homme qui choisit... Vivre vieux, c'est une question de haine ». Citons encore le fameux cri de don Ferrante à l'adresse de son fils Pedro : « En prison, pour médiocrité ! ».

Malheureusement, ce théâtre, plus encore que celui de Mauriac, pèche par égocentrisme : « dans chacun de nos personnages, écrit Montherlant, nous mettons plus ou moins de nous » (de même, il avoue dans ses notes, à propos de *La Reine morte*, que chacun des héros « devenait tour à tour le porte-parole d'un de ses moi »). Il y a, en effet, à travers les pièces de cet auteur, une sorte de personnage type, amoureusement façonné par son créateur, qui réapparaît, avec quelques retouches, sous les noms de don Ferrante, don Alvaro, Georges Carrion (première manière) : sombre, désabusé, hautain, volontiers sermonneur, il poursuit un idéal très élevé, qu'il n'atteint pratiquement jamais, et accable de son mépris son entourage et son époque. Cette incapacité où semble être Montherlant de sortir d'un personnage toujours plus ou moins à l'image de son auteur, constitue une sérieuse faiblesse, car un dramaturge doit garder ses distances à l'égard des créatures qu'il anime et qu'il confronte.

Encore n'y aurait-il que demi-mal si ce personnage était largement humain, mais en fait c'est une sorte de monstre d'égoïsme et d'orgueil, un maniaque de la pureté et de l'absolu, qui se complaît dans sa solitude et dans son œuvre de dessèchement. Qu'est-ce que ce héros qui ne peut ni ne veut supporter le moindre contact avec ses congénères ? Que

signifie ce mépris pour les sentiments les plus naturels ? (« Les enfants dégradent, s'écrie don Alvaro.
Ne nous rappellent-ils pas l'acte grotesque par lequel
nous les avons conçus ? »). Que signifie aussi cette
obsession de la qualité chez des personnages à qui la
qualité fait si souvent défaut et qui s'érigent en
« maîtres de mépris », alors qu'ils sont eux-mêmes
plus ou moins méprisables ? De tels êtres sont inhu-
mains ou, au mieux, à la limite de l'humain ; et de
plus, ils sont sans nuances et schématiques. Montherlant a jugé fort sévèrement, au nom de la vérité
humaine, la simplification à outrance des personnages
de théâtre en général et de notre théâtre classique
en particulier ; il a pensé que la contradiction et
l'incohérence dans le caractère et le comportement
étaient à l'image de la vie réelle, mais il ne faut
pas confondre contradiction et complexité : les
personnages de Racine sont complexes et profondément humains ; ceux de Montherlant sont contradictoires et peu humains.

Quant à la langue de notre auteur, elle n'apparaît
pas d'un éclat toujours authentique : sa beauté
fabriquée irrite parfois ; et, si l'on peut à la rigueur
admettre qu'un personnage à pourpoint, comme don
Ferrante ou don Alvaro, s'exprime en un langage
pompeux, il est difficile de ne pas perdre son sérieux
lorsqu'on entend l'antiquaire Ravier, héros peu prestigieux de *Celles qu'on prend dans ses bras*, parler
à la jeune Christine avec l'emphase désuète des
personnages de Bataille ou de Porto-Riche.

Pierre Brasseur et Marie Olivier
dans *Le Diable et le Bon Dieu* au Théâtre Antoine

JEAN-PAUL SARTRE
(né en 1905)

Photo Lipnitzki

Notice biographique. — Né à Paris, en 1905, dans une famille de bourgeoisie périgourdine, Jean-Paul Sartre fait de brillantes études secondaires, d'abord à La Rochelle, ensuite à Paris aux lycées Henri-IV et Louis-le-Grand. Il est reçu à l'Ecole Normale Supérieure en 1924 et passe l'agrégation de philosophie en 1929. Il enseigne au Havre, fait un séjour à l'Institut français de Berlin, où il se nourrit des doctrines de Hüsserl et de Heidegger, est nommé professeur à Laon, puis à Paris. Il publie ses premiers ouvrages de philosophie, *L'Imagination* en 1936, *Esquisse d'une théorie des émotions* en 1939. Un roman, *La Nausée* (1938) et un recueil de nouvelles, *Le Mur* (1939) le font connaître. Mobilisé en 1939, il est fait prisonnier en 1940 et libéré en 1941. Il est professeur quelques années au lycée Condorcet, mais quittera bientôt l'enseignement pour se consacrer entièrement à son œuvre.

En 1943, il écrit un essai philosophique, *L'Etre et le Néant* et débute à la scène avec un drame philosophique, *Les Mouches*, créé par Charles Dullin au Théâtre Sarah-Bernhardt. L'année suivante, une nouvelle pièce, *Huis-Clos*, triomphe au Vieux-Colombier. En 1945, Jean-Paul Sartre fonde une revue politique : *Les Temps Modernes* ; en 1946, il prononce une conférence, qui a un grand retentissement : *L'Existentialisme est un humanisme*. Il mène de front son activité d'essayiste (*Baudelaire*, 1947 ; *Situations I*, 1947 ; *Situations II*, 1947 ; *Situations III*, 1949 ; *Saint-Genet, comédien et martyr*, 1952), de romancier (*Les Chemins de la Liberté :* I. *L'Age de raison*, 1945 ; II. *Le Sursis*, 1945 ; III. *La Mort*

Michel Vitold (Garcin), Michèle Alfa (Estelle)
et Tania Balachova (Inès) dans *Huis-Clos*

Photo Lipnitzki

dans l'âme, 1949) et de dramaturge : en 1946, il fait jouer au Théâtre Antoine *Morts sans sépulture* et *La Putain respectueuse´*; il donne ensuite au même théâtre *Les Mains sales* (1948), *Le Diable et le Bon Dieu* (1951) et une farce, *Nekrassov* (1955). Sa dernière pièce, *Les Séquestrés d'Altona*, a été représentée en 1959 au Théâtre de la Renaissance. Jean-Paul Sartre est aussi l'auteur d'une adaptation de *Kean*, d'Alexandre Dumas, jouée en 1954 au Théâtre Sarah-Bernhardt. Toutes les pièces de cet écrivain ont été publiées chez Gallimard.

Un philosophe se double rarement d'un dramaturge ; à cet égard, Jean-Paul Sartre est une glorieuse exception (1). Cet écrivain était prédestiné aux jeux de la scène par la souplesse de son talent, par ses qualités de dialecticien et par un sens inné du pathétique ; d'autre part, la pensée existentialiste

---

(1) Il y a au moins une autre exception : Gabriel Marcel, introducteur en France de Kierkegaard et chef de file de l'existentialisme chrétien. Les pièces de Gabriel Marcel ont en général pour protagonistes des intellectuels anxieux et rongés de scrupules, qui se posent de graves problèmes. Ainsi, *Un Homme de Dieu* (1922) pose la question du mariage chrétien, *Le Monde cassé* (1932) celle de l'angoisse humaine et des moyens d'y porter remède, *Le Dard* (1936) celle des conditions nécessaires pour acquérir une authentique richesse spirituelle. L'art de cet auteur s'apparente à celui des intimistes : il est discret et se contente de suggérer la poésie secrète des êtres. Gabriel Marcel a indiqué avec beaucoup de pertinence « comment se pose le problème du théâtre philosophique ». Ce théâtre n'est pas une sorte d'enclave isolée dans la production dramatique, à condition que l'auteur pose « la priorité des êtres par rapport aux idées » : en effet, « le dramaturge digne de ce nom *est* à la fois ses différents personnages ». D'autre part, « le théâtre est philosophique dans la mesure où il est éclairant et libérateur ».

s'exprime avec autant d'aisance dans des œuvres dramatiques ou romanesques que dans des ouvrages
théoriques : en effet, l'existentialisme n'est pas une
doctrine abstraite exclusivement réservée à des techniciens ; c'est une philosophie qui prend comme
point de départ l'expérience vécue et qui mord constamment sur la réalité, cette « pâte des choses »,
comme dit Jean-Paul Sartre lui-même. Au cours
d'une interview, l'auteur de *Huis-Clos* déclarait en
1951 : « L'existentialisme est une étude d'un certain
nombre d'attitudes humaines, qui veut être concrète.
Pourquoi ne pourrions-nous les peindre dans des
romans ou des pièces de théâtre intelligibles pour
tout le monde ? ».

Le théâtre de Jean-Paul Sartre a repris et vulgarisé
les idées-clés de sa philosophie, en les situant le plus
souvent dans notre époque violente et cruelle. L'existentialisme, rappelons-le, part de la situation de
l'homme dans l'univers : l'être humain agit et c'est
par ses actes constamment renouvelés dans le temps
qu'il *existe*. Or, l'action suppose toujours un choix
(l'abstention elle-même est un choix) : donc l'homme
est libre et l'existence n'est que l'exercice constant
de la liberté ; d'où les célèbres formules sartrien-
nes : « L'homme n'est rien d'autre que ce qu'il se
fait... L'homme devient ce qu'il choisit d'être...
L'homme est condamné à être libre » (ce qui veut
dire que nous sommes libres de donner n'importe
quel sens à n'importe quoi, mais condamnés à prendre position). Cependant, l'intégrité de notre liberté
— « la glorieuse indépendance de notre conscience »,
dit Simone de Beauvoir — est constamment menacée

dans un univers absurde et ce sont ces menaces contre notre liberté qui constituent, à notre sens, l'idée dominante du théâtre sartrien.

La torture. — Une première cause de décomposition de la liberté est constituée par les injures que l'on fait subir à notre âme et à notre corps. L'usage de la torture, si fréquent lors de la dernière guerre, a donné à Sartre l'occasion d'analyser ses effets avilissants, avec une particulière acuité psychologique, dans *Morts sans sépulture*. Dans cette pièce, qui se situe quelque temps avant la Libération, un certain nombre de maquisards sont torturés par des miliciens ; une maquisarde, Lucie, a été violée ; brusquement, elle se sent une autre : elle a l'étrange sensation que quelque chose « s'est bloqué » dans sa tête. Elle s'enfonce alors dans une sorte d'univers maudit, où elle rejoint malgré elle ses tortionnaires.

En même temps que se crée cette étrange solidarité, cimentée par la haine, un fossé se creuse entre torturés et non torturés : ainsi Jean, le fiancé de Lucie, du seul fait que la torture, subie par ses camarades, lui est épargnée, se sent brusquement mis à l'écart, en butte à l'hostilité et même au mépris de ceux dont il sert pourtant la cause. Pour tenter de retrouver leur sympathie, il s'inflige de sa propre autorité un châtiment corporel : il s'écrase une main sous un chenet de fer. Peine perdue, souffrance vaine : « Tu peux te casser les os, tu peux te crever les yeux, lui crie Lucie, c'est toi qui décides de ta douleur. Chacune des nôtres est un viol, parce que ce sont d'autres hommes qui nous les ont infligées. Tu ne nous rattraperas pas ».

L'enfer. — A côté de cet enfer terrestre de la torture, il y a l'enfer proprement dit, dont Jean-Paul Sartre nous a présenté une vision concrète hallucinante dans ce chef-d'œuvre d'angoisse et d'intensité qu'est *Huis-Clos.* Qu'est-ce que l'enfer ? C'est, par opposition à la conscience libre de l'être vivant, la conscience privée de liberté, puisqu'elle n'a plus de décision à prendre. L'être vivant est en effet perpétuellement en question ; il se projette sans cesse dans l'avenir et en modifie la signification. Mort, son destin est fixé, figé, immodifiable. Il contemple alors sa vie antérieure comme un spectacle qu'il juge enfin impartialement. En effet, dans l'enfer, il n'y a plus de tricherie, plus de miroir embellissant destiné à justifier notre conduite quotidienne : une lumière blafarde implacable, symbolisée par des ampoules qui brûlent éternellement, dévoile nos âmes à nos propres yeux et aux yeux des autres : nous sommes « nus comme des vers ». Mais, par un paradoxe qui est sans doute une ironie du destin, c'est au moment précis où nous prenons pleine conscience de nous-mêmes que nous nous trouvons coupés des conditions nécessaires à l'exercice de notre liberté, à savoir l'action et le choix qu'elle implique.

Le rôle. — Inversement, dans la vie réelle, où nous avons la possibilité d'exercer notre liberté, nous l'abdiquons souvent, parce que nous avons tendance à fuir cette invention continuelle de soi, qui est la caractéristique d'une conscience libre. Jean-Paul Sartre s'est acharné à débusquer toutes les « condui-

tes de mauvaise foi », tous les mensonges de la comédie sociale, sensibles surtout dans les milieux bourgeois : mensonges du visage (« L'homme ne peut
rien faire de son visage sans que cela tourne au jeu
de physionomie ») ; mensonges du langage ; mensonges de la mémoire ; excuses inventées pour vivre
dans une attitude de confort, mais aussi de lâcheté,
où l'on évite soigneusement de se poser des questions.
En présentant ainsi constamment une image fausse
de soi, l'homme rejette non seulement la vérité,
profonde et mobile, mais la responsabilité ; il « s'en-
glue » ; il « entre en viscosité » ; bref, il n'est plus
libre : il joue un rôle.

Les autres. — Un obstacle, fatal lui aussi à la
liberté humaine, est constitué par la présence d'autrui. La célèbre formule de *Huis-Clos* : « L'enfer,
c'est les autres », concerne en réalité les vivants. En
effet, si les autres, appartenant au monde extérieur,
sont pour moi assimilables à des objets, à leur tour
ils ont tendance à faire de moi une chose, à m'immo-
biliser comme un objet : moi, être libre, en dépassement continuel, je me trouve figé, « néantisé »
par autrui. Cela est encore plus vrai si l'autre est
Dieu ou plutôt si l'on admet que Dieu existe. La
liberté de l'homme amène logiquement à conclure
qu'aucun pouvoir divin ne peut s'exercer sur lui ;
car, si Dieu, infini et absolu, prévoit et saisit tous
mes actes, je ne peux, moi qui suis relatif et fini,
être libre. S'il est tout-puissant, je suis forcément
dépendant et réduit à zéro. Ainsi, dans *Le Diable et*

le Bon Dieu, Goetz, qui d'abord ne doutait pas de Dieu, reconnaît qu'il n'existe pas et que l'homme ne peut exister qu'à cette condition : « Dieu n'existe pas, s'écrie-t-il. Joie, pleurs de joie. Alleluia ! Plus de ciel, plus d'enfer, rien que la terre. Il n'y a que des hommes ! »

La loi. — Une des plus graves menaces contre la liberté de l'homme est formée par un ensemble d'idoles, de fictions et de mythes qu'il faudrait détruire. Ces idoles, Dieu, roi, chef, parti politique, ont un point commun : elles représentent l'ordre, le pouvoir, la loi. Or, la liberté humaine ne pouvant s'épanouir que dans l'aventure ou dans la révolte, la loi est un moyen d'oppression. Dans *Les Mouches*, Egisthe, le roi, et Jupiter, le dieu, affirment une égale passion de l'ordre : « Je voulais, déclare Egisthe, que l'ordre règne et qu'il règne par moi. J'ai vécu sans désir, sans amour, sans espoir. J'ai fait de l'ordre. O terrible et divine passion ! » Et Jupiter conclut : « Nous ne pouvions en avoir d'autre : je suis dieu et tu es né pour être roi » Mais rois et dieux savent que leur pouvoir est fragile, car il est fondé sur la force, non sur la justice. Aussi prennent-ils toutes sortes de précautions pour maintenir leur autorité : ils s'entourent de prêtres ou de gardes ; ils surveillent étroitement tout individu susceptible de provoquer l'écroulement de leur pouvoir, s'il émergeait à la liberté. Jupiter entretient chez les hommes les terreurs, les repentirs et les pénitences, symbolisés par les mouches dont le ciel d'Argos est

noirci. Egisthe exploite, pour gouverner, les vieilles
dévotions de son peuple et il maintient l'obsession
des fautes anciennement commises par une évocation
annuelle des morts, dont les fantômes tourmentent
les veuves infidèles ou les parents oublieux.

D'où qu'ils émanent, l'ordre, le pouvoir « salis-
sent les mains ». Dans *Les Mains sales*, l'opportuniste Hoederer, dirigeant communiste, explique au
jeune Hugo qui, instruit au marxisme, a toute la
ferveur d'un catéchumène, pour quelles raisons il
trahit, au moins en apparence, l'idéal prolétarien :
la politique exige des habiletés, des compromissions,
des renonciations ; la fin justifie les moyens ; autrement dit, il faut plier la doctrine aux circonstances,
ne pas s'embarrasser d'une idéologie rigide. Quand
on s'est emparé du pouvoir, il s'agit de le garder le
plus longtemps possible, quitte à plonger ses mains
dans la boue jusqu'aux coudes. Et, à la fin de la
pièce, la politique cynique, mais souple et efficace
d'Hœderer est reprise par ceux qui la condam-
naient au nom de leur intransigeance. Le pouvoir
salit à ce point les mains que même un chef qui,
comme Nasty dans *Le Diable et le Bon Dieu*, aime
sincèrement le peuple et pour qui ordre est syno-
nyme de justice, ne peut rester pur ; il lui faut
intriguer, duper, traiter en ennemi ceux qu'il dirige,
bref devenir « bourreau et boucher ».

Les valeurs établies. — Reste une dernière idole,
une dernière mystification : les valeurs établies,
l'obéissance à des règles de vie façonnées une fois

pour toutes, à des conventions routinières dans lesquelles nous nous engluons et qui sont destructrices
de notre liberté, car « l'homme n'a pas d'autre
législateur que lui-même ». L'inexistence de Dieu
fait en effet disparaître « toute possibilité de trouver
des valeurs dans un ciel intelligible ; il ne peut plus
y avoir de bien *a priori*, puisqu'il n'y a pas de
conscience infinie et parfaite pour le penser ; il n'est
écrit nulle part que le bien existe, qu'il faut être
honnête, puisque précisément nous sommes sur un
plan où il y a seulement des hommes » (*L'Existentialisme est un humanisme*). Il convient donc de
repousser les formules commodes auxquelles on
recourt pour ne pas faire l'effort d'assumer une
responsabilité strictement personnelle et de se forger
des valeurs nouvelles, car la morale est le produit
d'une invention et d'un jaillissement indéfiniment
recommencés.

A la base du choix, une qualité est requise : la
bonne foi. Jean-Paul Sartre nous a présenté dans
son théâtre deux exemples opposés, l'un de bonne
foi, celui d'Oreste dans *Les Mouches*, l'autre de
mauvaise foi, celui de Goetz, dans *Le Diable et le
Bon Dieu*. Oreste, qui a pour mission de venger la
mort de son père, se heurte au conformisme social,
représenté par Jupiter, pour qui il convient de
laisser les choses comme elles sont, de « filer doux ».
Mais, tout d'un coup, la liberté « explose dans son
âme d'homme » et, dès lors, « il n'y a plus rien au
ciel, ni Bien, ni Mal, ni personne pour lui donner
des ordres ». Il choisit, en toute bonne foi, l'acte
qui doit lui permettre de se réaliser pleinement : il

tue Egisthe, puis Clytemnestre. « J'ai fait mon acte »,
dit-il à Electre. Du même coup, il sauve sa ville,
Argos, de l'obsession des fautes passées ; il lui rend
la conscience légère et le goût du bonheur.

Goetz, au contraire, s'engage sur les chemins de
la mauvaise foi. Estimant que le bien est déjà fait
par Dieu et qu'il s'agit d' « inventer », il se délecte
d'abord dans le mal : il massacre, viole, jusqu'au
jour où un prêtre, Heinrich, lui ayant montré qu'il
est impossible de faire le bien sur la terre, Goetz
relève le défi et « parie » de pratiquer désormais le
bien en toute occasion : il fait grâce aux populations
de la ville qu'il assiégeait, distribue aux indigents
les terres qu'il a reçues en héritage, se perce les
deux paumes pour répandre son sang sur une jeune
femme qui agonise ; bref, il passe de l'excès du mal
à la folie du bien ; il joue la comédie de la sainteté.
Mais, en dépit de ses efforts, il se fait honnir de tous,
car ses bienfaits sont considérés comme des humiliations par tous ceux qui les reçoivent. Finalement,
le curé Heinrich prouve à Goetz qu'il a suivi les mêmes

Photo Lipnitzk

André Luguet
et
Marie Olivier
dans
Les Mains sales

instincts lorsqu'il faisait le mal et lorsqu'il prati-
quait le bien ; bref, que bien et mal, loin d'être des
réalités immuables que l'on peut fixer par un code,
ne sont que des notions mouvantes et confuses, des
mystifications de la conscience. Après avoir donné
dans les diverses formes de la mauvaise foi, Goetz se
dépouille des fausses croyances et il se retrouve un
homme dans la négation de l'absolu (1).

Ainsi donc, l'homme est libre, mais, à chaque
instant, des obstacles se dressent contre cette liberté
et nous plongent dans une existence misérable et
absurde. De là naît un sentiment tragique de solitude
qu'illustre tout particulièrement la dernière pièce
de Jean-Paul Sartre, *Les Séquestrés d'Altona*. Frantz
et Johanna représentent deux solitudes humaines qui
ont tenté, contre tout espoir, de s'unir, de prendre
contact. Vain effort ! La proclamation que le « séques-
tré » Frantz fait entendre à la fin de la pièce, au
moyen d'un magnétophone, peut être considérée

---

(1) Une pièce en un acte de Sartre, *La Putain respectueuse*,
est une satire violente à la fois de la notion de loi et de la
notion de valeurs établies. Une jeune beauté professionnelle, Lizzie Mac Kay, a été témoin, dans un train
d'une rixe qui s'est terminée par la mort d'un noir. Le
meurtrier, un blanc, a été arrêté : c'est un fils de bonne
famille américaine, neveu d'un sénateur. La morale sociale,
l'ordre établi, représentés par les notables de la ville exi-
gent que cet « américain cent pour cent », qui a fait ses
études à Harvard, qui est officier et qui emploie deux
mille ouvriers dans son usine, soit innocent. On persuade
donc à Lizzie, « respectueuse » de la vérité, qu'il est de
son devoir de signer une déclaration, qui fera condamner
un nègre à la place du fils de bonne famille. La cause est
entendue et on oublie même de payer à la pauvre fille le
prix de son faux témoignage.

comme une profession de foi sartrienne : les êtres
restent emmurés dans leur solitude, chacun à sa
manière, car « un plus un font un ».

Pourtant, le désespoir n'est pas absolument sans
recours. Il y a dans le théâtre de Sartre — et c'est
ce qui le rend très humain, surtout si on le compare
au théâtre de Montherlant — des échappées de tendresse, un besoin de fraternité et de solidarité humaines : Goetz, comme Oreste, aspire à devenir « un
homme parmi les hommes » ; les maquisards de
Morts sans sépulture, tout comme les révolutionnaires des *Mains sales*, ne pensent qu'à être unis dans
une action solidaire ; quant à Hoederer, « un vrai
homme de chair et d'os », il avoue avec une émouvante simplicité : « Moi, j'aime les hommes pour ce
qu'ils sont. Avec toutes leurs saloperies et tous leurs
vices. J'aime leurs voix et leurs mains chaudes, et
leur peau plus nue que toutes les peaux, et leurs
regards inquiets, et la lutte désespérée qu'ils mènent,
chacun à son tour, contre la mort et contre l'angoisse ». Sans doute a-t-on fait remarquer qu'il ne
s'agit pas toujours d'un amour total, universel :
ainsi, la solidarité des maquisards ne repose que sur
la communauté provisoire d'un idéal. Il n'en reste
pas moins que Jean-Paul Sartre a peint des êtres fré-
missants de vie, des âmes déchirées, qui cherchent
obstinément la voie de leur salut.

Certains critiques contestent les chances de survie
du théâtre de Sartre. La légendaire facilité de cet

26

écrivain lui a joué de mauvais tours. Trop de ses pièces ont été hâtivement conçues, sans souci d'élaguer :
Le Diable et le Bon Dieu, Les Séquestrés d'Altona
durent quatre heures d'horloge ; *Nekrassov* est une
interminable farce politico-satirique ; ajoutons que le
style de ces œuvres est tantôt dur à l'excès, tantôt
prolixe, dépourvu de prestige éternel. D'autre part,
Jean-Paul Sartre commet, à notre sens, une erreur
esthétique, quand il pose en principe que l'homme
de lettres doit renoncer aux thèmes universels en
faveur des problèmes d'actualité. Le théâtre a besoin
de prendre du recul par rapport à la réalité dont il
s'inspire : *Morts sans sépulture, Les Séquestrés d'Altona* évoquent des faits trop nettement datés, trop
intimement solidaires du moment historique et social,
pour atteindre à la valeur générale de *Huis-Clos*, où
Sartre s'est dégagé de tout souci d'actualité.

Il faut avouer aussi que, dans cette dramaturgie, la doctrine philosophique est trop souvent présente en fili-
grane : *Les Mouches,* en particulier, sont encombrées
de thèmes, qui se superposent avec une lourdeur
assez accablante ; et on pourrait citer maints personnages, qui sont moins des êtres vivants que des por-
teurs d'idéologie. Enfin, s'il nous paraît déplacé de
reprocher à notre auteur son désespoir et l'atmosphère de défaite irrémédiable qui pèse sur la plupart
de ses héros, on peut lui en vouloir de s'être trop
complu dans une atrocité qui effarouche les âmes
sensibles. Il y a du tortionnaire chez Jean-Paul
Sartre, un goût parfois malsain du sordide, du pollué,
de ce qui est visqueux et gluant, un humour noir
trop grinçant. On suffoque dans son enfer intellec-

tualiste, qu'aucun souffle d'air ne traverse et où il
semble que d'invisibles mains, armées d'un scalpel,
mettent à nu les humeurs et les purulences de nos
viscères. De toute évidence, Sartre est allergique au
rêve poétique, à l'émotion rafraîchissante, au mystère des visages et des âmes.

Ces réserves faites, on peut se demander si la production dramatique de Jean-Paul Sartre n'est pas
destinée à devenir la partie la plus durable de son
œuvre. Il affirme des dons éclatants : une exceptionnelle vigueur de tempérament ; une acuité féroce
dans l'observation ; un sens infaillible du dialogue
dépouillé, nerveux et âpre, qui saisit à la gorge dès
les premières répliques. Jean-Paul Sartre a créé un
tragique d'un accent insolite : sous un ciel noir,
« au milieu d'un monstrueux silence, sans aide et
sans excuse », la créature humaine, emprisonnée
dans sa conscience, exhale son horreur de vivre en un
chant douloureux, qui semble sortir des profondeurs
de l'abîme ; par un enchaînement implacable, elle
s'enlise jusqu'au fond du désespoir, condamnée à ne
jamais pouvoir échapper à son destin.

La volonté d'actualité de ce théâtre est certes une
faiblesse, mais c'est aussi une force : si elle enlève
aux pièces de Sartre une partie de leur prestige durable, elle leur donne la valeur d'un document. Rendons hommage à la probité intellectuelle, au courage
d'un dramaturge qui, sans ménagement et le plus
souvent sans recours à des camouflages historiques,
nous a présenté des témoignages authentiques sur les
années tragiques que nous avons vécues. Plus d'Antigone alors, plus de Clytemnestre, plus d'Atrides ;

témoin et juge de son temps, Jean-Paul Sartre donne
aux êtres et aux choses leur vrai nom : dans *Les
Mains sales*, au lendemain de la bataille de Stalin-
grad, un pays d'Europe orientale, occupé par les
Allemands ; une armée russe qui progresse ; un chef
communiste de 1943 ; un politique souple et adroit,
plus soucieux de la vie humaine que d'un idéal abstrait ; un jeune intellectuel marxiste, fils de bourgeois, prêt à tout sacrifier à ses exigences de justice
et de vérité.

Soucieux d'obtenir la plus large audience auprès
de ses contemporains et en particulier auprès des
hommes de la rue, Jean-Paul Sartre s'est adressé à
eux en toute liberté et en pleine lumière, non du
fond de son cabinet de travail ; usant d'un dialogue
en prise directe sur la pensée, il a traité à chaud,
avec un mépris total de la convention, les problèmes
angoissants et souvent inédits qui ont surgi au milieu
de l'extravagante confusion du monde actuel.

Photo Lipnitzki

IV. ALBERT CAMUS
   (1913-1960)

Notice biographique. — Albert Camus est né en 1913 à Mondovi, département de Constantine, dans une famille d'ouvriers agricoles. Il passe son enfance à Alger ; après ses études secondaires, il prépare une licence de philosophie à la Faculté d'Alger dans des conditions pénibles : il est vendeur d'accessoires d'automobiles, météorologue, employé chez un courtier et à la Préfecture. Après sa licence, il fait un Diplôme d'Etudes Supérieures sur Plotin et Saint-Augustin ; la maladie l'empêche de se présenter à l'agrégation. Il est de bonne heure attiré vers le théâtre : à vingt-deux ans, il fonde à Alger une troupe d'amateurs, *Le Théâtre du Travail*, puis il est l'animateur d'une nouvelle troupe, *L'Equipe* : il participe à la rédaction collective d'une pièce, *La Révolte des Asturies*, dédiée à la mémoire des mineurs d'Oviedo tués en 1934. Il adapte *Le Temps du Mépris* de Malraux, *Le Retour de l'enfant prodigue* de Gide ; il joue *Le Paquebot Tenacity* de Vildrac, *La Femme silencieuse* de Ben Jonson et *Les Frères Karamazov* de Dostoïevski. Il voyage en Espagne, en Italie, en Europe centrale, publie deux essais lyriques : *L'Envers et l'Endroit* (1937) et *Noces* (1938). Il est journaliste à *Alger Républicain*, puis à *Paris-Soir ;* il fait de la résistance dans le mouvement Combat. Il publie chez Gallimard un roman, *L'Etranger* (1942) et un essai, *Le Mythe de Sisyphe* (1943).

A la Libération, il fait jouer avec succès deux pièces de théâtre, *Le Malentendu* aux Mathurins (1944), *Caligula*, conçu dès 1938, au Théâtre Hébertot (1945). En 1947, son roman *La Peste* obtient le Prix des Critiques. En 1948, Camus confie à la Compagnie Madeleine Renaud - Jean-Louis Barrault la mise en scène de *L'Etat de Siège ;* l'année suivante, *Les Justes* sont joués au Théâtre Hébertot. En 1951, paraît *L'Homme révolté*, essai historique et philosophique, qui provoque la rupture publique de son auteur avec Sartre. Camus publie encore deux récits : *La Chute* (1956) et *L'Exil et le Royaume* (1957) ; il reçoit le Prix Nobel de Littérature en 1957, pour avoir « mis en lumière les problèmes se posant de nos jours à la conscience des hommes ». De 1953 à 1959, il fait plusieurs adaptations théâtrales : *Les Esprits*, d'après Larivey ; *La Dévotion à la Croix*, d'après Calderon ; *Un Cas intéressant*, d'après Dino Buzzati ; *Requiem pour une Nonne*, d'après Faulkner ; *Le Chevalier d'Olmedo*, d'après Lope de Vega ; *Les Possédés*, d'après Dostoïevski. Albert Camus est mort au début de 1960, dans un accident d'automobile.

Il est tentant de rapprocher la production dramatique d'Albert Camus de celle de Jean-Paul Sartre. Les pièces de ces deux auteurs sont la transposition

des thèmes qu'ils ont traités ailleurs dans un registre différent. D'autre part, il y a une parenté étroite
et même assez singulière entre les drames de Camus
et ceux de Sartre : ainsi, l'auberge du crime dans
Le Malentendu fait penser au salon de l'enfer dans
Huis-Clos ; Caligula appelle des rapprochements
tantôt avec *Les Mouches*, tantôt avec *Le Diable et le
Bon Dieu ;* il y a des analogies de cadre, de situations et de types humains entre *Les Justes* et *Les
Mains sales ;* enfin Sartre et Camus se sont fixé un
même but de recherches, qui est de découvrir pour
les hommes une possibilité d'équilibre, en dehors
de la croyance en Dieu. Il serait toutefois artificiel
de pousser trop loin le parallèle : n'oublions pas
que les deux auteurs, qui s'étaient rencontrés pour
la première fois en 1944, ont rompu leurs relations
en 1951. En fait, les œuvres de Sartre et de Camus
ne sont pas animées par un même esprit et elles
aboutissent à des conclusions pratiques assez différentes.

   Les drames d'Albert Camus retracent, au même
titre que ses essais et ses romans, le cheminement
d'une pensée en évolution, au contact de la vie et
de l'expérience. *Caligula* et *Le Malentendu* illustrent, vers la même époque que *L'Etranger* (1942) et
Le Mythe de Sisyphe (1943), une métaphysique de
l'absurde. *L'Etat de Siège* et *Les Justes* illustrent,
un peu après *La Peste* (1947) et avant *L'Homme
révolté* (1951), une métaphysique de la révolte.

   La métaphysique de l'absurde. — *Caligula*, écrit
par Camus à la suite d'une lecture des *Douze Césars*

de Suétone, peut être considéré comme la mise en action du *Mythe de Sisyphe*. Caligula, ainsi que Sisyphe, symbolise « l'homme absurde », c'est-à-dire l'être lucide, qui prend conscience de l'absurdité du monde. L'expérience de l'absurde naît de la confrontation entre la conscience éprise de clarté et le monde privé de sens, irrationnel. Quelques lignes du *Mythe de Sisyphe* nous donnent la sensation aiguë de l'absurde saisi à travers le mécanisme dérisoire des gestes de notre vie quotidienne : « Lever, tramway, quatre heures de bureau ou d'usine, repas, tramway, quatre heures de travail, repas, sommeil, et lundi mardi mercredi jeudi vendredi et samedi sur le même rythme, cette route se suit aisément la plupart du temps ».

Caligula a découvert que le monde tel qu'il va n'est pas satisfaisant à la mort de sa sœur, qui était sa maîtresse : « Les hommes meurent et ils ne sont pas heureux », voilà « la vérité toute simple et toute claire » qui s'impose à lui, vérité dont les hommes s'arrangent fort bien dans le train ordinaire de la vie, mais dont lui, Caligula, dévoré par un besoin d'absolu, ne saurait s'accommoder. Il décide donc, puisqu'il dispose d'un pouvoir sans limites, d'exploiter ce pouvoir jusqu'au bout. Il exerce une liberté effrénée par le meurtre et la perversion systématique de toutes les valeurs ; il récuse l'amitié et l'amour, la simple solidarité humaine, le bien et le mal. Il nivelle tout autour de lui par la force de son refus et par la rage de destruction où l'entraîne sa passion de vivre. Mais Caligula prend finalement conscience qu'il a fait fausse route en poussant l'absurde dans toutes ses conséquences : « Je n'ai pas pris la voie qu'il fallait, je n'aboutis à rien. Ma liberté n'est pas la bonne ».

On ne peut en effet tout détruire sans se détruire soi-même. Infidèle à l'homme par fidélité à lui-même, Caligula accepte de s'engloutir dans la mort, sous les coups des conspirateurs, une fois qu'il a compris qu'aucun être ne peut se sauver tout seul et qu'on ne peut pas être libre contre les autres hommes. Toutefois, par son refus de se soumettre au destin, Caligula aura tiré quelques individus, comme Chéréa et Scipion, du sommeil sans rêves de la médiocrité : « Reconnaissons au moins, déclare Chéréa, que cet homme exerce une indéniable influence. Il force à penser. Il force tout le monde à penser. L'insécurité, voilà ce qui fait penser ».

Le Malentendu est, lui aussi, un drame de l'absurde. L'histoire en est simple. Martha et sa mère tiennent une auberge isolée dans une petite ville de Bohême. Les deux femmes ont pris l'habitude de détrousser, puis de jeter dans une rivière leurs clients, après leur avoir fait absorber un narcotique. Or, un jour, c'est le frère de Martha, Jan, qui frappe à la porte ; il a quitté le pays il y a vingt ans ; il s'est marié ; il est heureux, mais il éprouve le besoin de s'accomplir pleinement en faisant partager son bonheur avec ceux qu'il aime. Pour mieux se rendre compte de ce que sont devenues sa mère et sa sœur, il cache son identité. Il subit le même sort que les autres clients. Les deux femmes fouillent le mort et trouvent ses papiers. Elles se laissent alors glisser à leur tour dans le lit gluant de la rivière.

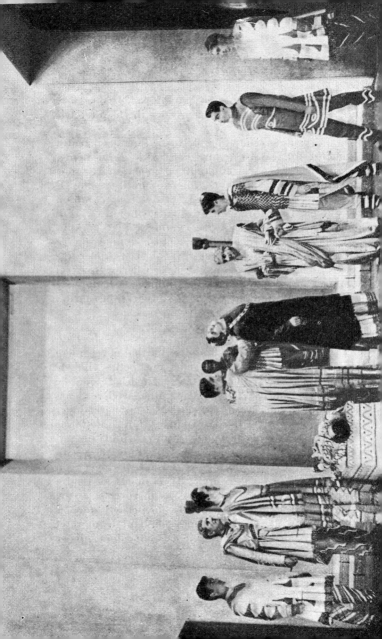

Ce drame est peuplé de symboles, d'ailleurs assez clairs. L'auberge dc crime, c'est notre univers, fermé et absurde, sur lequel ne veille aucune providence ; la vieille mère, et encore plus, Martha, c'est le nihilisme total, le recours au crime cachant, comme chez Caligula, un obscur désir d'échapper à « un horizon fermé » et de trouver le repos, au lieu de « porter toujours son âme » ; Jan, c'est l'immense et obstiné appétit de bonheur, qui se brise sur le mur de l'incompréhension et de la fatalité inexorable ; « le malentendu » enfin, c'est non pas un accident, mais la loi inévitable de la condition humaine : « c'est maintenant que nous sommes dans l'ordre », s'écrie Martha, une fois que les personnages de ce drame effroyable sont enfermés dans la souricière que forment le crime et les erreurs du destin.

La métaphysique de la révolte. — L'expérience de l'absurde est nécessaire à l'homme dans la mesure où, faisant table rase des préjugés, elle libère la conscience de ses entraves, mais elle n'est pas suffisante, car elle n'énonce en soi aucune règle d'action. La révolte, mouvement irrésistible par lequel l'homme s'insurge contre l'univers et contre sa condition mortelle, lui permet de dépasser l'absurde et d'acquérir, grâce à l'action, la sensation d'être une conscience libre. Cette révolte est métaphysique en ce sens qu'elle conteste les fins de l'homme et de l'univers. Le concept de révolte apparaît déjà dans les deux premières pièces d'Albert Camus, mais uniquement sous son aspect négatif et destructeur. Il est présenté sous son aspect positif et constructeur dans *L'Etat de Siège* et dans *Les Justes*.

← Une scène de *Caligula*   *Photo Lipnitzki*

L'Etat de Siège, spectacle en trois parties, reprend, à d'autres fins, le mythe de la Peste que Camus avait déjà développé un an avant sous forme romanesque. Aveugle et maléfique, la Peste s'abat impitoyablement sur Cadix. Bien entendu, il s'agit là d'un symbole : analogue à la notion de loi chez Sartre, la Peste, c'est le despotisme sous toutes ses formes, l'écrasement et l'avilissement de l'individu, à qui des règles tyranniques absurdes ôtent toute raison d'être. Or, « il faut faire ce qu'il faut pour ne plus être pestiféré » ; il suffit pour cela d'avoir la force de se dresser contre la Peste, de s'affirmer contre elle comme une conscience libre : ainsi Diégo, en refusant de s'avouer vaincu par le fléau, redonne à Cadix la liberté et le goût de l'existence, de même qu'Oreste, dans *Les Mouches*, avait redonné à Argos la joie de vivre en chassant les mouches de cette cité : « il a toujours suffi, reconnaît la Mort, qu'un homme surmonte sa peur et se révolte pour que la machine commence à grincer... Quelquefois, elle finit vraiment par se gripper » (On pense à l'aveu de Jupiter dans *Les Mouches* : « Quand une fois la liberté a explosé dans une âme d'homme, les dieux ne peuvent plus rien contre cet homme-là »).

La conscience révoltée recherche d'instinct l'action pour mieux s'accomplir, mais si cette action doit être efficace, elle doit aussi être limitée, la violence étant toujours « liée à une responsabilité personnelle ». *Les Justes* définissent les limites qu'il convient de fixer à la révolte. Le sujet de cette pièce est emprunté à un épisode historique : en 1905, à Moscou, un groupe de terroristes appartenant au parti

socialiste révolutionnaire ourdit un attentat contre
le grand-duc Serge, oncle du tsar et gouverneur de
Moscou, qu'ils considèrent comme l'incarnation du
despotisme. Kaliayev, un intellectuel devenu révolutionnaire par passion de la justice — il fait penser
à Hugo des *Mains sales* — doit lancer une bombe
sous la calèche du grand-duc Serge. Or, une première fois, il ne peut se résoudre à accomplir ce geste
fatal parce qu'il y a, dans la voiture princière, les
deux petits neveux du grand-duc. Stépan, un révolutionnaire fanatique qui lutte pour une « cité lointaine », condamne l'abstention de Kaliayev, au nom
de l'action efficace : « Que représentent les deux
neveux du grand-duc à côté des millions d'enfants
russes, qui mourront pendant des années encore ?
Quand nous nous déciderons à oublier les enfants, ce
jour-là nous serons les maîtres du monde et la révolution triomphera ».

A l'opposé de Stépan, Kaliayev, « le meurtrier
délicat », s'indigne à l'idée qu'on fasse taire la voix
de la conscience, au nom de l'efficacité. Il lutte
pour le temps présent, refusant d'être injuste aujour-
d'hui sous prétexte d'établir la justice de demain :
« C'est pour ceux qui vivent aujourd'hui que je lutte
et que je consens à mourir. Et pour une cité lointaine, dont je ne suis pas sûr, je n'irai pas frapper
le visage de mes frères ». Pour lui, la cause juste
est celle dont les moyens, comme la fin, sont justes,
car les moyens définissent le présent. Or, tuer des
enfants étant contraire à l'honneur, il convient de
se détourner d'une action révolutionnaire qui renie
ses origines généreuses. En dépit de ses scrupules,

Kaliayev se résout, deux jours plus tard, après s'être signé devant une icône, à lancer la bombe : emprisonné, il refuse sa grâce, voulant, par l'acceptation de la mort, assumer l'entière responsabilité de son acte. Bref, pour Albert Camus, la juste révolte consiste parfois à tuer pour établir la justice, quitte à mourir ensuite pour se purifier d'avoir tué.

La défense des valeurs humaines. — On a parfois reproché à Camus d'avoir accumulé trop de pessimisme : « Il est difficile, estime un critique dramatique à propos des *Justes*, de laisser moins d'espérance au cœur des hommes, de leur ôter avec plus de satisfaction et d'acharnement le sens de la vie... Sans rachat, sans espoir, sans permission de bonheur, sans une goutte de lait de l'humaine tendresse ». En fait, c'est une erreur de ne voir en cet écrivain que le théoricien de l'absurde : « Au plus fort de notre nihilisme, écrit Camus, j'ai cherché des raisons de dépasser ce nihilisme... Mon rôle n'est pas de transformer le monde ni l'homme. Je n'ai pas assez de vertus, ni de lumières pour cela. Mais il est peut-être de servir, à ma place, les quelques valeurs sans lesquelles un monde ne vaut pas la peine d'être vécu ». En effet, chez Camus, la métaphysique de l'absurde et de la révolte est le point de départ d'une dialectique intérieure, qui aboutit à la reconnaissance et à la défense de valeurs positives propres à l'homme.

Et d'abord Albert Camus, l'Africain, est le défenseur d'une certaine idée du bonheur, qu'il rattache au climat méditerranéen. Pour lui, comme pour les héros de la tragédie grecque antique, vivre, c'est

voir la clarté du jour, c'est sentir la chaude lumière
du soleil. La cruelle Martha du *Malentendu*, excédée
de vivre dans un pays âpre et sans horizon, rêve sans
cesse aux pays du soleil, à la mer, aux plages sauvages où le vent du soir apporte une odeur d'algue ; là,
on peut « se délivrer, presser son corps contre un
autre, rouler dans la vague » ; là, « le soleil tue les
questions ». De même, la sensible Dora, dans *Les
Justes*, soupire, après avoir entendu le récit boulever-
sant de l'exécution de Kaliayev qu'elle aimait : « La
bonne voie est celle qui mène à la vie, au soleil ».

D'autre part, Albert Camus, après avoir peint,
dans ses drames comme dans ses essais, les menaces
de toute sorte qui pèsent sur l'homme moderne et les
catastrophes qui peuvent ruiner son fragile bonheur,
nous montre que le problème est de faire front contre
le malheur et, si possible, d'en conjurer ou d'en limi-
ter les effets. Les révolutionnaires des *Justes* pensent
que le monde est absurde et injuste, mais à cette
absurdité et à cette injustice ils opposent l'amitié de
l'homme pour l'homme, la communion avec autrui,
la générosité et aussi la tendresse : « S'il est une
chose que l'on puisse désirer toujours et obtenir quelquefois, c'est la tendresse humaine ». Tendresse
dépourvue de sensiblerie, fraternité grave et pudique, qui ne se paye pas de déclarations ostentatoires,
mais qui est soucieuse d'efficacité, chaque fois qu'il
est question de répondre à la plainte d'un ami malheureux. Ainsi, au terme de sa quête personnelle,
Albert Camus nous propose une manière de stoïcisme
qui, bien que sans vaine illusion, fait largement
confiance à l'homme, chez qui il y a « plus de choses
à admirer que de choses à mépriser ».

*
* *

Possédé de bonne heure par l'amour du théâtre, Albert Camus est revenu à la scène à chaque nouvelle étape de sa brève carrière, comme auteur, comme metteur en scène, parfois même comme acteur. Appelé par M. André Malraux à diriger un théâtre d'essai à Paris, il a fait en 1959 une importante déclaration à la télévision sur sa conception du théâtre et sur le rôle qu'il doit jouer dans la vie moderne.

Cette conception est très élevée. Pour Camus, le théâtre est le lieu de la liberté, de la vérité et de la grandeur. Il est d'abord « une belle image de la société future », en ce sens que « comédiens, auteur, metteur en scène sont tous liés les uns aux autres » et que « cependant chacun est libre à sa manière ou à peu près ». Le théâtre est, d'autre part, le lieu de la vérité et non, comme on le croit d'ordinaire, celui de l'illusion : c'est sur une scène de théâtre, bien plus qu'à la ville, qu'on trouve « le mystère des cœurs et la vérité cachée des êtres ». Le théâtre est enfin, ou plutôt devrait être, un lieu de grandeur. Malheureusement, « trop de directeurs brillent surtout par leur incompétence et n'ont strictement aucun titre à détenir la licence qu'une fée mystérieuse leur a un jour donnée ».

Albert Camus a eu tout particulièrement l'ambition de créer une nouvelle forme dramatique, la tragédie métaphysique, tragédie intense, dense, qui traite en profondeur, sans vaine déclamation, les problèmes angoissants posés à la conscience de nos contemporains. Le dialogue de cette tragédie est rigoureux, fait de répliques courtes et incisives, avec de rares échap-

pées poétiques ; il est de ceux qui redonnent de la
dignité au beau langage français. Quelques scènes du
théâtre de Camus font naître le pathétique de la netteté implacable avec laquelle un dilemme est posé.
Telle est la scène du deuxième acte des *Justes*, qui
oppose Stépan à Kaliayev, d'un côté le pur terroriste
chez qui l'expérience de l'humiliation a tué toute sensibilité, de l'autre le révolutionnaire humain qui, en
présence de la plus impitoyable des missions, n'a pu
se résoudre à faire taire la voix de son cœur. Un rôle,
d'autre part, s'impose par sa stature tragique : celui
de Caligula, synthèse de lady Macbeth, d'Hamlet et
de Lorenzaccio ; personnage dévoré de contradictions,
lucide et halluciné, idéaliste et féroce, plein de
mépris, mais aussi d'amour pour les hommes.

Pourtant, le théâtre d'Albert Camus ne sera jamais
celui du grand public, qui applaudit Shakespeare,
Molière et Musset, car un auteur dramatique, si esti-
mable soit-il, ne peut atteindre la foule quand ses
pièces sont trop exclusivement intellectuelles et abstraites. *Le Malentendu* se présente comme une
démonstration, *L'Etat de Siège* comme une équation
algébrique, *Les Justes* comme une épure de géomé-
trie descriptive ; *Caligula* a la netteté, mais aussi la
sécheresse d'un théorème. On souhaiterait une technique moins rigoureuse, moins de symboles, d'entités et de dialogues philosophiques ; en revanche, un
contact plus intime avec la vie réelle, plus d'accents
d'humanité éternelle.

Suzanne FLON et Jacques DUFILHO
dans *Le Mal court* de Jacques AUDIBERTI

CHAPITRE IV

LA DERNIERE AVANT-GARDE

Il faut bien admettre que le théâtre est le plus conservateur des genres littéraires, peut-être même de tous les arts. Il n'existe en effet que grâce à l'approbation et surtout à la présence d'un public : or, le public — et aussi une bonne partie des critiques de théâtre — juge avec réticence, comme des excentricités, les innovations dramatiques et il a besoin d'un temps plus ou moins long d'accoutumance avant de les accepter. Le résultat est que l'activité théâtrale est presque toujours en retard par rapport au roman et à la poésie, comme à la musique ou à la peinture.

Ainsi, au siècle dernier, le théâtre français s'est orienté, après le roman, vers la peinture réaliste des mœurs contemporaines ; le Théâtre Libre découvrit les ressources que le naturalisme pouvait offrir à la scène plus de dix ans après la formation du groupe de Médan. Au lendemain de la guerre 1914-1918, le surréalisme dénonce la tyrannie des normes logiques en poésie et rejette toutes les règles traditionnelles : or, ce mouvement révolutionnaire n'a qu'une faible répercussion sur le théâtre de l'époque et c'est seulement trente ans plus tard, avec l'apparition de l'anti-théâtre, que le surréalisme exerce une action sensible sur notre scène.

Une coupure très nette s'est produite dans l'histoire du théâtre français au moment où le vingtième siècle abordait son deuxième versant. Un certain nombre d'auteurs dramatiques, sans former à proprement parler un groupe et encore moins une école, constituèrent une avant-garde, qui se proposait de renouveler, ou mieux de revitaliser l'art du théâtre en rompant systématiquement avec la plupart des critères jusqu'alors acceptés.

L'essayiste Luc Estang écrivait, à la suite des premières représentations de *En attendant Godot* de Samuel Beckett, en 1953, qu'un tel théâtre devait être nommé « anti-théâtre en regard des conceptions ordinaires de l'art dramatique » et, deux ans plus tard, Eugène Ionesco déclarait : « Je ne fais de l'anti-théâtre que dans la mesure où le théâtre que l'on voit habituellement est pris pour du théâtre ». L'appellation fit fortune : l'anti-théâtre fut d'ailleurs aussi désigné sous le nom de théâtre nouveau ou de théâtre de l'absurde.

*
**

Les frontières de l'anti-théâtre sont encore assez mal définies et mouvantes, d'abord parce que sa production est en plein développement, ensuite parce que la plupart des dramaturges qui le représentent — Adamov et Ionesco en particulier — ont évolué sensiblement depuis leurs débuts à la scène. Il semble pourtant possible de dégager dès à présent quelques lignes de force, quelques constantes de cette dramaturgie nouvelle.

L'anti-théâtre est avant tout anti-réaliste, anti-contingent et anti-rationnel. Il n'est pas une imitation, mais une réfraction de la réalité. Cette réalité, il prétend l'exprimer sous une forme non relative et contingente, mais universelle et permanente. D'autre part, l'anti-théâtre ne représente pas l'univers organisé d'un Descartes ou encore du siècle de Louis XIV, mais l'univers irrationnel de l'ère atomique.

D'autre part, il se considère comme un art spécifique, qui doit se libérer de toutes sortes de contraintes pour n'obéir qu'aux lois qui lui sont propres. L'anti-théâtre rejette en général les catégories dramatiques traditionnellement admises : temps et lieu, action, caractères, langage.

Dans le théâtre traditionnel, l'auteur raconte une histoire, située dans un temps et un lieu presque toujours précisés, par le moyen d'une action construite, qui comporte exposition, nœud ou crise et dénouement. Dans le théâtre nouveau, ni temps ni même lieu précis ne déterminent le déroulement de la pièce. L'action est réduite au minimum, au point d'être parfois inexistante : pas de coup de théâtre, pas de péripétie ; quant au dénouement, il n'est plus comme autrefois la solution d'un problème, pour la bonne raison que tout problème est en général considéré comme insoluble.

Le théâtre traditionnel peint des personnages qui, d'une part, sont nettement situés socialement, d'autre part, définis et souvent même explorés psychologiquement, car il est entendu qu'un bon personnage de théâtre a une certaine épaisseur, une certaine densité. Le théâtre nouveau représente d'ordinaire des êtres dégagés de toute caractéristique ou appartenance sociale et vidés de tout contenu psychologique particulier, de tout trait accidentel : ce sont des archêtypes presque sans visage et parfois sans nom, une simple initiale ou une étiquette générique servant alors à les désigner.

Dans le théâtre traditionnel, le langage est considéré comme un moyen de communication valable entre les hommes : sa fonction principale est de rendre compte logiquement de l'univers et d'exprimer avec fidélité les mouvements secrets de la vie intérieure. Pour la plupart des dramaturges de l'antithéâtre, le langage ne nous permet pas de communiquer, à plus forte raison de communier avec autrui ; son vide, son incohérence révèlent le néant de l'existence et démentent les convictions de l'esprit logique : aussi les dramaturges nouveaux ont-ils tendance à saper et à ridiculiser le langage soit en le déformant, soit en grossissant ses aspects mécaniques.

L'anti-théâtre n'est pas seulement destructif : il construit sur ce qu'il a démoli. Considéré sous son aspect positif, il est essentiellement un tableau de la condition humaine et plus particulièrement de l'angoisse et de la détresse de l'homme aux prises avec un univers absurde, qui ne peut ni satisfaire ses aspirations les plus profondes, ni répondre aux questions qui le hantent. Mais le nouveau théâtre ne disserte pas sur nos angoisses ; il nous les montre. Ce théâtre en effet, qui est destiné à être vu et non à être lu, utilise au maximum les éléments visuels du spectacle, non pas — comme c'est le cas dans certaines pièces traditionnelles — pour camoufler tant bien que mal un manque évident de substance, mais au contraire pour suggérer de manière indirecte quelques vérités sur la condition humaine. De là l'importance, dans cette dramaturgie, des gestes, des mouvements scéniques, des apparitions fantastiques, des lumières, des sons et surtout des objets, dont la présence envahissante évoque un univers anti-spirituel, mais plus consistant, par son opacité même, que l'univers humain.

Enfin, le nouveau théâtre présente un dosage original de comique et de tragique. Dans un monde d'où tout absolu est banni, il ne saurait y avoir ni tragédie, ni comédie à l'état pur : le comique *est* tragique et inversement. L'être humain est à la fois ridicule et digne de pitié ; l'univers est totalement dénué de sens, ce qui est tragique, mais il serait encore plus dénué de sens de prendre ce tragique trop au sérieux. Le recours à un comique de dérision est un moyen de démystification et de libération ; il permet de considérer l'absurdité du monde avec le recul nécessaire (1).

_____

(1) Le théâtre nouveau présente un certain nombre d'analogies avec le roman nouveau, né en France vers la même époque. Le romancier nouveau se refuse à raconter une histoire, comme dans le roman traditionnel, où le sujet est construit et où tout s'enchaîne à l'intérieur d'un monde cohérent. Bien plus, il ne sait pas au départ comment se déroulera son roman : pour Robbe-Grillet, un roman « se crée en cours d'écriture » (de même, Ionesco déclare : « Je n'ai pas d'idées avant d'écrire une pièce... Je ne sais jamais où je vais exactement »). Le romancier nouveau répugne à présenter des personnages cohérents : pour lui, il n'y a pas de caractères, mais la fluidité et le désordre illogique de la vie. L'être humain s'efface d'ailleurs au profit des objets, qui semblent seuls avoir une existence réelle (d'où le nom de « chosiste », donné parfois à Robbe-Grillet). Le roman nouveau recourt souvent, comme le théâtre nouveau, à une action circulaire et les personnages peuvent être désignés par une simple initiale.

**
**

Il n'y a point de création sans passé ; « c'est imiter quelqu'un que de planter des choux », s'écriait
Alfred de Musset et Jean Anouilh, de son côté,
déclare : « rien ne change moins que l'avant-garde ».
De fait, pour apprécier à sa juste valeur l'originalité
de la dernière avant-garde théâtrale, il convient de
remonter dans le temps et d'évoquer les tentatives
de quelques précurseurs.

Deux auteurs, souvent taxés de folie par une critique mal préparée à accueillir des idées nouvelles,
avaient — le premier dès la fin du xixe siècle, le
second au début du xxe siècle — amorcé une révolution dramatique : Alfred Jarry et Guillaume Apollinaire.

Alfred Jarry (1873-1907), personnage assez extravagant et totalement affranchi de l'influence de ses
contemporains, créa un style comique inédit en écrivant à quinze ans, pour tourner en ridicule un de
ses professeurs du lycée de Rennes, une énorme farce
épique, *Ubu-Roi*. Jouée en 1896, la pièce se déroula
dans un concert de cris d'oiseaux et de sifflets et elle
souleva les protestations indignées de la critique traditionnelle. Jarry y mettait en pratique sa théorie
selon laquelle « raconter des choses compréhensibles
ne sert qu'à alourdir l'esprit et fausser la mémoire,
tandis que l'absurde exerce l'esprit et fait travailler
la mémoire ». Jarry critiquait déjà le langage, déformant les mots (oneilles pour oreilles) ou faisant de
gros calembours (le combat des Voraces contre les

Coriaces). A travers le guignolesque père Ubu, bourgeois cupide, vaniteux et lâche, métamorphosé en meneur de peuple, Alfred Jarry tournait en dérision les formes absurdes et cruelles que revêt l'autorité politique ou sociale : « Je veux devenir riche, s'écriait Ubu. Après quoi, je tuerai tout le monde et je m'en irai ».

Cette farce partait en guerre contre la vraisemblance, le réalisme et les dissertations psychologiques : la construction était volontairement illogique et incohérente ; les décors étaient réduits à des accessoires ou remplacés par des pancartes, qui « distancent » l'action ; les visages étaient masqués et un seul personnage représentait une foule ; enfin Jarry se contentait de suggérer la psychologie de ses personnages en l'objectivant. D'un bout à l'autre, le spectateur voyait, comme à travers une loupe, un monde absurde, où régnaient l'imbécillité, la luxure, la goinfrerie et, ajoutait Catulle Mendès, « l'idéal des gens qui ont bien dîné ». Le théâtre d'Alfred Jarry est déjà un théâtre de la dérision et de la démystification (1).

Vingt ans après *Ubu-Roi*, Guillaume Apollinaire (1880-1918) faisait représenter une pochade saugrenue, *Les Mamelles de Tirésias*, qui prétendait être un plaidoyer en faveur de la repopulation de la France, décimée par la guerre et par l'émancipation féminine : la pièce provoqua le même tumulte que

_____

(1) Le souvenir de Jarry est entretenu de nos jours par le collège de Pataphysique, dont Ionesco fait partie.

celle de Jarry. Selon Apollinaire, l'auteur dramatique est un démiurge souverain, créateur d'un univers autonome. La préface des *Mamelles de Tirésias* n'a pas perdu son actualité : « Pour tenter, sinon une rénovation du théâtre, du moins un effort personnel, j'ai pensé qu'il fallait revenir à la nature même, mais sans l'imiter à la manière des photographes. Quand l'homme a voulu imiter la marche, il a créé la roue, qui ne ressemble pas à une jambe... Le théâtre n'est pas plus la vie qu'il interprète que la roue n'est une jambe ». Apollinaire, hostile au réalisme au théâtre comme dans les arts — il fut le propagandiste du mouvement cubiste — affirme la nécessité d'un irréalisme total et d'un « usage raisonnable des invraisemblances » : aussi rejette-t-il non seulement la logique, mais les catégories du temps et de l'espace : « Il est juste que (le dramaturge) ne tienne pas plus compte du temps que de l'espace ».

D'autre part, l'auteur dramatique doit mettre à contribution toutes les ressources du spectacle, mêler « les sons les gestes les couleurs les cris les bruits la musique la danse l'acrobatie la poésie la peinture les chœurs les actions et les décors multiples ». Le spectacle doit aussi mêler les tons, être à la fois fantaisie, burlesque, tragédie, pathétique, car, il n'est plus possible, pensait Apollinaire, de séparer le tragique et le comique : « Il y a une telle énergie dans l'humanité d'aujourd'hui et dans les jeunes lettres contemporaines que le plus grand malheur apparaît aussitôt comme ayant sa raison d'être, comme pouvant être regardé non seulement sous l'angle d'une ironie bienveillante qui permet de rire, mais encore sous l'angle d'un optimisme véritable, qui console aussitôt et laisse grandir l'espérance ». Signalons enfin que, pour Apollinaire, le dramaturge, tout en lâchant la bride à toutes les fantaisies de son imagination, doit tenter d'exprimer une vérité métaphysique.

Dada et le surréalisme ont eu leur théâtre, mais les quelques pièces dadaïstes ou surréalistes qui ont vu le jour — par exemple *Les Aventures célestes de Monsieur Antipirrine*, *Le Cœur à gaz* et *L'Homme approximatif* du roumain Tristan Tzara ; *L'Armoire à glace un beau soir* et *Au Pied du Mur* d'Aragon ; *Le Trésor des Jésuites* de Breton et Aragon — pèchent, selon Ionesco, qui rend pourtant hommage à ces devanciers, par un excès de cérébralité, qui les rend artificielles. En fait, les œuvres dramatiques les plus marquées par le surréalisme — qui se définit, rappelons-le, comme « un automatisme psychique pur par lequel on se propose d'exprimer... le fonctionnement réel de la pensée » — sont dues à des auteurs plus ou moins en marge du mouvement : nous avons étudié Roger Vitrac, qui peint la vie psychique dans son incohérence spontanée (Ionesco se souviendra de son dialogue fait de lieux communs éculés, ainsi que de son interprétation du monde, vu par les yeux d'un enfant) ; nous avons évoqué les premières pièces de Cocteau, ses « exercices de style », qui annoncent le théâtre nouveau par l'importance accordée aux éléments visuels du spectacle et par le recours fréquent au merveilleux ; nous avons signalé les « pièces d'essai » de Salacrou, qui ont pour caractéristiques essentielles l'incohérence de la construction, l'absurdité des sujets et la gratuité des inventions verbales.

Quelques dramaturges de l'entre-deux-guerres méritent une mention : l'extravagant Raymond Roussel (1877-1933), qui fit jouer à ses frais des pièces interminables et compliquées où l'exotisme, le merveilleux féerique et la magie étaient utilisés dans un mépris total des techniques dramatiques traditionnelles (*L'Etoile au Front*, 1924 ; *Poussière de Soleils*, 1926) ; Georges Neveux (né en 1900), auteur de *Juliette ou La Clé des Songes* (1930), qui explore, après Roger Vitrac, le mystère des êtres à travers le symbolisme des rêves ; surtout Antonin Artaud, qui a formulé quelques idées maîtresses de l'anti-théâtre.

Soigné dès sa jeunesse pour déséquilibre mental, Antonin Artaud (1896-1948) se consacra aux lettres surtout pour étudier son mal. Passionné de théâtre, il joua dans les troupes de Lugné-Poe, Pitoëff, Jouvet, Dullin. Il n'a écrit, en dehors de deux sketches, qu'une seule pièce, *Les Cenci*, tragédie sur un inceste qui déclencha un scandale en 1935. C'est surtout comme théoricien ou plutôt métaphysicien du théâtre qu'Artaud retient l'attention : en effet, l'essai qu'il publia en 1938, *Le Théâtre et son Double*, a pu être considéré par Jean-Louis Barrault comme « ce qui a été écrit de plus important sur le théâtre au xxᵉ siècle ».

Antonin Artaud s'insurge contre le théâtre occidental traditionnel, auquel il reproche d'être un divertissement superficiel, qui n'implique pas la tota-

lité de l'être. Il rejette en particulier le théâtre psychologique ou social : « Qui a jamais dit que le théâtre était fait pour élucider un caractère, pour la
solution de conflits d'ordre humain et passionnel ? »
D'autre part, Artaud veut débarrasser la scène de la
tyrannie du dialogue traditionnel qui, soucieux de
tout ramener à la logique, est incapable de suggérer
le mystère ; il s'agit donc de briser ce moule et de
se servir du langage « d'une manière nouvelle, exceptionnelle et inaccoutumée », de manière à lui donner une efficacité magique, envoûtante.

Antonin Artaud voulait faire du théâtre une création totale, capable de « traduire la vie sous son
aspect universel immense ». Le dramaturge s'appli-
quera en particulier à réveiller la conscience claire
du chaos et de la précarité de l'existence : il y parviendra en hypnotisant « la sensibilité du spectateur
pris dans le théâtre comme dans un tourbillon de
forces supérieures ». C'est en effet par un ébranlement violent de tout l'organisme, « c'est par la
peau qu'on fera rentrer la métaphysique dans les esprits » : il faut fournir au spectateur « des précipités
véridiques de rêves, où son goût du crime, ses obsessions érotiques, sa sauvagerie, ses chimères, son sens
utopique de la vie et des choses, son cannibalisme
même, se débondent sur un plan non pas supposé et
illusoire, mais intérieur ». On comprend qu'Artaud
ait désigné une telle dramaturgie sous le nom de
« théâtre de la cruauté ».

Enfin, au théâtre, la mise en scène compte beaucoup plus que le texte écrit, qui doit être relégué à
l'arrière-plan. La scène « est avant tout un espace à
remplir et un endroit où il se passe quelque chose :

le modèle à suivre est le théâtre populaire rituel de Bali, qui ramène la dramaturgie à sa fonction primitive, en présentant une synthèse de toutes sortes d'éléments : mimique, danse, chant, costumes, décoration, musique, éclairages.

Michel de Ghelderode est un dramaturge belge, d'expression française, chez qui l'on retrouve, mêlé à des éléments très personnels, l'esprit de Jarry, d'Apollinaire, de Cocteau et du surréalisme. Bien que né à la fin du siècle dernier, en 1898, il n'a été révélé au public français qu'après la Libération, lorsqu'on joua à Paris *Hop Signor* et surtout *Faste d'Enfer*, qui remporta en 1949 le prix du concours des Jeunes Compagnies. Ghelderode est un flamand, dont l'inspiration s'est nourrie au terreau des plaines brabançonnes. Il annonce le théâtre nouveau d'abord par sa passion de la liberté en matière dramatique : « Je ne fais au théâtre que ce qu'il me plaît de faire, et je n'ai pas à en rendre compte » ; de là son indifférence à l'égard des exigences scéniques traditionnelles et la construction lâche de ses pièces.

Mais il fait surtout penser à la dernière avant-garde par sa recherche d'un théâtre total, c'est-à-dire qui aille au-delà du dialogue, auquel on accord trop d'importance. Le dramaturge doit envelopper le spectateur dans un climat de sensualité, auquel collaborent les jeux de la lumière et de l'ombre, les couleurs, les odeurs et surtout les sons : rumeurs de foules, clameurs de festins, musiques de Carnaval, sonneries de cloches, orgues de Barbarie, cornemuses paysan-

nes, aboiements de meutes. La scène devient chez
Ghelderode ce « lieu physique » qu'évoquait Antonin
Artaud : tout y est « peinture, gestes, attitudes,
mimiques, parades ». En effet, les pièces de Ghelderode sont comme des transpositions des toiles de
Brueghel — aussi bien Brueghel le Drôle que Brueghel d'Enfer —, d'Ensor, de Jordaens ou de Jérôme
Bosch : ici, des foules se livrant avec frénésie à la
joie des festivités villageoises ; là, des scènes d'horreur et de terreur, peuplées de monstres livrés aux
flammes infernales ou de puissances redoutables, qui
pratiquent les envoûtements à distance.

Nul auteur, d'autre part, n'a cultivé davantage le
mélange discordant des tons : « ce qui fait frémir
contient de quoi faire rire », proclame un nain dans
Hop Signor. Ghelderode écrit une « tragédie pour
le music-hall » (*La Mort du Docteur Faust*) ou un
« vaudeville attristant » (*Pantagleize*) ou encore il
profile sur des toiles de fond animées et joyeuses le
spectre de la mort, armée d'une faux gigantesque.
Enfin, Ghelderode, comme les auteurs du nouveau
théâtre, est pénétré de l'absurdité de la condition
humaine : les êtres sont aussi stupides que cruels ;
la vie est « un livre secret illisible », une énigme éternelle.

Un autre auteur dramatique a subi l'influence du
surréalisme, plus particulièrement de Benjamin
Péret de de Raymond Roussel : c'est le Niçois Jacques
Audiberti, né en 1899. Poète et romancier torrentiels,
Audiberti est aussi un dramaturge fécond : *Quoat-
Quoat* (1946), *Le Mal court* (1947), *Les Femmes du
Bœuf* (1948), *La Fête noire* (1948), *Pucelle* (1950),

Les Naturels du Bordelais (1953), *La Hobereaute*
(1958), *L'Effet Glapion* (1959), *La Logeuse* (1960).

Ces pièces mêlent tous les tons : le familier et l'insolite, la fantaisie la plus débridée et le drame le plus
cauchemardesque. Mais, sous leur apparence cocasse
ou même saugrenue, elles cachent des intentions philosophiques : Audiberti peint un monde où s'affrontent constamment le bien et le mal, la vérité et le
mensonge, la réalité et les apparences, l'identité de
l'être et ses métamorphoses, la pureté et le sadisme,
l'idéalisme et le nihilisme. La créature humaine est
tiraillée entre ces extrêmes, énigmes insolubles, jusqu'au jour de sa mort, où elle réalise enfin son unité,
en retrouvant sa condition édénique. Audiberti se
complaît d'ailleurs souvent dans l'évocation d'un
univers sans rapport avec le nôtre, univers païen,
naturaliste et dionysiaque, où l'homme est imprégné
de surnaturel, où les montagnes, les forêts et les lacs
sont les symboles du bien.

Comme Ghelderode, Audiberti est assoiffé de liberté
et incapable de supporter la moindre contrainte du
théâtre traditionnel ; de là, le désordre dans la composition, la gratuité dans les situations, l'arbitraire
dans les personnages. Comme Antonin Artaud enfin,
Jacques Audiberti conçoit un théâtre total, qui
adopte toutes les possibilités qui lui sont offertes.
Mais Audiberti est à contre-courant par l'importance considérable qu'il attribue au langage. Dans
son théâtre, la parole est souveraine ; elle s'épanouit
sous la forme d'un lyrisme intempestif et d'une rhétorique incandescente. Audiberti magnifie et exalte
le langage, tandis que les dramaturges de l'anti-
théâtre ont tendance à le saper ou à le détruire.

Signalons enfin, plus près de nous, un dramaturge influencé par Rimbaud, le surréalisme et Artaud (il publia en collaboration avec ce dernier *Xylophonie pour la grande presse et son petit public*) : Henri Pichette, né en 1924. Cet auteur a voulu, en poésie comme au théâtre, rompre totalement avec les formes traditionnelles. En 1947, il publie ses *Apoèmes*, bien décidé à « en finir avec la poésie », et il fait jouer aux Noctambules par Gérard Philipe et Maria Casarès *Les Epiphanies*, que montait Georges Vitaly. Le voilà brusquement célèbre. Cinq ans plus tard, Jean Vilar monte *Nucléa* au T.N.P., encore avec Gérard Philipe, mais c'est un échec. Ces deux pièces étranges sont sans action, ni intrigue, ni mouvement.

Dramaturge de l'ère atomique, Henri Pichette vitupère les forces oppressantes d'un monde en voie de destruction, la guerre en particulier et tout ce qui attente à la liberté humaine : il faut « énucléer » l'homme pour le recréer. Chez lui, comme chez Audiberti, le langage est roi : son théâtre est un chant lyrique à plusieurs voix, qui mêle, non sans disparates, des éléments surréalistes à une rhétorique digne de Hugo. Mais Pichette annonce le théâtre nouveau par sa volonté d'écrire pour la scène « de la poésie qui soit vue et entendue ».

Tels sont quelques-uns des précurseurs de l'anti-théâtre, qui est essentiellement représenté par quatre dramaturges d'origines très diverses : un Irlandais, Samuel Beckett ; un Russe d'ascendance arménienne, Arthur Adamov ; un Français, Jean Genet ; un Roumain, Eugène Ionesco.

Photo Lipnitzki

Une scène de *En attendant Godot*

SAMUEL BECKETT
(né en 1906)

Photo Lipnitzki

Notice biographique. — Né à Dublin, en 1906, de parents protestants, Samuel Beckett fait ses études d'abord dans un collège anglo-irlandais, puis à l'Université de Dublin, où il reçoit en 1927 un diplôme de « bachelor » en français et en italien. De 1928 à 1930, il séjourne à Paris comme lecteur d'anglais à l'Ecole Normale Supérieure. Il devient le traducteur et le disciple de James Joyce, dont il poussera à l'extrême la critique du langage. Il est ensuite assistant de littérature française à Dublin, mais il démissionne bientôt, n'ayant que peu de goût pour l'enseignement. Il voyage, puis revient à Paris en 1936 ; l'année suivante, il s'installe à Montparnasse. Il avait déjà publié des ouvrages en anglais, dont un court poème, *Whoroscope* (1930), une étude sur Proust (1931) et un recueil de nouvelles, *More Pricks than Kicks* (1934). En 1938, Beckett fait paraître son premier roman, *Murphy*. Pendant la guerre, il fait partie d'un groupe de résistants. Après un nouveau roman, *Watt* (1945), il décide de rédiger désormais ses œuvres en français. Il publie une trilogie romanesque : *Molloy* (1951), *Malone meurt* (1951) et *L'Innommable* (1953).

Cependant, Beckett était attiré vers la scène : peu de temps après la guerre, il avait écrit une pièce, *Eleutheria*, encore non jouée, ni publiée. En 1950, il termine *En attendant Godot* et présente le manuscrit à Roger Blin ; la pièce est créée en 1953 au Théâtre de Babylone : c'est une date dans l'histoire du théâtre contemporain ; *En attendant Godot* a trois cents représentations, est joué dans le monde entier et traduit en vingt langues. *Tous ceux qui tombent*, pièce radiophonique, est donnée au programme de la B.B.C. en 1957. La même année, *Fin de Partie*, suivi d'une pantomime, *Acte sans paroles*, est joué par Roger Blin d'abord à Londres en français, puis à Paris. Suivent *La dernière Bande* (1959), *Acte sans paroles II* et *Cendres* (1959). *Jours heureux*, pièce en deux actes créée à New York en 1961, a été reprise au Théâtre de France sous le titre *Oh ! les beaux jours* (1963).

Les pièces de Samuel Beckett apparaissent, dès le premier contact, comme un défi aux idées communément admises sur la construction dramatique. Elles ne comportent pratiquement ni sujet précis, ni nœud, ni action et cette absence des éléments scéniques traditionnels est d'autant plus sensible qu'on avance dans la carrière dramatique de notre auteur ; de même, on assiste à une déshumanisation progressive des personnages.

Dans *En attendant Godot*, farce tragique en deux actes, deux vagabonds pitoyables, Vladimir et Estragon — qui s'appellent entre eux Didi et Gogo — apparaissent sur une route de campagne, où il n'y a qu'un arbre squelettique. Que font-ils ? Rien. Ils échangent quelques propos : « Rien ne se passe, personne ne vient, personne ne s'en va, c'est terrible », soupire Estragon. Il exagère d'ailleurs : d'abord, à chaque acte, un des clochards tente, mais en vain, de se suicider ; ensuite, on voit de temps en temps arriver deux autres personnages, Pozzo, le maître, et Lucky, l'esclave ; enfin, Vladimir et Estragon attendent quelqu'un, un certain Godot, qui leur a donné un rendez-vous, bien vague d'ailleurs : « Oui, dans cette immense confusion, une seule chose est claire : nous attendons que Godot vienne ». Mais ,à la fin du premier acte, un messager leur apprend que Godot, empêché, ne viendra pas aujourd'hui : il viendra sûrement demain. Et tout le deuxième acte reprend, à peu de chose près, le premier, si bien que la fin rejoint le début : Godot sera éternellement attendu.

Tous ceux qui tombent constitue une exception dans la carrière dramatique de Beckett : les références au monde extérieur — les bruits en particulier — y sont nombreuses; les personnages sont évoqués avec une certaine précision et il y a même un semblant d'action. L'héroïne est une vieille dame irlandaise, obèse et timorée, Maddy Rooney. Elle va chercher à la gare de Boghill son mari, Dan, qui est presque aveugle. Le train doit passer à midi trente, mais il n'est pas là à l'heure. Va-t-il faire comme Godot ? Maddy Rooney s'affole. Le train arrive cependant. Dan retourne chez lui avec sa femme, sans donner d'explication sur ce retard : comme, sur leur passage, des gamins se moquent d'eux, Dan demande à Maddy si elle n'a jamais eu envie de tuer un enfant. On apprend à la fin la raison du retard du train : un enfant est tombé d'un wagon au cours du voyage et il a été assassiné sur la voie.

Dans *Fin de Partie*, pièce en un acte, il n'y a plus la moindre action, le moindre mouvement; nous assistons, écrit Martin Esslin, à « l'épuisement d'un mécanisme jusqu'à son arrêt total » ; quant aux personnages, ce sont plutôt des larves, survivants d'une catastrophe, que des êtres humains. Le décor est une chambre nue, sans le moindre meuble ; une lumière grise filtre à travers deux petites fenêtres. Hamm (le maître ?), paralysé et aveugle, est assis immobile au centre de la pièce, dans un fauteuil à roulettes ; Clov (le valet ou le fils ?), capable de marcher, mais incapable de s'asseoir, est le souffre-douleur de Hamm. De temps en temps, Clov fait rouler le fauteuil de Hamm du côté du mur et des fenêtres ou bien il va soulever le couvercle de deux poubelles d'où émergent les têtes et une partie des corps sans jambes des parents de Hamm, Nagg et Nell. Ces derniers échangent quelques propos, demandent sans l'obtenir du porridge. Les quatre infirmes se regardent souffrir : ils savent qu'il n'y a rien à attendre, rien à espérer, pas même une mort qui les délivrerait de leur abjecte condition. « La fin est dans le commencement et cependant on continue », soupire Hamm. Clov, qui avait décidé de quitter Hamm, ne part même pas.

Beckett avait déjà présenté dans ses romans des personnages infirmes : dans *Malone meurt*, nous entendons le soliloque du protagoniste paralysé, étendu sur son lit ; dans *L'Innommable*, Mahood qui ignore son nom, est un homme tronc, couché sur de la sciure, dans un vase, devant un restaurant ;

ne pouvant tourner la tête à cause du rebord du vase, il évoque l'absurdité de son existence ; dans *Comment c'est*, un individu divague au cours d'une reptation sur ses moignons dans de la boue, entre une mer et une forêt qu'il ne voit pas.

Les dernières pièces de Beckett présentent des images encore plus navrantes de la misère humaine. Dans *Acte sans paroles I*, un homme, seul dans un désert, tente d'utiliser divers objets qui sont à sa portée, mais ces objets se métamorphosent ou échappent à sa prise ; finalement, il s'affaisse sur le côté. Dans *Acte sans paroles II*, deux hommes à l'intérieur d'un sac sont tour à tour piqués par un aiguillon, qui arrive des coulisses. A chaque coup d'aiguillon, l'homme piqué sort du sac, se livre aux diverses occupations de la vie journalière, puis rentre dans le sac : l'un d'eux s'agite plus que l'autre, mais le résultat est toujours le même.

Dans *La dernière Bande*, nous assistons à un dialogue insolite, qui est censé se passer dans l'avenir, entre un vieil homme de soixante-neuf ans, Krapp, qui est myope, presque sourd et impotent, et des bandes de magnétophone enregistrées par lui trente ans auparavant. L'homme est resté ce qu'il était jadis : asservi à ses instincts ; il a en moins l'espoir qui le réconfortait, en plus des infirmités physiques. A la fin, Krapp, immobile, regarde dans le vide, tandis que « la bande continue à se dérouler en silence ».

Le protagoniste de *Cendres*, Henry, assis sur une plage, passe son temps à évoquer de vieux souvenirs et à se raconter des histoires. On le sent attiré par

la mer, par la mort et aussi par les mots, **car**
« chaque syllabe est une seconde de gagnée ».

Enfin *Oh ! les beaux jours* a pour héroïne une
femme-tronc, Winnie, qui a atteint la cinquantaine
et qui s'enlise dans un désert de sable brûlé par le
soleil. Tandis qu'elle s'enfonce graduellement jusqu'à
la taille, puis jusqu'au cou, véritable enterrée vivante,
autour d'elle la terre se craquèle : partout, la vie est
proche de son terme. Pourtant, Winnie, obstinée
dans l'espoir en dépit de quelques « bouillons de
mélancolie », se raccroche aux plus minces satisfactions, qui lui permettent de faire des jours les
plus sombres de « beaux jours ». En opposant ainsi
une philosophie sereine à une réalité qui s'amenuise
sans cesse et qui se charge d'angoisse, ce personnage annonce peut-être une orientation nouvelle de
la philosophie de son auteur.

Photo Agnès Varda

R.-J. Chauffard
dans le rôle
de Krapp de
*La dernière
Bande*

*
**

Samuel Beckett est un dramaturge qui nous présente une vision métaphysique de l'univers. Ses personnages, le plus souvent des gueux, des clochards, sont à la fois navrants et étrangement lucides : du fond de leur atroce misère, ils observent leur sort avec une implacable acuité, se posent sans répit des questions, celles de leur identité, de leur existence et de la vie future en particulier, repoussant toutes les duperies, toutes les consolations ou illusions mensongères. Cette vision tragique de l'univers a été influencée par différents auteurs : au premier plan James Joyce, mais aussi Schopenhauer, Dostoïevski, Pirandello, Kafka, Sartre, Camus et Salacrou.

La pensée de Beckett s'inscrit dans un contexte religieux. L'homme, en exil sur cette terre, expie le péché originel, « le péché d'être né » ; les personnages de ce théâtre, comme ceux de Dostoïevski, ont l'obsession de la divinité : « Ils regardent l'être humain et concluent que Dieu est impardonnable, remarque un critique, Richard Coe. S'il existe, il est impardonnable d'avoir fait le monde tel qu'il est. Un rétameur ou un tailleur auraient fait mieux... S'il n'existe pas, qui est responsable ? Pas nous, bien sûr ».

Quelques thèmes fondamentaux, inlassablement répétés, parcourent l'œuvre dramatique de Beckett : « Mon œuvre, écrit-il, est une affaire de *sons fondamentaux* rendus aussi pleinement que possible et je n'accepte la responsabilité de rien d'autre ». Il ajoute d'ailleurs : « Si les gens veulent avoir mal à

la tête au milieu de toutes les allusions, laissez-les ».
Nous sommes prévenus ! Tâchons de dégager, sans
nous donner trop mal à la tête, les principaux « sons
fondamentaux », à travers les symboles et les hiéro-
glyphes qui les expriment.

La scène des pièces de Beckett est en général nue ;
c'est une sorte de lieu de nulle part : une route de
campagne désolée, dans *En attendant Godot* ; une
pièce sans meubles, située entre une mer et une terre
grises, dans *Fin de Partie* ; un désert, dans *Acte
sans Paroles I* et dans *Oh ! les beaux jours* : une
plage abandonnée, dans *Cendres ;* une turne cernée
d'ombre, dans *La dernière Bande* : autant de visions
symboliques d'un univers rigide et vide, dépourvu
de signification et lugubre.

Les habitués de ces lieux, Vladimir et Estragon,
Pozzo et Lucky, Maddy et Dan Rooney, Hamm, C'ov,
Nagg et Nell, Krapp, Henry, Winnie, sont des symboles plus ou moins lamentables de l'humanité
souffrante. Comme l'affirme un des clochards d
En attendant Godot : « L'humanité, c'est nous, que
ça nous plaise ou non ». Encore les personnages d
Godot et de *Tous ceux qui tombent* gardent-ils
quelque chose d'humain. Il y a d'abord, chez
Vladimir et Estragon, un espoir dans la venue d'un
être ou d'une puissance transcendante, qui leur
apportera un réconfort physique et qui donnera enfin
un sens à leur existence. D'autre part, au milieu de
leur marasme, Didi et Gogo sentent le besoin d'un
contact humain, d'une chaleur humaine. Sans doute
n'y a-t-il pas coïncidence dans leurs élans d'affection : quand Vladimir veut embrasser Estragon, ce
dernier n'en éprouve pas le désir et vice versa.

Malgré tout, ils ont besoin l'un de l'autre : « Reste avec moi », implore Gogo. Et Pozzo lui-même, le maître, qui est un monstre d'arrogance et d'égoïsme, a peur de rester muré dans sa solitude et il a grand' peine à prendre congé des deux clochards : « Je n'arrive pas... à partir », est-il obligé d'avouer et Estragon, mélancolique, lui répond : « C'est la vie » (1).

Mais il n'est plus question d'amitié ni de réconfort humain dans les autres pièces de Beckett (*Oh ! les beaux jours* mis à part). Les quatre personnages de *Fin de Partie* se torturent réciproquement ; Clov en particulier injurie ses parents, Nagg et Nell. D'ailleurs, ce ne sont plus des êtres humains, mais de misérables déchets, les survivants de quelque bombe atomique : ils sentent déjà la décomposition. Et pourtant, dans un monde proche de la désintégration et qui a perdu toute foi dans un absolu, ils ne meurent pas : ils végètent d'une vie de plus en plus diminuée, au milieu des rats et des poux. Il leur arrive de prier Dieu, mais personne ne répond : « Le salaud ! Il n'existe pas », s'écrie Hamm. Alors, ils croupissent dans un ennui perpétuel, car il n'y a plus rien à attendre, plus le moindre espoir dans la venue d'un Godot : « Toute la vie les mêmes inepties ! » Cependant, « quelque chose suit son cours », mais on serait bien en peine de dire quoi.

---

1) N'oublions pas pourtant que, dans son étude ‹sur Proust, Beckett a insisté sur le caractère illusoire des rapports amicaux : « la tentative de communiquer là où nulle communication n'est possible est une pure singerie, une vulgarité ou une abominable comédie ».

La plupart des symboles de Beckett sont faciles à déchiffrer : ainsi Estragon passe son temps à se débattre avec un de ses souliers qui se délace ; Vladimir éprouve des démangeaisons à la tête et enlève son melon pour tenter de localiser la source du mal ; Maddy Rooney a besoin qu'on la pousse pour qu'elle puisse monter dans un wagon haut perché. Ce sont là des images d'un univers inconfortable, hostile, où l'on est empêtré, ankylosé, cloué au sol comme des cloportes, sans aucune possibilité d'évasion.

Vladimir a une hernie, il marche « à petits pas raides » ; Clov, lui aussi, a la démarche saccadée et vacillante ; Nagg et Nell, Winnie ont des corps sans jambes ; Dan Rooney est presque aveugle et il a une maladie de cœur ; Krapp est myope, presque sourd et impotent. Ainsi Beckett évoque-t-il le thème de la déchéance physique, de la dégradation progressive des êtres dans un univers sans résonance spirituelle, où l'on est asservi à un corps et à la matière.

Lucky, l'esclave de Pozzo, passe son temps à poser par terre, puis à ramasser toutes sortes de bagages : un fouet, un pliant, une valise — qui ne contient que du sable — un pardessus : symbole de l'absurdité de nos gestes, de la stupidité de notre frénésie d'agitation. C'est le même sens qu'il faut donner au gag du passage de la tête à la main des chapeaux melons dans *En attendant Godot* : la vivacité du mouvement suggère un besoin d'activité, mais la répétition du mouvement évoque un mécanisme stupide. De même encore, la structure circulaire des pièces, où la fin rejoint le début, met l'accent sur

la monotonie et l'absence de signification d'une
existence où tout se répète inlassablement.

La seule faculté dont disposent les créatures misérables de Beckett est le langage, la parole. Aussi
s'y accrochent-ils avec une sorte de hargne désespérée : « Dis quelque chose... dis n'importe quoi »,
s'écrie un des clochards de *Godot*. Le recours au
langage, « ce ventriloque mystérieux », est, pour
ces malheureux, un divertissement — au sens le
plus pascalien du mot — qui leur donne la sensation
réconfortante d'exister et d'oublier pour un temps
l'atroce misère de leur condition. Plus que tout, le
silence leur est insupportable, car il est comme
l'image même du néant. Mais en fait, dans un
univers dépourvu de sens, la parole n'est pas plus
capable que le reste de venir en aide aux hommes.
On a beau chercher dans le dialogue un moyen
d'embrasser la réalité et surtout un moyen de
compréhension et de communion avec autrui, les
propos que nous échangeons ne sont que mensonge,
inanité, bourdonnement d'insecte. « Nous sommes
intarissables », dit Vladimir. — C'est pour ne pas
penser », réplique Estragon. La logorrhée des infor-
tunés héros de Beckett renforce l'impression d'absurdité de l'existence, d'abandon, de désolation et de
néant.

Dramaturge d'un pessimisme particulièrement
noir, Samuel Beckett est aussi un auteur comique,
qui manie avec aisance l'humour et la cocasserie.
« Rien n'est plus drôle que le malheur », affirme

un des personnages de *Fin de Partie*. En effet le rire de Beckett prend sa source dans la souffrance humaine ; c'est le rire, ou plutôt le ricanement sardonique et lucide de la créature consciente de sa misère atroce et de sa déchéance inéluctable.

Le comique, chez Beckett, s'apparente extérieurement au comique de cirque ou de music-hall. Le théâtre devient une salle de cirque, les personnages des clowns, c'est-à-dire des images dérisoires de l'humanité. Presque toujours par deux, comme Auguste et Pierrot, ces clowns — Gogo et Didi, Pozzo et Lucky, Hamm et Clov — jouent à n'importe quoi, à se raconter interminablement les mêmes histoires ou à attendre Godot, chaque jeu s'emboîtant dans un autre jeu ; ils tombent par terre, perdent leur pantalon, donnent ou reçoivent des coups de pied, se livrent à des dialogues de sourds ou font de grossiers calembours (« Nous sommes sur un plateau — Aucun doute, nous sommes servis sur un plateau »). Le procédé le plus fréquemment employé est, comme au cirque, le comique de répétition, qui met l'accent sur l'automatisme de nos gestes, sur ce qui est à la fois bouffon et atroce dans notre existence. Jean Anouilh avait raison de dire qu'une pièce comme *Godot* était « un sketch des *Pensées* de Pascal traité par les Fratellini ».

Où réside l'originalité de Beckett ? D'abord dans un sens très subtil de l'ambiguïté. Ambiguïté parfaitement consciente et habilement dosée. Les métaphores et les symboles de Beckett ont prêté souvent à des interprétations nombreuses, les unes plausibles, les autres cocasses (il suffit de penser aux clés qui ont été proposées pour le symbole de Godot : le petit Dieu, un coureur cycliste, le général de Gaulle !). Il n'y a jamais, chez Beckett, comme dans les pièces à thèse, de leçon ou de message explicitement formulé, mais l'intuition du spectateur est constamment sollicitée et comme sur le qui-vive et il est hors de doute que ce genre de jeu, très excitant pour l'esprit, est conforme au goût d'un certain public actuel.

L'originalité de Beckett consiste aussi à présenter une vision nouvelle dans sa forme de l'absurde et du néant. Chez Sartre ou chez Camus, le sentiment de l'absurde s'exprime par l'intermédiaire de personnages qui sont nettement définis dans l'espace et dans le temps, qui ont une existence bien à eux, qui agissent ou du moins semblent agir selon leur bon plaisir. Les personnages de Beckett sont des larves, qui végètent dans une déréliction totale, hors de l'espace et hors du temps. Qu'est-ce qu'un lieu ? « On ne peut le décrire. Ça ne ressemble à rien ». Les catégories dans lesquelles nous situons notre vie journalière : passé, présent et avenir, sont des notions absurdes pour les héros de Beckett, car le temps semble s'arrêter dans l'immobilité de l'instant : « Quelle heure est-il ? demande Hamm. — La même que d'habitude », répond Clov. Enfin, les personnages de Beckett, irresponsables de leurs actes ou velléités d'actes, semblent déjà retournés à l'inanité de la matière la plus immonde : ils collent au sol, rampent dans la boue, croupissent dans des poubelles ou sont enlisés dans la terre jusqu'au cou.

D'autre part, chez Sartre et Camus, les héros s'expriment de façon cohérente et logique ; ceux de Sartre en particulier sont des raisonneurs, qui ne dédaignent pas les formules brillantes. Beckett, estimant sans doute qu'il est sans intérêt d'épiloguer à perte de vue sur l'absurdité de l'existence, se contente de donner au spectateur la sensation physique de cette absurdité par les cris douloureux, les lambeaux de phrases décharnées de ses créatures crépusculaires.

Cette œuvre est-elle destinée à survivre ? Continuera-t-on à voir en Beckett un des plus grands créateurs du théâtre moderne ? Il serait aventureux

Madeleine RENAUD dans le rôle de Winnie
de *Oh ! les beaux jours*

Photo Lipnitzki

de trop miser sur ses chances de survie. Au début, Beckett a produit un effet de choc, couvert d'anathèmes par les uns, porté au pinacle par d'autres, mais cet effet s'est estompé et on commence, semble-t-il, à se lasser de cette dramaturgie qui brave les lois du théâtre et qui est inhumaine, dans tous les sens du mot. C'est une image vraiment trop atroce, à peine tolérable, d'un univers en décomposition, « une régression au-delà de rien » (Alain Robbe-Grillet), « un étalage malsain de la misère de l'homme sans espérance, sans grandeur, sans rien » (Jean-Jacques Gautier).

Sans doute fera-t-on une exception pour *En attendant Godot*, le chef-d'œuvre de Beckett indiscutablement, parce que nous avons là des êtres de chair et de sang, soutenus par une espérance qui, à elle seule, donne un sens humain au drame. Aussi pouvons-nous souscrire au jugement fort élogieux que Jean Anouilh a porté sur cette pièce : « *Godot* est une sorte de chef-d'œuvre désespérant pour les hommes en général et pour les auteurs dramatiques en particulier. Il n'y a plus qu'à tirer son chapeau — melon, bien entendu, comme dans la pièce — et à prier le ciel d'avoir encore un peu de talent. La grandeur, le goût du jeu, le style, nous sommes quelque part au théâtre... Une des trois ou quatre pièces clés du théâtre contemporain ».

Photo Lip

Colette PROUST et François CHAUMETTE dans
une scène de *L'Invasion*
au Studio des Champs-Elysées

II. *ARTHUR ADAMOV*
(né en 1908)

Notice biographique. — Né en 1908 à Kislovotsk, dans le Caucase, d'une famille fortunée de **proprié-taires** de puits de pétrole, Arthur Adamov fait ses études secondaires à Genève, puis à Mayence. Il s'établit tout jeune à Paris : il a pour ami Paul Eluard et il participe au mouvement surréaliste. Au cours de la deuxième guerre mondiale, il est interné pendant un an au camp d'Argelès par le régime de Vichy. En 1946, il publie une confession psychana-lytique, *L'Aveu*. Vers la même époque, il commence à écrire pour le théâtre. En 1950, *L'Invasion*, mise en scène par Jean Vilar, est jouée au Studio des Champs-Elysées, tandis que *La Grande et la Petite Manœuvre*, montée par Jean-Marie Serreau, est repré-sentée au Théâtre des Noctambules. Suivent : *La Parodie*, *Les Retrouvailles* (1952), *Le Professeur Taranne*, *Le Sens de la Marche*, *Tous contre tous*, *Comme nous avons été* (1953), *Le Ping-Pong* (1955), *Paolo-Paoli* (1957).

A la suite des événements de mai 1958, Adamov devient un membre actif du parti communiste. En 1959, il écrit pour la radio une pièce, *En Fiacre* ; en 1961, il confie à R. Planchon la mise en scène de

Le Printemps 71. La Politique des Restes, encore non jouée, a été publiée en 1962 dans *Théâtre Populaire*, n° 46. Arthur Adamov a écrit trois sketches : *Intimité*, *La Complainte du Ridicule* et *Je ne suis pas Français* pour un volume de *Théâtre en société*. Il a aussi traduit ou adapté quelques œuvres étrangères : *La Mort de Danton* de Büchner (1948), *Les Petits Bourgeois*, d'après Maxime Gorki (1959), *Les Ames mortes*, d'après Nicolas Gogol (1960). Le Théâtre d'Adamov a été édité en deux volumes chez Gallimard.

Arthur Adamov a analysé avec une lucidité aiguë, dans la plus authentique des confessions, son mal intérieur, fait de cauchemars, d'obsessions et de névrose : « Tout ce que je sais de moi, c'est que je souffre. Et si je souffre, c'est qu'à l'origine de moi-même, il y a mutilation, séparation. Je suis séparé ». Dépassant la singularité de son cas, Adamov juge aussi son époque, qu'il appelle « le temps de l'ignominie », c'est-à-dire de ce qui n'a pas de nom, de l'innommable, le temps des concepts vidés de tout leur sens : « La vie dissimule sous ses apparences visibles un sens éternellement caché à la pénétration de l'esprit qui erre à sa découverte, pris entre la double impossibilité de trouver et de renoncer à cette recherche sans espoir ».

Au cours de la première partie de sa carrière dramatique, Adamov a cherché dans l'expression théâtrale un moyen d'exorciser les hantises de son subconscient en les transcrivant le plus littéralement possible : « Mon seul recours est d'écrire, de faire part (de la terreur qui m'astreint) pour ne plus l'éprouver tout entière, m'en décharger pour une part, si petite soit-elle ».

Adamov compose alors des pièces de structure assez lâche, divisées en de nombreux et rapides tableaux. Pas de références précises à un temps ou à un lieu : ainsi, une horloge au cadran sans aiguille constitue un élément fixe du décor ; l'espace, vaguement évoqué, a tendance à se rétrécir (une salle de spectacle, qui occupe toute la scène au début n'en occupe plus que le milieu à la fin). L'intrigue est simpliste : parfois, il n'y a pratiquement ni début, ni milieu, ni fin. Adamov est hostile aux complications de la psychologie ; il se contente de mettre en évidence, sous des aspects sensibles, le « contenu caché, latent, qui recèle les germes du drame ». De même, il se refuse à représenter la réalité telle qu'elle est : il la parodie de manière brutale et schématique. Ses personnages ne sont pas des êtres vivants, mais plutôt des archétypes sans identité nettement formulée ; N. dans *La Parodie* ou Le Militant, Le Mutilé, L'Employé, Le Premier Venu, La Mère, La Sœur, L'Amie. Ces personnages évoluent dans une atmosphère de rêves et de cauchemars, voués à la solitude la plus complète, condamnés par leur incapacité à communiquer avec autrui à l'échec de leurs entreprises et perpétuellement persécutés, traqués par des puissances invisibles.

En effet, dans la dramaturgie d'Adamov, le rôle dévolu par les tragiques grecs à la fatalité trouve son équivalent dans le sentiment de terreur qu'inspirent les différents aspects de la persécution : persécution des parents, des éducateurs, des chefs militaires (*Le Sens de la Marche*), de l'Etat et de sa police (*Tous contre tous*, *Le Professeur Taranne*), d'une manière générale, du pouvoir, quel qu'il soit (*La Grande et la Petite Manœuvre*). Persécuté, le héros d'Adamov tente parfois de se délivrer de la persécution en devenant à son tour persécuteur : tel est le cas de Jean Rist dans *Tous contre tous*. En revanche, il lui arrive d'être son propre persécuteur, le bourreau de lui-même, dans la mesure où il est incapable de préserver en lui sa liberté.

Il convient d'ailleurs d'établir des distinctions parmi les pièces de la première manière d'Adamov. Ainsi, *La Parodie* et *La Grande et la Petite Manœuvre* sont des œuvres schématiques et allégoriques, où les idées sont traduites sous la forme des images les plus simples et les plus concrètes. Les deux pièces tendent à montrer que les attitudes les plus opposées ont le même résultat négatif, ce qui illustre la futilité et l'absurdité de l'existence : par exemple, l'activité la plus dynamique et l'apathie la plus complète sont également vaines et néfastes, du fait qu'il n'y a pas de communion entre les êtres.

Dans *La Parodie*, comme l'affirme Adamov lui-même, « le refus de la vie (N.) et son acceptation béate (L'Employé) aboutissent tous deux et par les mêmes chemins à l'échec inévitable, à la destruction totale » : l'énergique et optimiste Employé finit en prison, aveugle, tandis que l'apathique et pessimiste N. est écrasé par une voiture et balayé comme une ordure par les ouvriers du service d'assainissement. Dans *La Grande et la Petite Manœuvre*, l'activité que déploie le Militant pour s'opposer au terrorisme

Une scène de *La Parodie*

est aussi futile et vaine que la passivité du Mutilé,
qui se désagrège progressivement au physique comme
au moral, écrasé par des forces obscures, qui échappent à tout contrôle.

Quelques pièces sont plus proches de la réalité : elles
comportent un minimum d'intrigue et des personnages qui entretiennent de vagues rapports humains.
L'Invasion a pour cadre une famille dont les membres, sans communiquer vraiment entre eux, ont en
commun leur culte à l'égard d'un parent défunt.
Nous assistons aux vains efforts du protagoniste,
Pierre, pour reconstituer et déchiffrer une masse
confuse de papiers manuscrits, qui lui ont été confiés
avant sa mort par son beau-frère. Pierre fuit son
entourage afin de mener à bien sa tâche, mais c'est
précisément cette absence de contact humain qui
cause sa perte : il meurt après avoir déchiré les
feuillets du manuscrit. Pièce d'un pessimisme total :
tout y paraît futile, absurde, aussi bien le message
que prétendait transmettre l'écrivain mort que les
efforts de son disciple pour le déchiffrer et, d'une
manière plus générale, pour donner quelque sens à
son existence. Rien ne peut se faire sans communion,
sans amour ; or, la communion et l'amour n'exis-
tent pas sur cette terre.

Dans *Le Professeur Taranne*, la seule pièce de sa
première manière qui satisfasse Adamov, l'auteur
« ose appeler les choses par leur nom » ; en particulier, pour la première fois, il est question d'un
pays déterminé : la Belgique. Adamov s'est contenté
de transcrire, avec la rigueur d'un document clinique, les détails d'un cauchemar qu'il avait eu, « sans

chercher à lui conférer un sens général, sans vouloir rien prouver ».

Taranne, professeur de Faculté, est d'abord accusé d'« avoir été surpris nu par des enfants à la tombée de la nuit », puis d'« avoir laissé traîner des papiers dans des cabines de bain » ; enfin, son recteur lui reproche d'avoir plagié dans ses cours l'œuvre d'un de ses collègues. A la fin, Taranne, tout en protestant avec véhémence contre ces accusations, se place « dos au public... puis très lentement commence à se déshabiller », révélant ainsi sans s'en douter une tendance à l'exhibitionnisme. Ce personnage est ambigu. S'agit-il d'un imposteur démasqué ou d'un innocent, sur qui pèsent des accusations sans fondement ? ou plutôt n'est-il pas, comme beaucoup d'êtres, ambivalent : respectable et capable d'exhibitionnisme, sincère et capable d'imposture, érudit et capable de plagiat ?

Ce théâtre est avant tout un théâtre visuel. Comme le préconisait Antonin Artaud, « la scène est un espace à remplir » ; le spectacle n'a d'existence qu'à partir du moment où il est représenté sur une scène. Tout est concret, audible, visible surtout, jusqu'au monde invisible, jusqu'aux motifs les plus secrets qui sont à l'origine du drame. Adamov s'exprime en effet d'une manière aussi littérale que possible. Il faut éviter, semble-t-il, d'employer le mot de symbolisme : le langage imagé d'Adamov est simple, pour ne pas dire simpliste ; la traduction de l'image s'impose d'emblée.

Ainsi, dans *L'Invasion*, le désordre de l'appartement est une image sensible du désordre qui règne partout : dans l'esprit des personnages, incapables de fixer un sens à leur vie, comme dans la structure politique du pays, qui s'effrite. Les coups de sifflet des moniteurs de *La Grande et la Petite Manœuvre* traduisent la pesée d'une fatalité énigmatique et la progressive désagrégation physique du Mutilé, qui finit par perdre tous ses membres au point de ne plus tenir de place, est la traduction littérale de sa progressive dépossession intérieure. Parallèlement, dans *Tous contre tous*, les ordres de l'Etat diffusés par haut-parleur évoquent encore l'emprise de la fatalité et les tares que l'on reproche aux « réfugiés » sont figurées par leur claudication, qu'ils s'efforcent de dissimuler.

Le langage est réduit à un rôle mineur. Il ne saurait être considéré comme le véhicule valable de la pensée, vu qu'il n'y a pas de communication possible entre les hommes : « Personne n'entend personne », affirme Adamov ; tout dialogue est un dialogue de sourds. Adamov va même plus loin : non seulement la parole ne permet pas de communier avec autrui, mais elle ne renvoie à aucune intériorité, les personnages de ce théâtre étant dépourvus de toute épaisseur humaine. Il est curieux, d'autre part, de remarquer que, dans cette dramaturgie de la solitude et de l'angoisse, les mots de solitude et d'angoisse ne sont jamais prononcés. Le dialogue est réduit à des répliques banales et oiseuses ; cependant, sous la platitude apparente, affleurent un certain lyrisme et l'obsession de la métaphysique.

Ces pièces portent la marque de nombreuses influences qui se croisent et s'imbriquent les unes dans les autres. L'influence d'Antonin Artaud est prédominante ; Adamov doit à Artaud son rejet du théâtre moderne occidental et, en particulier, de la psychologie. Il illustre, d'autre part, certaines formules du « théâtre de la cruauté », par exemple : « c'est par la peau qu'on fera rentrer la métaphysique dans les esprits », d'où le recours fréquent, chez Adamov, à des « images violentes », qui ont pour but de « prendre » le spectateur et de provoquer en lui un ébranlement de l'organisme.

Une autre influence, capitale, est celle de Strindberg. Adamov raconte lui-même que c'est à la suite de la lecture d'une pièce comme *Le Songe* qu'il prit l'habitude de déceler autour de lui « dans les scènes les plus quotidiennes, en particulier celles de la rue, des scènes de théâtre ». Adamov doit aussi à Strindberg son goût pour les personnages dédoublés et multipliés (ainsi, dans *La Parodie*, le directeur de journal, qui subit diverses métamorphoses). Adamov a peut-être encore emprunté à l'expressionnisme allemand ses types humains schématisés ; à Kafka l'atmosphère de cauchemar de ses pièces, où une fatalité invisible persécute sans répit les hommes ; à Tchekhov et aux intimistes français le « dialogue indirect », cher à des personnages qui évitent, par pudeur ou par faiblesse, d'aborder de front ce qui est l'objet de leurs préoccupations.

*
**

Toujours insatisfait, Arthur Adamov a, un beau jour, désavoué ses premières pièces. Il déclara, en effet, en 1956 : « Tout en sachant très bien qu'il

n'est pas de conflit social inséparable de son contexte
historique, j'ai... toujours laissé, au théâtre, ce
conflit glisser assez désastreusement sur le plan
moral. Aujourd'hui seulement, je m'aperçois de mon
erreur ». Estimant donc qu'il n'est de vrai théâtre
que d'« individus », Adamov va désormais écrire
des pièces inscrites dans le contexte de la réalité historique et sociale. Au lieu de montrer sur scène *la*
Persécution ou l'échec de *la* Révolution, il montrera
une persécution, l'échec d'*une* révolution. Ce théâtre devait avoir un aspect constructif : au lieu de
dénoncer les causes de la persécution, il cherche-
rait les possibilités d'une communion humaine.

Cette seconde manière d'Adamov est marquée par
la réapparition des catégories du théâtre traditionnel:
nettement situées dans un temps et dans un lieu, les
pièces comportent une intrigue, des personnages qui
cessent d'être des entités et un dialogue qui a un
sens précis.

Le Ping-Pong esquisse le renouvellement de la
manière chez Adamov : le principal personnage de
cette œuvre est un billard électrique, dont la présence obsédante fascine deux jeunes gens, Victor,
étudiant en médecine, et Arthur, artiste peintre, à
un point tel que cet objet futile, déifié par eux,
devient le centre fixe de leur existence.

Le renouvellement s'accomplit avec *Paolo-Paoli*,
qui présente, en une suite de douze tableaux, une
chronique de la réalité sociale et historique à la
« belle époque ». Derrière des personnages qui se
livrent au commerce, en apparence anodin, de plu-
mes d'autruches et de papillons rares, Adamov évo-

que une civilisation sordide et cruelle, où tout s'achète et se vend, même l'homme (1).

Le Printemps 71 se présente comme une vaste fresque dramatique à quarante personnages, qui évoque la naissance et la mort de la Commune lors du tragique printemps de 1871. Malgré son souci de peindre la réalité dans sa complexité, Adamov n'a pu s'empêcher de verser dans l'imagerie d'Epinal : d'un côté de la barricade, il y a les méchants, les affameurs, les lâches ; ce sont les capitalistes ; de l'autre, il y a les bons, les affamés, les héros sublimes et pleins d'abnégation ; ce sont les Communards.

La dernière pièce d'Adamov, *La Politique des Restes*, marque une sorte de compromis entre les deux manières de l'auteur : il s'agit là de l'aliénation politique d'un homme, provoquée par un cas clinique, car, écrit, Adamov, « si l'homme est dur pour l'homme, ...c'est souvent à travers une névrose née de la condition qui lui est faite par la société ».

Ce second Adamov a subi l'influence de Bertold Brecht, qu'il met sur le même plan que Shakespeare : il a suivi la leçon marxiste du maître allemand et il a adopté sa technique de la distanciation : ainsi, il recourt à des pancartes ou à des « guignols », qui distancent l'action. N'exagérons pas cependant cette influence : Adamov est trop épris de formules nouvelles pour se mettre sous la tutelle de qui que ce soit.

---

(1) Adamov est revenu sur cette idée dans son adaptation des *Ames mortes* de Gogol, où l'on voit Tchichikov acheter, à des prix ridiculement bas, des serfs morts, dont la possession fictive lui permet d'obtenir des crédits de l'Etat.

*
* *

Arthur Adamov est un remarquable penseur qui, à notre sens, s'est fourvoyé dans le théâtre. Sans doute a-t-il écrit quelques pièces assez fortes, d'une fascinante poésie onirique, dépouillées et rigoureuses, et Jean Vilar a eu raison de reconnaître qu'il avait rendu au théâtre sa pureté « en se privant des dentelles du dialogue et de l'intrigue » ; mais il y a dans cette dramaturgie une indifférence dangereuse à l'égard de ce qui peut séduire un public, même choisi. Aucune chaleur humaine ne se dégage de ces pièces abstraites, sans action ni psychologie, et dont les personnages, schématisés à l'extrême, font penser à des figures algébriques. Comment, d'autre part, se passionner pour des œuvres qui, n'ayant pratiquement ni commencement ni fin, pourraient aussi bien se prolonger à l'infini ?

Ajoutons qu'il y a trop d'éléments strictement personnels dans la première manière de cet auteur : Adamov a vu dans l'expression théâtrale une occasion d'exorciser les névroses et les obsessions qui le tourmentaient, mais il s'agit là de sentiments trop particuliers pour intéresser le spectateur ou même être compris de lui. Un auteur dramatique doit peindre des personnages autonomes, observés de l'extérieur, et non des projections de son expérience personnelle. Enfin et surtout, il manque au théâtre austère d'Adamov le sourire d'humour d'un Beckett ou d'un Ionesco.

III. *JEAN GENET*
   (né en 1910)

Photo Roger Viollet

Notice biographique. — Né à Paris en 1910, de père inconnu, Jean Genet est abandonné par sa mère à l'Assistance publique. Il est élevé dans le Morvan par des paysans. A dix ans, on l'accuse d'un vol. Il est confié jusqu'à sa majorité à une maison de redressement. De 1930 à 1940, il vagabonde à travers l'Europe. Il regagne la France sous l'occupation. Emprisonné, il écrit une élégie, *Condamné à mort.* Puis, il compose une série de romans ou plutôt de poèmes en prose : *Notre-Dame des Fleurs, Miracle de la Rose, Pompes funèbres, Querelle de Brest* et une confession, *Journal du Voleur.*

En 1947, il fait ses débuts au théâtre avec *Les Bonnes*, pièce créée par Louis Jouvet au Théâtre de l'Athénée (elle sera reprise en 1954 par Tania Balachova au Théâtre de la Huchette). En 1948, Jean Genet est sous la menace de relégation à vie ; une pétition en sa faveur est signée par un certain nombre d'écrivains, dont Cocteau et Sartre, et le Président de la République sursoit à l'exécution de la peine. En 1949, un acte écrit avant *Les Bonnes*, *Haute Surveillance*, est joué au Théâtre des Mathurins. Genet déclare alors qu'il renonce à la scène. Il y revient pourtant : *Le Balcon* est créé à Londres en 1956 aux Arts Theatre Club, devant un public restreint, puis monté à Paris en 1960 au Gymnase ; en 1959, *Les Nègres*, mis en scène par Roger Blin, sont joués au Théâtre de Lutèce par la Compagnie des Griots. La dernière pièce de Genet, *Les Paravents*, a été publiée en 1961. J.-P. Sartre a écrit un essai important sur cet auteur: *Saint Genet, comédien et martyr* (Gallimard, 1951).

De François Villon à Jean Genet, tel pourrait être le titre d'une substantielle étude consacrée aux mauvais garçons de notre littérature. Jean Genet y occuperait une place de choix : il représente en effet un cas. « *Ma paresse et la rêverie*, écrit-il dans son *Journal du voleur*, *m'ayant conduit à la maison correctionnelle de Mettray, où je devais rester jusqu'à « la vingt et une », je m'en évadai et je m'engageai pour cinq ans afin de toucher une prime d'engagement. Au bout de quelques jours je désertai en emportant des valises appartenant à des officiers noirs. Un temps je vécus de vol, mais la prostitution plaisait davantage à ma nonchalance. J'avais vingt ans* ». Or l'homme qui s'exprime en ces termes se trouve être en même temps un de nos dramaturges qui, en dépit des sujets scabreux qu'il traite, a eu la conception la plus haute et la plus noble du théâtre, la plus éloignée d'un divertissement vulgaire.

La première pièce de Jean Genet, *Haute Surveillance*, a pour cadre une prison et pour héros des détenus homosexuels : Yeux-Verts, « très beau » ; Lefranc, « grand, beau » ; Maurice, « petit, joli ». Yeux-Verts est idolâtré par ses deux compagnons de

détention, car il a non seulement l'auréole du meurtrier authentique, touché par la grâce du crime, mais
aussi l'auréole du futur condamné à mort dont la vie,
qui s'achèvera bientôt, « a la beauté des grandes ma-
lédictions ». A la fin, Lefranc, voleur sans envergure,
étrangle Maurice, dans une tentative désespérée pour
échapper à sa solitude de médiocre en accédant à la
souveraineté du crime. Mais son crime est inutile,
car Lefranc n'est pas de la même race que Yeux-
Verts ; ce dernier, illettré, n'a rien voulu de ce qui
lui est arrivé : « Tout m'a été donné, affirme-t-il.
Un cadeau. Du bon dieu ou du diable, mais quelque
chose que je n'ai pas voulu ». Lefranc, lui, sait lire
et écrire : il a voulu son crime ; ce n'est pas un
créateur impulsif, mais un vulgaire imitateur. A
nouveau rejeté, Lefranc retombe dans une solitude
totale.

Avec *Les Bonnes*, Jean Genet abandonne l'univers
des détenus pour évoquer une autre catégorie de
réprouvés : les domestiques. Dans le cadre d'une
chambre Louis XV, une grande dame se fait habiller
par sa bonne, Claire ; brusquement, celle-ci gifle sa
maîtresse. Mais ce n'était là qu'un jeu : Claire inter-
prétait le rôle de la dame et sa sœur Solange le rôle
de Claire. Ce jeu, auquel les deux bonnes se livrent
à chaque sortie de leur maîtresse en intervertissant
les rôles, libère leur révolte refoulée, née de l'attirance mêlée de lhaine qu'elles éprouvent à l'égard
d'une femme jeune, jolie et riche, qui les traite
sans dureté, mais comme des objets. Par vengeance,
les deux sœurs ont envoyé à la police des lettres
anonymes accusant de vol l'amant de « Madame »

Une scène des *Bonnes* : les deux bonnes (Yvette
Etievant et Monique Mélinand) et « Madame »
(Yolande Laffont)

qui a été emprisonné ; mais un coup de téléphone
leur apprend que « Monsieur » vient d'être libéré
sous caution. Affolées à l'idée qu'on va découvrir
leur machination, les bonnes tentent de supprimer
leur maîtresse en versant du poison dans son thé.
mais elles manquent leur coup.

Restées seules, elles reprennent leur jeu, ou plutôt
leur « cérémonie », Claire conservant le rôle de
Madame. Claire demande du thé, que Solange lui
verse : en mourant dans le rôle de sa maîtresse, elle
donne corps à un de ses rêves et en même temps elle
se punit ; quant à Solange, meurtrière de sa sœur,
en qui elle voyait vraiment Madame, elle trouve enfin
dans ce crime une libération et une justification de

Une scène du *Balcon* : à gauche,
René CLERMONT dans le rôle du général

son existence : « Maintenant, j'ai ma robe et je suis
votre égale. Je porte la toilette rouge des criminelles.
Je suis l'étrangleuse, Mademoiselle Solange, celle qui
étrangla sa sœur ».

Le Balcon, déclare Jean Genet dans un avertissement, « est la glorification de l'Image et du Reflet ».
Dans une sacristie, un évêque « mitré et en chape
dorée » fait un discours plein de ferveur. Illusion !
Ce n'est qu'un employé du gaz qui satisfait une obsession de puissance dans la maison d'illusions tenue
par Madame Irma, Le Grand Balcon. Nulle maison
d'illusions ne mérite mieux cette séduisante appellation : dans des décors savamment aménagés, les
clients déguisés peuvent satisfaire leurs rêves de
gloire, leurs désirs frustrés, leurs obsessions sadi-
ques ; à côté de l'évêque, qui confesse et pardonne

les péchés, il y a le juge qui se repaît des cris des accusées, le général qui joue une mort glorieuse, l'amiral sombrant à la poupe de son torpilleur, le roi de France au cours de la cérémonie du sacre et même l'enfant « qu'on emmaillotte, qu'on fesse, qu'on fouette, qu'on berce et qui ronfle ».

Cependant, à l'extérieur du pays où se situe Le Grand Balcon — Genet pensait sans doute à l'Espagne de Franco — une révolution s'est déclenchée ; les révoltés ont à leur tête Roger, un plombier qui a travaillé au Grand Balcon. La contre-révolution est dirigée par le Chef de la Police, amant de Madame Irma et co-propriétaire de son établissement. Le bruit court que le Palais Royal a sauté avec la Reine et son entourage. Pour juguler la révolution, il suffira de faire croire au peuple que la nouvelle est fausse : Madame Irma jouera le rôle de la Reine et ses clients, qui jouaient chez elle à l'Evêque, au Juge et au Général, pourront enfin remplir effectivement ces fonctions. La révolution est matée, mais l'Evêque, le Juge et le Général prennent conscience qu'en assumant réellement le pouvoir, ils ne peuvent plus s'abandonner à leurs rêves ni appartenir à leur propre fantaisie. Cependant Roger, le chef des révoltés vaincus, se rend chez Irma : il veut matérialiser ce qui a toujours été son ambition secrète : être le Chef de la Police d'un Etat totalitaire. Mais — on pense ici à Claire à la fin des *Bonnes* — après avoir assouvi son désir, il s'en punit en s'émasculant (1). Il sera enterré dans

---

(1) Genet déclarait en 1957, dans *Arts*, que ce révolutionnaire qui se punissait représentait les républicains espagnols à la suite de leur défaite.

un mausolée de la maison d'illusions, où son image sera reflétée éternellement grâce à un jeu de miroirs. Car tout n'est que reflet, mensonge, absurdité et vaine complication dans un univers voué à la ruine et à l'anéantissement.

Dans une note préliminaire des *Nègres*, Jean Genet écrit : « Un soir, un comédien me demanda d'écrire une pièce qui serait jouée par des Noirs. Mais qu'est-ce que c'est donc un Noir ? Et d'abord, c'est de quelle couleur ? » A travers les *Nègres*, Genet a voulu peindre tous les bannis de la création, tous ceux qui vivent « à côté du monde, dans sa marge », comme « l'ombre ou l'envers des êtres lumineux ». Il précise d'autre part que cette pièce est destinée à être jouée devant un public de Blancs ; au minimum, il doit y avoir un Blanc dans l'assistance ; si ce n'est pas possible, on distribuera à l'entrée à des Noirs des masques de Blancs ; et si les Noirs ne veulent pas se déguiser en Blancs, on utilisera un mannequin.

Présentée comme une « clownerie », la pièce ne comporte pratiquement aucune action. On y voit une troupe d'acteurs noirs satisfaire ses rêves de haine et de vengeance en jouant le meurtre rituel d'une femme blanche, dont le catafalque occupe le centre de la scène. Ce spectacle est vu et jugé par d'autres nègres installés sur une galerie qui, grotesquement déguisés en Blancs, forment une Cour avec sa Reine, son Missionnaire, son Gouverneur et son Valet et jouent les obsessions des Blancs, leur hypocrisie et leur pharisaïsme sous un régime colonialiste.

Après cette représentation, la Reine et sa Cour

partent aux colonies, dans la jungle, avec l'intention
de punir les Noirs. Mais la Reine des Noirs, Félicité,
remporte une victoire totale sur la Reine des Blancs
et la pièce se termine par un menuet dansé par la
troupe noire et toute la Cour, qui a quitté ses masques, tandis que le metteur en scène du spectacle,
Archibald, remercie les acteurs : « La représenta'ion
s'achève et vous allez disparaître. Laissez-moi d'abord
vous remercier tous, mes camarades. Vous avez bien
joué votre rôle. Vous avez fait preuve de beaucoup
de courage, mais il le fallait. Le temps n'est pas
encore venu de présenter des spectacles sur de nobles
données. Mais peut-être soupçonne-t-on ce que peut
dissimuler cette architecture de vide et de mots ». Il
est sensible que Genet a présenté *Les Nègres* comme
une mascarade grotesque pour accentuer la distanciation et éviter d'aborder de front les délicats problèmes du colonialisme et des gens de couleur.

De même, la pièce suivante de Genet, *Les Paravents*, bien que traitant de la guerre d'Algérie et
ayant à ce titre une portée politique, n'a aucun rapport avec les œuvres engagées d'Adamov deuxième
manière. *Les Paravents*, où une centaine de personnages jouent en plein air sur un plateau de quatre
étages, se contentent de montrer une autre catégorie
de proscrits, les misérables paysans algériens, poursuivant une lutte inégale contre les gens en place,
les « justes ».

*
* *

Jean Genet manifeste un mépris total à l'égard
de notre théâtre occidental : « Même les très belles

pièces occidentales ont un air de chienlit. Ce qui
se déroule sur la scène est toujours puéril. La beauté
du verbe quelquefois nous trompe quant à la profondeur du thème. Au théâtre, tout se passe dans
le monde visible et nulle part ailleurs ». Quant aux
acteurs, ce sont pour la plupart, selon Genet, des
illettrés et des exhibitionnistes, qui ne pensent qu'à
se pavaner sur une scène. Or, le théâtre doit être
la forme la plus valable de communion entre les
hommes ; comme en Orient, il doit être fondé sur
le rituel et la cérémonie ; les acteurs sont les prêtres
de cette religion, dont les fidèles sont les spectateurs.

Le modèle du théâtre que Jean Genet appelle de
ses vœux est la célébration symbolique de la messe :
« Sur une scène semblable aux nôtres, sur une estrade,
il s'agissait de reconstituer la fin d'un repas. A
partir de cette seule donnée qu'on y retrouve à
peine, le plus haut drame moderne s'est exprimé
pendant deux mille ans et tous les jours dans le
sacrifice de la messe. Le point de départ disparaît
sous la profusion des ornements et des symboles qui
nous bouleversent encore ». Il ajoute encore : « Théâ-
tralement, je ne sais rien de plus efficace que l'élévation ».

Mais la messe que Jean Genet célèbre sur scène
est une messe noire. Chacune de ses pièces se présente comme une cérémonie rituelle et sacrée, dont
les participants officient en faveur du mal avec la
même ferveur que les saints dans l'accomplissement
du bien. Le mal est magnifié, sanctifié ; le vice est
la seule vertu ; l'enfer est le seul paradis, les ténèbres la seule lumière. Le meurtrier authentique, beau
et impassible, exerce une sorte d'envoûtement mys-

tique : c'est un saint, touché par la grâce du crime ;
condamné, il a l'éclat mystérieux des grands
martyrs. Une prison, par la rigueur de ses règlements et par la hiérarchie qui s'établit entre les
détenus, est une cour royale soumise à une stricte
étiquette ; c'est aussi un lieu bénit : « Prisons, ca-
chots, lieux bénits où le Mal est impossible, puisqu'ils sont le carrefour de toute la malédiction
du monde. On ne peut pas commettre le mal
dans le mal », s'écrie le (faux) Juge dans *Le Balcon*.
Un bordel même est une sorte de lieu saint, où
des scènes se déroulent avec tout l'apparat d'une
liturgie, « avec la solennité d'une messe dans la plus
belle des cathédrales », comme l'écrit si pertinem-
ment le traducteur de Genet, Bernard Frechtman.
Jean Genet a créé une mystique de l'ignoble qui, en
le libérant, au moins partiellement, des obsessions
de son univers de réprouvé, a eu pour lui une vertu
cathartique.

Doit-on aussi penser, avec un certain nombre de
critiques, que le théâtre de Jean Genet est « profondément un théâtre de protestation sociale », que le
dramaturge y a lancé des cris de haine et de révolte,
au nom de tous les réprouvés de la création, contre
les gens en place qui les excluent de la société ? Ce
serait oublier que Genet a écrit lui-même : « Dans
mon choix n'entrèrent jamais la révolte, la colère
ou quelque sentiment pareil ». Bien loin de reven-
diquer l'accès à la vie sociale, les héros de Genet
souhaitent, en s'enfonçant davantage dans l'avilissement et la dépravation, être définitivement exclus
du monde honni des justes.

Une autre originalité de Jean Genet réside dans
sa façon de suggérer, par des jeux de miroirs et de
reflets, que tout ici-bas n'est qu'illusion, mensonge,
cauchemar. La vie humaine ressemble à ces palais
des fêtes foraines qui renvoient à l'infini des reflets
déformés de notre propre image. Ce que nous prenons pour une réalité n'est qu'une apparence qui, à
son tour, recouvre une autre apparence et, comme
le remarque J.-P. Sartre, « l'apparence ultime irréa-
lise toutes les autres » : les êtres sont des images
d'images, des phantasmes de phantasmes.

Un certain nombre de personnages de Genet jouent
très exactement le rôle de reflets : dans *Le Balcon*,
le bourreau et l'accusée servent de miroirs au Juge,
dans *Les Nègres*, les Noirs n'accèdent à l'existence
que grâce à la vision qu'en ont les Blancs. *Les
Bonnes* nous fournissent « le plus extraordinaire
exemple de ces tourniquets d'être et d'apparence,
d'imaginaire et de réalité » (Sartre) : chacune des
deux bonnes voit en l'autre son image et se réfléchit
en elle ; chacune d'elle, à son tour, voit en l'autre
l'image de sa maîtresse, mais, comme le fait remarquer Genet lui-même, chaque bonne est en réalité
un adolescent, et cet adolescent est lui-même un
acteur s'adressant à des spectateurs qui, une fois
rentrés chez eux, constateront que tout y est encore
plus faux qu'au théâtre.

En effet, Genet pense que l'homme se réalise
encore moins dans le réel que dans l'apparence ;
l'artificiel, le toc des jeux de miroirs ou des jeux
de la scène ont relativement plus de vérité, en tout
cas plus de pureté et de pouvoir fascinant que la
dérisoire réalité : « Ma vérité, ce sont vos miroirs »,

s'écrie Carmen, une des pensionnaires de Madame Irma. A partir du moment où ils sont liés avec les hommes et où ils vivent dans la lumière crue du monde, le Juge, l'Evêque et le Général du *Balcon* deviennent « les supports d'une parade qu'ils doivent traîner dans la boue du réel et du quotidien », comme dit Madame Irma, tandis que dans sa maison d'illusions, « la Comédie, l'Apparence se gardent pures, la Fête intacte ».

Jean Genet, le banni, fait figure d'isolé même parmi les auteurs de l'anti-théâtre. Sur deux points en particulier, il diffère de Beckett, Adamov et Ionesco. D'abord, sans jamais présenter une étude psychologique de ses personnages, il confère une certaine valeur en soi à leurs pensées ou à leurs obsessions. D'autre part, il ne procède pas, comme Ionesco, à une désintégration du langage : la parole n'est pas chez lui quelque chose de sclérosé et d'absurde ; elle a le pouvoir d'une incantation magique ; ainsi s'explique que des bonnes s'expriment dans la langue solennelle et somptueuse des personnages tragiques du xviie siècle.

Toutefois, Jean Genet adhère aux conceptions du théâtre nouveau par le peu d'importance qu'il accorde à l'intrigue et à la structure de ses pièces, et aussi par leur résonance métaphysique : l'essentiel réside dans une exploration de la misère de l'homme, de sa solitude et du néant des valeurs auxquelles il s'attache. Enfin Genet, comme Beckett et surtout Ionesco, condamne tout didactisme et tout engagement politico-social : « Quelques poètes de nos jours, écrit-il, se livrent à une très curieuse opération : ils chantent le peuple, la Liberté, la Révolution... qui, d'être chantés, sont précipités, puis cloués sur un ciel abstrait où ils figurent, déconfits et dégonflés, en de difformes constellations ».

On a pu reprocher à Jean Genet, du point de vue strictement dramatique, un certain « brouillard de symbolique littéraire », un « immense fouillis de vapeur » ; le critique Brooks Atkinson ironise, à propos du *Balcon :* « seule une machine à calculer mécanique pourrait absorber toutes les significations et imprimer les réponses correctes ». Il y a aussi un goût discutable de l'exhibitionnisme dans le besoin qu'éprouve Genet d'assouvir jusqu'à la lie ses turpitudes. Il n'empêche que ce singulier dramaturge, en faisant de l'acte théâtral une cérémonie magique, plus exactement en donnant à la réalité la plus abjecte la forme d'un rêve poétique et de l'innocence la plus pure, a fait passer sur la scène un frisson nouveau.

Photo Lipnitzki

La Cantatrice chauve :
une soirée-type chez M. et Mme SMITH

IV. EUGÈNE IONESCO
(né en 1912)

Photo Lipnitzki

Notice biographique. — Né en 1912 à Slatina, en
Roumanie, d'une mère d'origine française, Eugène
Ionesco passe son enfance en France. En 1925, il
retourne en Roumanie et achève ses études à l'Université de Bucarest. Il est professeur de français au
lycée de Bucarest de 1936 à 1938 : il fait de la critique littéraire. En 1938, il obtient une bourse pour
préparer à Paris une thèse sur les « Thèmes du péché
et de la mort dans la littérature française depuis
Baudelaire ». Il renonce à cette thèse, mais décide
de s'installer définitivement en France. En 1949, il
écrit *La Cantatrice Chauve*, qui est jouée aux Noctambules en 1950, dans une mise en scène de Nicolas
Bataille : c'est un fiasco. *La Leçon* (Théâtre de Poche,
1951) et *Les Chaises* (Nouveau Lancry, 1952) subissent le même sort. Mais il suffit que Jean Anouilh
écrive un article très élogieux sur *Victimes du devoir*
(Quartier Latin, 1953) pour que le public afflue.
Amédée ou Comment s'en débarrasser, monté par
J.-M. Serreau au Théâtre de Babylone, obtient un
certain succès. Dès lors, Ionesco s'impose en France
et il est beaucoup joué à l'étranger.

Il fait représenter à Paris *Jacques ou la Soumission* et sa suite *L'Avenir est dans les œufs ou Il faut de tout pour faire un monde* (1955), *L'Impromptu de l'Alma* (1956), *Le Nouveau Locataire* (1957), *Tueur sans gages* (1959). Jean-Louis Barrault fait jouer au Théâtre de France *Rhinocéros* en 1960. puis *Le Piéton de l'Air* en 1962. La même année, *Le Roi se meurt* est monté à l'Alliance Française. Signalons aussi quelques sketches : *Le Salon de l'Automobile*, *La Jeune Fille à marier*, *Le Maître*. Le théâtre d'Eugène Ionesco, préfacé par Jacques Lemarchand, a paru en deux volumes chez Gallimard. Les Editions Gallimard ont aussi publié ses *Notes et Contre-Notes*, ainsi qu'un recueil de récits, *La Photo du Colonel*.

Eugène Ionesco écrit dans un article intitulé *La Tragédie du langage ou comment un manuel destiné à apprendre l'anglais devint ma première pièce* : « En 1948... je n'avais pas la moindre idée de devenir auteur dramatique. J'avais seulement l'ambition d'apprendre l'anglais. Apprendre l'anglais ne conduit pas nécessairement à l'art d'écrire des pièces. J'ai ouvert la méthode Assimil et j'ai découvert tout un monde ». Ce monde était celui des vérités fondamentales et universelles, des phrases toutes faites du type : il y a sept jours dans la semaine ou le plancher est en bas, le plafond est en haut, « chose à laquelle, ajoute Ionesco, je n'avais jamais réfléchi sérieusement ou que j'avais oubliée, et qui m'apparaissait tout à coup aussi stupéfiante qu'indiscutablement vraie ».

Or, à la troisième leçon de la méthode Assimil, un couple anglais, Mr et Mrs Smith, faisait son

apparition et échangeait un certain nombre de ces
vérités élémentaires. A la cinquième leçon, les amis
des Smith, les Martin, arrivaient ; la conversation
s'engageait alors entre les quatre personnages et,
sur les axiomes élémentaires, s'édifiaient des vérités
plus complexes : « La campagne est plus calme que
la grande ville ». Ionesco eut à ce moment une véritable illumination : il prit soudain conscience que
ces dialogues de la méthode Assimil, faits de truis-
mes et de clichés, étaient de l'excellent théâtre et,
oubliant d'apprendre l'anglais, il décida d'écrire une
pièce sur ce type : ce fut *La Cantatrice Chauve*, inti-
tulée d'abord *L'Anglais sans effort*.

On peut distinguer, à l'heure actuelle, trois périodes assez distinctes dans la carrière dramatique de
Ionesco.

La première période, qui va de 1949 à 1951, est
constituée par des pièces assez courtes, en un acte,
qui s'adressent de préférence à un public restreint.
Un unique décor se situe dans un cadre étroit et dans
une atmosphère grisâtre ou même sordide. La construction de la pièce est souvent circulaire, le dénouement ramenant le spectateur au point de départ. Les
personnages sont élémentaires, mécaniques, inhu-
mains : ils font penser à des robots ou à des marionnettes de Guignol. Pourtant, la situation dans laquelle
ils se trouvent nous fait réfléchir sur la triste condition de l'homme au milieu d'un univers hostile et
absurde. Le langage, désarticulé et inadapté à la pensée, est un moyen efficace d'exprimer l'absurde.

Enfin, ce théâtre est parodique et à base de grossisse
ment.

*La Cantatrice Chauve, La Leçon, Jacques ou la
Soumission* et *L'Avenir est dans les œufs* illustrent
cette première manière.

La Cantatrice Chauve ou la tragédie du langage est
une anti-pièce qui doit son titre à un incident lors
des répétitions : l'acteur qui jouait le rôle du pompier, au lieu de dire *une institutrice blonde*, aurait
prononcé *une cantatrice chauve*. Eclat de rire général ! L'auteur, qui était présent, trouva que c'était un
titre excellent, justement parce qu'à aucun moment
il n'était question d'une cantatrice. Il n'y a dans cette
pièce ni action, ni progression dramatique ; aucune
unité, aucun enchaînement logique : c'est une simple tentative de « fonctionnement à vide du mécanisme du théâtre ».

Photo Lipnitzki

Les protagonistes, Mr et Mrs Smith, petits bourgeois anglais, sont des robots ; ils « n'ont, dit
Ionesco, ni faim, ni désirs conscients ; ils s'ennuient
à mourir » ; incapables de penser, ils tiennent les
propos stupides de la vie quotidienne. Arrivent,
comme dans la méthode Assimil, Mr et Mrs Martin,
qui sont leur exacte réplique, puis un pompier qui
raconte des histoires. A la fin, Mr et Mrs Martin sont
assis à la place des Smith au début ; « la pièce
recommence avec les Martin, qui disent exactement
les répliques des Smith dans la première scène » ;
de tels personnages sont en effet interchangeables.
« Tout finit comme tout a commencé », note l'auteur. Cette pièce est une diatribe contre « une sorte
de petite-bourgeoisie universelle, le petit-bourgeois
étant l'homme des idées reçues, des slogans, le
conformiste de partout ».

La Leçon est un « drame comique » sur les méfaits
du langage considéré comme instrument d'autorité.
Le point de départ est une donnée fort simple, indé-
pendante de tout lieu, de toute époque, de toute
société précise : il s'agit d'une leçon. Une jeune
élève, qui veut se préparer à un « doctorat total », se
présente chez un professeur, symbole d'une pseudo-
culture livresque. Timide et aimable au début, le professeur devient progressivement agressif et despotique à mesure qu'il veut s'imposer par des mots,
tandis que, sous l'emprise de son déluge verbal,
l'élève, d'abord gaie et attentive, devient comme un
objet vulnérable et inerte entre ses mains. A la fin,
le professeur tue l'élève avec un couteau invisible.

Jacques ou la Soumission, écrit après La Leçon
en 1950, se présente comme un « drame natura-

← *La Cantatrice Chauve*

liste ». Tout, dans cette pièce, est centré sur l'attitude de Jacques ; aucun événement extérieur ne
vient se mettre en travers de la situation. Jacques est un individualiste ; or, ses parents sont
conformistes ; ils veulent le contraindre à se rallier
à la phrase-programme de la famille : « J'adore les
pommes de terre au lard » et ils y arrivent. Ils arri-
veront de même à l'amener au mariage — l'adhésion
au mariage étant un signe d'assagissement bour-

Photo Libnitzki

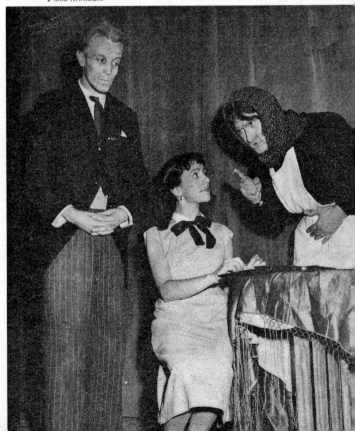

geois — avec Roberte II, bien qu'elle ne soit pas
assez laide à son gré (il est vrai qu'elle possède trois
nez, ce qui le ravit). Ainsi, dans un univers dominé
par la matière, les forces anti-spirituelles viennent à
bout de ceux qui affichent leur individualisme.

L'Avenir est dans les œufs, écrit en 1951, est la
suite de *Jacques*. Jacques et Roberte II sont mariés
depuis trois ans, mais ils n'ont pas de progéniture ;
or, il est conforme à la norme de proliférer : « Tu
t'es marié, j'en suis fort aise ; il faut couver maintenant ». De nouveau, Jacques se soumet : il couve
les œufs que pond sa femme. Ces œufs deviendront
des athlètes, des policiers, des généraux, des anar-
chistes, des pessimistes, des idéalistes, des nihilistes,
des marxistes et accessoirement... des omelettes. Et
la pièce se termine sur un double cri : « Vive la
production ! Vive la race blanche ! »

Avec *Les Chaises*, qui suivent *Victimes du devoir* et *Amédée*, Ionesco aborde une seconde période
qui va de 1951 à 1954. Les pièces sont plus étof-
fées ; le décor a plus d'importance ; des machines
font même leur apparition : visiblement, l'auteur
s'adresse à un public élargi. Une parodie d'intrigue
ou d'action se fait jour ; les situations sont traitées
dans un style expressionniste. La différence la plus
importante touche les personnages qui perdent leur
aspect mécanique pour devenir plus complexes, plus
conscients de leur misère, bref, plus humains (sur
ce point, Ionesco a suivi une évolution opposée à
celle de Beckett, qui est parti d'un univers humain
pour aboutir à un univers mécanisé). Enfin le dia-

← Une scène de *La Leçon* : à gauche,
Marcel CUVELIER dans le rôle du Professeur

logue, moins désarticulé, commence à traduire des idées sous leur forme logique.

Les Chaises, « farce tragique », sont considérées comme une œuvre maîtresse de Ionesco. Un couple de vieillards, qui habite une tour sur une île abandonnée — on a fait le rapprochement avec le décor de *Fin de Partie* de Beckett — attend la visite de nombreuses personnes à qui l'homme transmettra, par l'intermédiaire d'un Orateur, son « Message ». Les invités arrivent, invisibles ; les vieux les accueillent avec courtoisie, tandis que les chaises s'accumulent. L'Orateur fait son apparition ; pensant que leur message libérateur sera transmis, les vieux sautent par la fenêtre et se précipitent dans la mer, pleins d'espoir : « Nous aurons notre rue ! » L'Orateur va parler, mais il est sourd-muet (nous sommes tous sourds-muets, c'est-à-dire incapables d'exprimer quoi que ce soit). Il disparaît ; on entend le clapotis des vagues, puis c'est le silence. La pièce, aux interprétations multiples, est d'une ingénieuse ambiguïté : « Le thème, écrit Ionesco, n'est pas le message, ni les échecs dans la vie, ni le désastre moral des vieux, mais bien *les chaises*, c'est-à-dire l'absence de personnes... l'absence de Dieu, l'absence de matière, l'irréalité du monde, le vide métaphysique ; le thème de la vie, c'est le *rien* ».

Victimes du devoir est un « pseudo-drame » ou plutôt une parodie de pièce policière et psychanalytique. « Toutes les pièces, remarque l'auteur, qui ont été écrites depuis l'antiquité jusqu'à nos jours, n'ont jamais été que policières... Toute pièce est une enquête menée à bonne fin. Il y a une énigme, qui

nous est révélée à la dernière scène ». Mais, pour
se distinguer des dramaturges traditionnels, Ionesco
s'abstient de révéler l'énigme à la fin. D'autre
part, il charge un policier - psychanalyste de soutenir les idées qui le hérissent : « Je demeure,
quant à moi, s'écrie-t-il, aristotéliquement logique...
Je ne crois pas à l'absurde ; tout est cohérent, tout
devient compréhensible... grâce à l'effort de la
pensée humaine et de la science ». Ce subtil policier
croit en particulier qu'on peut résoudre l'énigme du
monde en plongeant dans les profondeurs du subconscient ; malheureusement, l'homme qu'il soumet
à cette expérience ne révèle que le vide et le néant.

Amédée ou Comment s'en débarrasser est la première pièce en trois actes de Ionesco, qui la présente
ainsi : « C'est une œuvre simple, enfantine et presque
primitive dans sa simplicité ». Le très romantique
Amédée est marié à la très prosaïque Madeleine ;
voilà longtemps qu'ils ne s'aiment plus et qu'ils
vivent isolés du monde, tous volets clos. Or, depuis
quinze ans, un cadavre grandit selon une progression géométrique — « la maladie incurable des
morts » ! — dans leur chambre, au point de les
déposséder de cette pièce. Amédée tente d'évacuer
le corps, mais il se heurte à la police. Il s'envole
alors et atteint la Voie lactée. « Les modèles de
mes personnages, écrit Ionesco, sont peut-être Adam
et Eve et le cadavre la matérialisation de la faute.
Il est le temps historique qui prolifère : peut-être
cela ou ce que vous voudrez ». A noter, pour la
première fois, un dénouement optimiste, mais son
caractère merveilleux nous incite à ne pas le prendre
trop au sérieux.

Amédée ou Comment s'en débarrasser :
en haut, Lucien RAIMBOURG dans le rôle d'Amédée

Avec *Tueur sans gages*, *Rhinocéros*, *Le Piéton de l'Air* et *Le Roi se meurt*, pièces écrites de 1957 à 1962, on s'éloigne encore davantage de l'univers mécanique des premières œuvres. Un personnage nouveau fait son apparition : Béranger, l'homme conscient et lucide, qui exprime, au moins en gros, les angoisses de son créateur et aussi son désir de résister aux puissances dissolvantes de l'existence, en

s'efforçant de trouver des solutions constructives.
Béranger est « touchant, à peine comique, écrit
Ionesco ; son comique vient de sa naïveté » ; en fait,
il ressemble à Charlie Chaplin, gauche et humain,
dérisoire et pathétique. Le personnage n'est plus un
robot, il souffre ; il n'est plus statique, il évolue ; il
n'est plus passif, il lutte et cherche à édifier un
nouvel humanisme. D'autre part, Ionesco construit
avec plus de soin la structure de ses pièces : il y
a une donnée de départ, assez précise, une crise,
du mouvement, parfois même du suspense ; seul
le dénouement, paroxystique, nous éloigne encore
des dénouements traditionnels. Quant au langage, il
se purifie et prend de plus en plus une résonance
personnelle.

Tueur sans gages est la seconde pièce en trois actes de Ionesco. Béranger, tout en visitant en compagnie d'un architecte municipal une cité radieuse
d'une étonnante perfection technique, s'étonne que
les rues soient désertes. Il apprend qu'un tueur rôde
dans les parages ; par amour pour une de ses victimes, il décide de le dépister. Or, un jour, il se
trouve face à face avec lui dans la rue : c'est un
gnôme dépenaillé et ricanant. Béranger tente de le
moraliser : « il parle, indique l'auteur, avec une
éloquence qui doit souligner les lieux communs
tristement inutiles et périmés qu'il avance » : le
bonheur, la fraternité entre les hommes, le pa-
triotisme, le christianisme, l'intérêt personnel, la
vanité de toutes choses en général et de l'assassinat en particulier. Progressivement, il prend conscience de « la viduité de sa propre morale, qui
se dégonfle comme un ballon » ; bien mieux, il

« trouve en lui-même, malgré lui-même, contre lui-même, des arguments en faveur du tueur ». Et, tandis que ce dernier, plein de mépris, continue de ricaner, Béranger tombe à genoux et offre sa nuque au couteau meurtrier en murmurant : « Que faire... que faire ? ».

Rhinocéros est une sorte de farce philosophique, où l'on voit les habitants d'une petite ville de province se métamorphoser les uns après les autres en rhinocéros. A travers ce mythe, Ionesco a voulu montrer comment les doctrines idéologiques — particulièrement les doctrines totalitaires — en proliférant par suite d'une sorte de contagion collective, risquent de réduire en esclavage et de déshumaniser tous les habitants du monde moderne. Quelques rares êtres pourtant demeurent allergiques à cette déshumanisation : tel est le cas de Béranger, trop individualiste pour succomber à l'entraînement collectif : « Contre tout le monde, je me défendrai. Je suis le dernier homme, je le resterai jusqu'au bout ! Je ne capitule pas ». Notons un progrès par rapport à *Tueur sans gages*, où Béranger capitulait devant la froide détermination du tueur ; ici, il refuse d'abdiquer, même s'il doit être encore finalement vaincu.

Béranger mourait réellement dans *Tueur sans gages ;* il mourait, au moins civilement, dans *Rhinocéros*. Avec *Le Piéton de l'Air*, il ressuscite sous les traits d'un auteur dramatique qui voyage en famille dans une Angleterre bucolique ; mais ce cadre apaisant est le symbole de l'inconscience humaine ; or Béranger ne partage pas cette inconscience. Comme vouloir, c'est pouvoir, il décide de

voler dans les airs jusqu'à la limite de l'antimonde
et il raconte ensuite les visions d'horreur qu'il a
eues : des déserts de flammes, des fleuves de sang,
des continents réduits en poussière, bref « une sorte
d'enfer moderne..., un enfer de menaces ». A travers
son double, Ionesco a traduit là, en images apoca-
lyptiques, l'obsession d'une destruction totale dont
il sent que l'univers est menacé.

Avec *Le Roi se meurt*, nous atteignons la fin de
la troisième période. Béranger, monarque d'un
royaume en décomposition, agonise et nous assistons,
comme à « une suite de cérémonies à la fois dérisoires et fastueuses », aux phases de cette agonie :
« peur, désir de survivre, tristesse, nostalgie, souvenirs et puis résignation ». Après la hantise de la
destruction du monde, la hantise de la destruction
de l'individu : deux témoignages probants entre
tous de l'absurdité de la condition humaine.

Un critique, M. Martin Esslin, a intitulé un essai
sur le théâtre nouveau : « Théâtre de l'Absurde ».
L'appellation convient particulièrement à Ionesco :
« La vie est absurde », proclame-t-il et tout son théâtre dresse le constat de la faillite de l'homme et des
fausses valeurs auxquelles il attribue un sens.

Les êtres humains sont des marionnettes, des
automates, sans personnalité, sans identité : tous les
Watson s'appellent Bobby pour la simple raison qu'il
est impossible de les distinguer ; de même, toute
la famille de Jacques porte le nom de Jacques
(Jacques père, Jacques mère, Jacques grand-père,
etc...).

Les êtres humains vivent dans une incompréhension réciproque totale : quelle communication peut-il y avoir entre les deux vieillards des *Chaises*, dont l'union n'a eu pour bases que le mensonge, la stupidité et le vide ; entre Amédée, qui a le goût du rêve et de la poésie, et Madeleine, qui a l'esprit matérialiste et d'une sordide mesquinerie ? L'incompréhension peut être si forte que deux êtres qui vivent ensemble en arrivent à ne plus se reconnaître: ainsi, M. Martin demande à Mme Martin, sa femme, « s'il ne l'a pas déjà rencontrée quelque part ».

Presque tous les êtres se laissent enfermer dans des cadres, dans des moules, ou obéissent à des rites stupides. Il faut se comporter en toutes circonstances comme la société ou la famille l'a décrété : aimer les pommes de terre au lard, ne pas garder son chapeau sur la tête, se marier pour perpétuer la race, pleurer à chaudes larmes la mort de son grand-père (qui, dans son cadre, fait des grimaces à son petit-fils !), respecter les lois : « La loi est nécessaire, affirme péremptoirement Madeleine dans *Victimes du devoir ;* étant nécessaire et indispensable, elle est bonne et tout ce qui est bon est agréable ». L'activité d'un cerveau humain est faite de ce mélange d'associations grotesques, proférées sur un ton dogmatique ; car personne n'échappe à l'absurdité de pontifier, pas même le poète Nicolas d'Eu, qui délivre Choubert du dogmatisme dans *Victimes du devoir ;* pas même Béranger, qui débite au tueur tout l'arsenal des vérités premières ; pas même Ionesco qui, après avoir raillé les doctes théâtrologues Bartholomeus I, II et III dans *L'Impromptu de l'Alma*, se laisse aller à son tour à dogmatiser.

Le dogmatisme mène tout droit au totalitarisme, qui s'exerce à tous les échelons : un détective domine son interlocuteur (*Victime du devoir*) ; un professeur fait peser son autorité sur son élève (*La Leçon*) ; une concierge exerce son despotisme sur les locataires de son immeuble (*Le Nouveau Locataire*).

Dominé par ses semblables, l'être humain est aussi dominé et même submergé par l'opacité et le foisonnement de la matière : l'accumulation des chaises dans *Les Chaises*, l'emprisonnement du *Nouveau Locataire* sous une masse de meubles, la multiplication des tasses de café dans *Victimes du devoir*, des œufs dans *L'Avenir est dans les œufs*, la poussée insolite des champignons et la progression géométrique du cadavre dans *Amédée*, la prolifération des rhinocéros dans *Rhinocéros*, des arbres dans *Le Piéton de l'Air*, autant d'images d'un univers où l'envahissement de la matière étouffe et atrophie les possibilités spirituelles de l'homme.

Pour clore ce sinistre bilan de faillite, l'absurdité de la vie n'a d'égale que l'absurdité de la mort (*Le Roi se meurt*). Sans doute faut-il tenir compte de l'évolution de Ionesco dans le sens d'un pessimisme atténué et de l'édification possible d'un humanisme sur les ruines d'un monde absurde. Une lueur d'espoir apparaissait déjà dans *Tueur sans gages* : « Il se peut qu'il y ait une raison, au-delà de notre raison d'exister : cela aussi est possible ».

Ionesco nous fournit, dans ses écrits théoriques et explicatifs, en particulier dans ses *Notes et contre-*

notes, tous les éclaircissements désirables sur sa conception personnelle de l'art dramatique.

Son point de départ est le suivant : « Je ne puis qu'affirmer et répéter que le théâtre, c'est du théâtre ». Lapalissade pleine de sens, qui implique d'abord que le théâtre est fait pour être vu, non pour être lu, ensuite qu'il constitue un univers spécifique, autonome, « ayant sa logique, sa forme, sa cohérence propre », un univers pur aussi, ou du moins qui doit s'efforcer de retrouver, à travers toutes les dégradations, sa pureté d'origine.

Il s'agit d'abord de débarrasser le théâtre de tous les éléments qui n'appartiennent pas à son domaine. « Je voudrais pouvoir quelquefois dépouiller l'action théâtrale de tout ce qu'elle a de particulier », écrit Ionesco. De fait, notre auteur s'est appliqué à exprimer, dans ses pièces, sous une forme aussi schématique que possible, une réalité permanente et universelle, sans recours aux contingences : ainsi, *Rhinocéros* n'est pas, comme on l'a cru, une critique d'un régime particulier — le régime totalitaire nazi — dans un pays déterminé et à un moment précis de l'histoire, mais une étude du processus général de tout entraînement collectif, observé dès sa naissance, puis dans son progrès et dans son aboutissement.

Ce souci de l'universel amène aussi Ionesco à rejeter l'intrigue traditionnelle, qui limite l'appréhension de la réalité à un seul aspect plus ou moins arbitrairement choisi, et à adopter une action prototype, « une action modèle de caractère universel » : une discussion (*La Cantatrice chauve*), une leçon (*La Leçon*), un mariage (*Jacques ou la Soumission*), un débat idéologique (*Les Chaises*). De même, « ni lieu, ni temps, ni milieu social ne viennent déterminer le déroulement de la pièce, qui se situe dans un hors-lieu, un hors-temps ».

Enfin, toutes les particularités psychologiques tendent à disparaître chez les personnages, réduits à une unité-standard, valable pour des millions d'individus : le nom propre, qui met l'accent sur l'aspect particulier d'un être, est souvent remplacé par une étiquette sociale (le professeur, le policier, l'architecte) ou même par un simple numéro (Roberte I, Roberte II, Bartholomeus I, II et III).

Il convient, d'autre part, de dépouiller le théâtre de toute idéologie et de tout didactisme. Ionesco a maintes fois affirmé son hostilité, voire sa hargne, contre un certain théâtre réaliste et bourgeois, qui s'acharne à illustrer une pensée fixée une fois pour toutes, avec des intentions réformatrices. Son théâtre est anti-idéologique, anti-réaliste, anti-bourgeois, anti-psychologique, anti-philosophique.

Ionesco a présenté dans *L'Impromptu de l'Alma* une caricature plaisante du jargon philosophique de Bertold Brecht représenté par de pontifiants « docteurs en théâtrologie » qui se grisent de grands mots : distanciation, historicisation, éphémérité... Bref, Ionesco condamne tous les aspects du didactisme théâtral, toute inféodation à une école ou à une thèse : « Je n'aime pas Brecht, justement parce qu'il est didactique, idéologique. Il n'est pas primitif, il est primaire. Il n'est pas simple, il est simpliste.

Il ne donne pas matière à penser, il est lui-même le reflet, l'illustration d'une idéologie ».

D'autre part, l'homme de Brecht est plat : il n'a que deux dimensions, celles de la surface. Il convient donc d'ajouter « la dimension en profondeur, la dimension métaphysique ». Car le théâtre, comme toute œuvre d'art, doit aller « au-delà des vérités ou obsessions temporaires de l'histoire ». Comme la poésie, avec laquelle il a beaucoup d'affinités, il s'assignera comme fonction de révéler l'homme à lui-même, dans sa solitude et sa vanité, en arrachant le voile des illusions qui nous cachent la vérité.

Ce théâtre ne sera pas comique ou tragique, mais comique et tragique, risible et terrifiant, car ce sont les deux pôles d'une seule et même réalité que Ionesco veut exprimer avec le maximum d'acuité. L'absurde, c'est-à-dire ce qui n'a pas de sens, est par définition comique, et pourtant il est tragique, car il met à jour le vide et le néant fondamental des êtres et de l'existence : ainsi, un cadavre qui grandit selon une progression géométrique est un spectacle burlesque, mais qui traduit sous forme matérielle une angoisse atroce. Chaque pôle soutient l'autre : le tragique acquiert de l'acuité grâce aux éléments comiques et les éléments comiques sont renforcés grâce à leur soubassement tragique.

C'est souvent l'accélération paroxystique du comique qui engendre le tragique (c'est surtout vrai pour *La Leçon*) : la pièce débute dans un climat vaudevillesque d'un comique franc et détendu, puis le comique devient plus outrancier et grinçant, en même temps que le dialogue s'affole, comme une machine qui se dérègle. Poussé à son point culminant, le comique bascule dans le tragique ; il retombe ensuite soit dans le tragi-comique, soit dans l'humour noir, soit dans la dérision.

Le langage est le véhicule du comique. Pour Ionesco, le langage est un ensemble sclérosé, fossilisé, rongé jusqu'à l'os ; il révèle « l'absence de vie intérieure, le mécanique du quotidien, l'homme baignant dans son milieu social, ne s'en distinguant pas ». Ionesco a procédé à une œuvre de désintégration de ce langage avec une sorte de jubilation mal dissimulée. Ainsi s'explique l'exubérance avec laquelle il crée, comme Rabelais ou Jarry, des néologismes burlesques : mononstre (= monstre), vilenain (= vilain), je t'exertre (= je t'exècre). Pour lui, les mots sont vidés de toute substance, réduits à des écorces sonores : en effet un mot en suggère un autre, non à cause du sens, mais à cause du son ; ainsi Jacques dit de sa mère qu'elle a été pour lui « une amie, un mari, un marin ».

Le langage est fait de lieux communs usés, éculés, qui obstruent le mécanisme normal de la pensée : « Les enfants sont notre espoir », déclare Béranger au tueur. « Que de chemin parcouru depuis nos ancêtres, qui vivaient dans les cavernes, se dévoraient entre eux et se nourrissaient de peaux de moutons ! », s'écrie un personnage de *Victimes du devoir*. Ionesco recrée parfois les clichés de manière fantaisiste ou burlesque pour en faire jaillir le néant : « Mes enfants, méfiez- vous les uns des autres », proclame

la Vieille des *Chaises*, déviant comiquement le
précepte de l'Evangile. Désintégré, le langage offre
des combinaisons infinies d'assemblages de mots,
comme un jeu de constructions : « Prenez un cercle,
caressez-le, il deviendra vicieux », dit un personnage
de *La Cantatrice chauve* et le Logicien de *Rhinocéros*
bâtit des syllogismes, où la pensée vivante se ramène
à des formules absurdes : « Tous les chats sont mortels. Socrate est mortel. Donc Socrate est un chat ».

D'une manière plus générale, Ionesco a recréé à
son usage et selon son génie propre les vieux procédés comiques traditionnels. Le comique de répétition
d'abord, qui traduit le vide du cerveau hanté par une
idée fixe, le leitmotiv d'un pantin : « J'ai mal aux
dents », répète l'élève de *La Leçon*, à mesure que
sa personnalité s'atrophie sous le déluge verbal
du professeur ; « Le salut public, on s'en occupe...
quand on a le temps... La circulation d'abord »,
ressasse l'agent de police obsédé par la circulation dans *Tueur sans gages*. Le comique d'énu-
mération, qui dénonce chez des individus grisés par
le tourbillon des mots l'automatisme et le vide de
pensée : « des ivrognes, des catholiques, des protestants, des israélites, des escaliers et des souliers, des
crayons et des plumiers, des aspirines, des allumettes,
des omelettes, surtout beaucoup d'allumettes » (*L'Avenir est dans les œufs*) ou encore dans *La Leçon* :
« C'est une jolie ville, agréable, avec un joli parc,
un pensionnat, un évêque, de beaux magasins, des
rues, des avenues ». Le comique de contraste, qui met
sur le même plan l'étrange et le quotidien ou qui

souligne l'inadaptation grotesque des paroles à une
situation : « Attention, ne lui faites pas de mal »,
recommande le professeur à la bonne qui emporte le
cadavre de l'élève qu'il vient de tuer. Le comique
d'emphase, qui masque le vide ou l'ineptie de la pensée : « Les morts vieillissent beaucoup plus vite que
les vivants, c'est connu » (*Amédée*). Le comique qui
utilise la logique des fous : « Nous ne nous connais-
sons ni l'un ni l'autre. — Justement, nous avons un
point commun » (*Le Maître*). Enfin, le comique de
parodie : parodie du langage des commères (« J'ai
un pâté de lapin épatant. C'est du pur porc », dans
Tueur sans gages) ; parodie du bavardage d'un repor-
ter radiophonique, reproduisant les moindres faits et
gestes d'un personnage en vue (« Le maître arrive.
Il apparaît. Il coule. Il roucoule. Il saute. Il passe
la rivière. On lui serre la main. Il salue la foule. Il
crache très loin », dans *Le Maître*).

Il y a dix ans, Ionesco, qui avait dépassé la qua-
rantaine, faisait figure de raté : il était joué dans
quelques petites salles qu'il n'arrivait pas à remplir ;
on ne prenait guère au sérieux cet auteur qui culti-
vait le saugrenu et l'hermétique. Aujourd'hui,
Ionesco a acquis une audience internationale : « En
Allemagne, note-t-il lui-même, des thèses de doctorat sont écrites sur notre œuvre et sur nous-même.
On m'enseigne en Norvège, dans les facultés d'Angleterre et d'Australie, dans les collèges américains...
Je passionne les Polonais, les Yougoslaves... J'intéresse les jeunes Russes et les jeunes Japonais. On me

consacre des monographies... On ne peut contester la réalité de notre œuvre, sa solidité, son retentissement, sa mondialité ».

La critique, longtemps déroutée, lui rend hommage : « Ionesco est l'homme de théâtre par excellence », déclare J. Brenner et Jean Anouilh ne cache pas son enthousiasme : « Je crois que c'est mieux que du Strindberg, parce que c'est *noir* à la Molière, d'une façon parfois follement drôle, que c'est affreux, cocasse, poignant, toujours vrai ». Il reste toutefois quelques irréductibles, dont Jean-Jacques Gautier, imperméable au talent de Ionesco : « Je ne crois pas que M. Ionesco soit un homme de théâtre. Je ne crois pas que M. Ionesco ait quelque chose à dire. Je crois que M. Ionesco est un plaisantin (je ne veux pas croire le contraire, ce serait trop triste), un mystificateur, donc un fumiste ».

Il est encore trop tôt pour porter un jugement serein sur cette œuvre qui se fait. Disons simplement, en toute objectivité, que Ionesco a répandu, sinon créé, à travers la France et le monde un courant nouveau de théâtre. Eugène Ionesco saisit à bras-le-corps la réalité la plus sinistrement prosaïque et absurde, il la manie en tous sens, la désarticule, la désintègre, la réintègre, grossissant tout à l'excès, faisant souffler comme un vent de folie sur les éléments sclérosés du langage, et de ce brassage, de ce pétrissage jaillit le comique le plus irrésistible et le plus tonique.

CONCLUSION

Faisons un bref bilan de cette période de près d'un demi-siècle que nous venons d'étudier dans ses grandes lignes.

De 1918 à nos jours, la vitalité de notre production dramatique ne s'est à aucun moment démentie. Ambitieux dans ses desseins, le théâtre français contemporain est devenu un moyen de prospection et de découverte. Rejetant comme une conception périmée le trop célèbre « Tout est dit » de La Bruyère, les plus brillants de nos dramaturges ont estimé qu'il reste dans l'homme des régions inconnues, dont l'étude doit enrichir notre conception du réel : ils ont exploré les mystères de l'âme humaine, les forces obscures de l'inconscient ; ils nous ont présenté une vision métaphysique souvent originale de l'homme et de l'univers. Parallèlement à cet enrichissement de la matière théâtrale, ils ont cherché avec ténacité des procédés jusqu'alors inusités de technique dramatique.

Enfin, sous l'influence de Jacques Copeau et de Jean Giraudoux, la plupart des dramaturges contemporains se sont efforcé de réconcilier le théâtre avec la littérature en rendant à la scène un style et une poésie, en l'arrachant à la plate copie de la réalité. Qui oserait de nos jours prendre à son compte la célèbre phrase d'Alexandre Dumas fils, stigmatisant l'aspect mécanique du théâtre de son temps : « Un homme sans aucune valeur comme penseur, comme

moraliste, comme philosophe, comme écrivain, peut
être un homme de premier ordre comme auteur dramatique » ? Considéré longtemps et non sans raison
comme un art mineur, le théâtre a été restauré dans
son éminente dignité.

Cependant, l'activité théâtrale des dernières années
cache assez mal, sous une certaine luxuriance de
surface, un début de dessèchement. Le théâtre du
boulevard, qui représentait une tradition en soi
valable — car, comme le remarquait récemment
Gérard Bauer, « c'est la bassesse qu'il faut condamner au théâtre, non sa gaieté » — est en voie de
disparition ; le théâtre psychologique est en nette
régression. La grande équipe des romanciers-drama-
turges Mauriac, Montherlant, Sartre et Camus a
perdu un de ses membres et deux des trois autres ne
semblent plus guère se consacrer à la scène. La dernière avant-garde piétine : il semble qu'elle éprouve
quelque peine à trouver contre quoi elle pourrait
désormais s'affirmer.

Peut-on donner quelques conseils à la génération
montante de nos dramaturges ? Il faudrait, semble-
t-il, les mettre en garde contre deux défauts de
leurs aînés, qui pensaient trop et qui pensaient trop
noir.

En des temps aussi troublés que ceux que nous
avons connus depuis 1914, il est normal que le
théâtre soit devenu autre chose que ce divertissement
anodin et sensuel qu'il était aux environs de 1900.
Il est normal que des dramaturges aient conçu l'am-

bition de porter à la scène les problèmes angoissants, moraux, politiques ou philosophiques, qui se posent à la conscience de l'homme de nos jours. Comme le remarque Thierry Maulnier, « les quatre murs confortables entre lesquels vivaient à l'aise les rêves d'une bourgeoisie abritée se sont effondrés dans la tempête et laissent entrer le froid de la nuit... Nous avons été pris par les épaules et ramenés à la question », c'est-à-dire au sens de l'existence et au parti qu'il convient de prendre. Toutefois, un retour en force du drame d'idées (pour ne pas dire de la pièce à thèse) et plus encore l'inféodation du théâtre à une idéologie constituent un réel danger pour l'avenir de notre scène, car on ne saurait longtemps toucher le public avec des pièces abstraites, d'où la sensibilité humaine est pratiquement exclue. La sagesse consisterait à trouver un judicieux compromis entre le théâtre superficiel et vain d'avant 1914 et notre théâtre actuel, encombré de philosophie, menacé de didactisme systématique et de prédication sectaire.

L'autre défaut, c'est le pessimisme. Sans doute y a-t-il eu Paul Claudel, dont le christianisme est fait d'ardeur joyeuse et Jean Giraudoux, qui avait foi dans l'homme et dont le théâtre est comme une image embellie de l'humanité, mais Claudel et Giraudoux sont morts et chaque année qui passe les éloigne davantage de notre horizon familier. La plupart des dramaturges du temps présent nous offrent, nous l'avons constaté, une image affligeante de la condition humaine. Les auteurs du théâtre nouveau semblent même aller plus loin dans le pessimisme que leurs devanciers, Mauriac, Montherlant, Sartre

et Camus. Les pièces d'Adamov sont des visions de
cauchemar qui donnent le vertige ; celles de Beckett
nous présentent des épaves, des larves misérables
qui, incapables de se tenir debout, croupissent dans
des poubelles ou s'enfoncent dans la terre : n'arrive-
t-on pas là à l'extrême limite de l'horreur et du
dégoût d'être une créature humaine ?

Sans aller toujours aussi loin, nos dramaturges
contemporains se complaisent à adopter comme thèmes favoris l'angoisse, le désespoir, l'absurde, le
nihilisme, l'incommunicabilité entre les êtres dans
un univers vide et voué à un proche anéantissement.
Ne serait-il pas grand temps qu'on nous débarrasse
de tous ces slogans, de toutes ces tartes à la crème,
qui pèsent sur notre littérature depuis une vingtaine
d'années ? Le théâtre a été le reflet de la conjoncture
historiques : les fours crématoires d'Auschwitz, les
fumées d'Hiroshima. Est-ce une raison pour écrire
comme un critique contemporain : « Tous, nous
avons reçu de la guerre, de la bombe ou des camps
comme un ineffaçable avertissement ». Avertissement, oui ; ineffaçable, au sens de « qui nous hante
sans cesse », non, car qu'y a-t-il à gagner à rester
perpétuellement marqués par le traumatisme des
années tragiques que nous avons vécues ?

Il ne faudrait pas non plus oublier que le théâtre
est un divertissement, au sens banal comme au sens
pascalien du mot : il a pour mission de nous détourner de nos misères, de nous arracher à nos soucis,
non de nous y plonger avec on ne sait quelle
délectation sadique.

Nous appelons donc de nos vœux une nouvelle
génération de dramaturges qui ne se laissent plus

aller à ce snobisme du désespoir et du néant ; qui
aiment, envers et contre tout, notre condition humaine ; qui sachent faire confiance à l'avenir, surtout lorsque le ciel commence à devenir plus clair ;
bref, qui aient le goût obstiné du bonheur. Comme
dit le Jardinier dans *Electre* de Giraudoux : « Evi-
demment, la vie est ratée, mais c'est très, très bien
la vie », idée que l'auteur — notre meilleur maître
à penser du siècle — reprend pour la traduire par
la plus gracieuse des images, dans les toutes dernières répliques de la pièce. C'est la femme Narsès
qui parle : « Comment cela s'appelle-t-il, quand le
jour se lève, comme aujourd'hui, et que tout est
gâché, que tout est saccagé, et que l'air pourtant
se respire, et qu'on a tout perdu, que la ville brûle,
que les innocents s'entretuent, mais que les coupables agonisent, dans un coin du jour qui se lève ? ».
Electre répond : « Demande au mendiant. Il le sait ».
Et le mendiant dit : « Cela a un très beau nom,
femme Narsès. Cela s'appelle l'aurore ».

BIBLIOGRAPHIE SOMMAIRE

Robert PIGNARRE, *Histoire du Théâtre*, Presses Universitaires de France, 1945.

Serge RADINE, *Essais sur le Théâtre* (1919 - 1939), Editions du Mont-Blanc, 1944.

Pierre BRISSON, *Le Théâtre des Années folles*, Editions du Milieu du Monde, 1945.

Georges PILLEMENT, *Anthologie du Théâtre français contemporain* (Tome I : *Le Théâtre d'avant-garde ;* Tome II : *Le Théâtre du Boulevard ;* Tome III : *Le Théâtre des romanciers et des poètes*), Editions du Bélier, 1945-1948.

Marcel DOISY, *Le Théâtre français contemporain*, Bruxelles, La Boétie, 1947.

Edmond SÉE, *Le Théâtre français contemporain*, Armand Colin, 1950 (4e édition).

René LALOU, *Le Théâtre français depuis 1900*, Presses Universitaires de France, 1951.

Gabriel MARCEL, *L'heure théâtrale. Chroniques dramatiques de Giraudoux à Jean-Paul Sartre*, Plon, 1959.

Pierre-Henri SIMON, *Théâtre et destin. La signification de la renaissance dramatique en France au* xxe *siècle*, Colin, 1959.

Marc BEIGBEDER, *Le Théâtre en France depuis la Libération*, Bordas, 1959.

Léonard C. PRONKO, *Théâtre d'avant-garde*, Editions Denoël, 1963.

Martin ESSLIN, *Théâtre de l'absurde*, Buchet-Chastel, 1963.

Michel CORVIN, *Le Théâtre nouveau en France*, Presses Universitaires de France, 1963.

Michel LIOURE, *Le Drame*, Collection U, Armand Colin, 1963.

Pierre VOLTZ, *La Comédie*, Collection U, Armand Colin, 1964.

Cahiers de la Compagnie Madeleine Renaud-Jean-Louis Barrault.

INDEX DES NOMS CITÉS

TABLE DES MATIÈRES

IMPRIMERIES RÉUNIES DE CHAMBÉRY — 3, RUE LAMARTINE
Imprimeur : 686 - Editeur : 288 - Dépôt légal : 2e trimestre 1964